« *Une foi, une loi, un roi ?* »

LA RÉVOCATION
DE L'ÉDIT
DE NANTES

HISTOIRE ET SOCIÉTÉ N° 7

aux Éditions Labor et Fides

ELISABETH LABROUSSE

« *Une foi, une loi, un roi ?* »

ESSAI SUR LA RÉVOCATION DE L'ÉDIT DE NANTES

LABOR ET FIDES - GENÈVE
PAYOT - PARIS

ISBN 2-8309-0038-3

© *1985 by Editions Labor et Fides*
1, rue Beauregard. CH - 1204 Genève

*Si vous souhaitez être tenu au courant de nos publications,
il suffit de nous le signaler à notre adresse*

TABLE DES MATIÈRES

PRÉFACE

En me demandant d'écrire la préface d'*Une foi, une loi, un roi ?*, Élisabeth Labrousse nous place l'un et l'autre, dans une situation plutôt incongrue. Pendant plusieurs années, en effet, j'ai été son étudiant à la quatrième section de l'École Pratique des Hautes Études, j'ai profité de son enseignement tout à fait passionnant, et il doit être assez rare de devenir le préfacier de son ancien professeur. Mais ce renversement d'une situation habituelle n'est pas pour déplaire à l'éthique d'Élisabeth Labrousse et quand je lui ai présenté cette objection, elle ne l'a pas jugée recevable. Devant son insistance amicale, ma gêne s'est laissée supplanter par la joie de pouvoir apporter mon petit grain de sel à un tel livre.

Mon embarras n'était cependant pas fini. Quand elle a vu un résumé de ce que je prévoyais d'écrire, Élisabeth Labrousse a refusé tout net des propos qu'elle a trouvés trop élogieux. Elle ne voulait pas le moindre compliment ! Comment dans ces conditions, indiquer l'importance et l'enjeu de son ouvrage ? Peut-être en le replaçant dans l'historiographie de la Révocation. C'est donc ce que je vais tenter d'effectuer.

*   *

*

Dès le XVIIIe siècle, de grands esprits jugèrent assez sévèrement la Révocation. Mais sans beaucoup d'insistance et en ne s'intéressant guère au protestantisme français mis hors-la-loi par l'Édit de Louis XIV et symboliquement expulsé de l'histoire nationale. Quant à l'historiographie catholique, au XIXe siècle encore, elle cherche en général à justifier la Révocation : « La probité la plus sévère n'a rien à reprendre dans Louis XIV, affirme Henrion dans son *Histoire Générale de l'Église* en 1841, lorsque, sans violer aucun engagement légitime ni réel, il a fait pour le rétablissement de la religion de ses pères ce que des puissances hérétiques avaient osé faire pour son extinction. » Il en va tout autrement, bien sûr, avec Michelet, dont le « *Louis XIV et la Révocation de l'Édit de Nantes* » (1860) constitue une véritable révolution historiographique.

Michelet écrit une histoire inconnue de la plupart des Français d'alors. Nous sommes, avec lui, en pleine opposition tranchée entre des persécuteurs cruels et des victimes innocentes. Après avoir averti son lecteur que « tout le siècle gravite vers la Révocation », Michelet relate, de façon propre à l'impressionner, les moyens les plus violents mis à appliquer cette mesure : conversions forcées, enlèvements d'enfants, emprisonnements, sévices infligés aux femmes, galères dont les hommes ne reviennent pas, déportations, mises à mort. En contraste avec les atrocités qui leur sont faites, le grand historien dépeint les protestants comme les « meilleurs Français de France », ne désirant que l'ordre et la paix, loyaux sujets du Roi qui les tyrannise, entreprenants, vertueux, à un point tel que la Révocation amena une baisse du niveau général de la moralité publique. « De toutes parts, affirme-t-il, coulaient les larmes, éclataient les soupirs, et si du côté de Paris le vent eût porté cette nuit, on eût entendu les sanglots. » Le ton un peu grandiloquent de Michelet s'explique : il parle des protestants dans le cadre d'une histoire nouvelle, pionnière ; celle qui s'intéresse d'abord au peuple de France plutôt qu'aux grands du Royaume. Il veut apporter des connaissances à ses compatriotes mais aussi les avertir de l'ampleur d'une injustice historique.

La grandeur de Michelet consiste à avoir, par le génie de sa plume, cherché à révoquer la Révocation. Ces protestants du Second Empire, juridiquement des Français comme les autres et au bénéfice du pluralisme religieux officiellement reconnu par la loi, se trouvaient, en fait, encore assez souvent considérés par certaines autorités administratives et une partie

10

de l'opinion publique comme de semi-étrangers, adeptes d'une foi sans légitimité religieuse. Et cela à un point tel que, dans plusieurs régions de France, ceux qui s'étaient convertis récemment devaient se réunir semi-clandestinement, dans les bois et dans les champs, et voyaient leurs cultes poursuivis par la gendarmerie locale. Michelet redonne un caractère français et une légitimité historique au protestantisme en France. Il montre avec force l'importance et les aspects masqués de la Révocation. Il fallait le faire. Il l'a fait. On comprend que plus d'un siècle plus tard, Élisabeth Labrousse n'ait pas cherché à réécrire du Michelet mais nous présente un point de vue bien différent. Si le premier poète qui compare femme et rose se montre génial, le centième effectuant un rapprochement identique écrirait une platitude propre, de surcroît, à énerver la moins féministe des femmes. Madame Labrousse, elle-même protestante, n'a pas voulu, par exemple, insister sur les aspects les plus dramatiques des persécutions subies par les protestants. Son livre suppose l'œuvre de Michelet intégrée à la culture commune. *Louis XIV et la Révocation de l'Édit de Nantes* doit, d'ailleurs, en cette année 1985, être réédité par les soins de notre ami commun : Paul Viallaneix, le spécialiste internationalement reconnu de Michelet. C'est un classique à lire et à relire.

Dans mes propres conférences sur la Révocation, j'ai rencontré, avec une relative surprise je l'avoue, des personnes encore dépendantes de restes de la tradition historiographique catholique du XIXᵉ siècle, ignorant donc, notamment, l'ampleur des persécutions liées à la Révocation[1]. Cette méconnaissance n'a rien de honteux : on ne saurait être informé de tout et, plus ou moins souterrainement, d'anciennes conceptions de l'histoire perdurent. Mais alors il serait spécialement néfaste d'aller directement aux interpréta-

---

[1] Certains de mes auditeurs croyaient, de bonne foi, par exemple, que le départ des protestants français vers l'étranger avait été permis. Or ce départ était absolument interdit (hormis pour les pasteurs obligés, eux, de partir) et les protestants qui ont quitté la France l'ont fait au péril de leur vie. Cette absence de droit à l'émigration, amenant des conversions forcées, constitua sans doute, à l'époque, l'aspect le plus choquant de la Révocation. Celle-ci se distingue du principe « cujus regio, ejus religio » justement par l'absence de la possibilité d'émigrer.

tions les plus modernes, telle celle d'Élisabeth Labrousse, en laissant de côté un maillon essentiel que ces interprétations supposent connu.

* *
*

Continuons notre chemin historiographique. 1885 : le bicentenaire de la Révocation est commémoré. En réponse à certains historiens qui ont attribué aux protestants eux-mêmes — considérés comme des « renégats de leur patrie » (Rohrbacher) — l'entière responsabilité de la mesure qui les a frappés, des protestants répliquent en affirmant que le clergé catholique du XVIIᵉ siècle est le véritable auteur de la Révocation. L'exposé le plus sérieux d'une telle thèse nous semble être celui du pasteur Franck Puaux publié, cette année-là, par la *Revue Historique*.

Puaux n'a aucune peine à montrer, en citant des textes d'époque, que le clergé a toujours été très virulent contre les huguenots : il n'a jamais véritablement admis l'Edit de Nantes, a demandé à plusieurs reprises des mesures antiprotestantes et, ensuite, a légitimé théologiquement l'emploi de la force. L'ouvrage de Madame Labrousse confirme tout cela. Mais Puaux va beaucoup plus loin et estime que, dans cette affaire, le clergé a « entraîné l'État ». Louis XIV aurait révoqué l'Édit de Nantes essentiellement parce qu'il aurait été impressionné par les déclarations de l'Église catholique et pour obéir aux dirigeants de cette Église. L'abolition de l'Édit de Nantes aurait donc comme « cause première et déterminante » l'action du clergé. Louis XIV ne serait, en fait, qu'un « glorieux complice », Madame de Maintenon, Letellier, Louvois, Bâville, d'autres intendants, etc., s'avérant des « complices du second ordre ».

Puaux s'appuie incontestablement sur certains documents mais son investigation reste trop étroite et il prend parfois les textes qu'il cite trop à la lettre. Son travail comporte, de plus, des défauts propres à l'histoire dite « engagée » : trier dans les indices fournis par les faits ceux qui vont dans ce que l'on pense être le « bon » sens. Ainsi Puaux oppose la situation calme des protestants sous Henri IV et Mazarin aux vicissitudes qu'ils connaissent à partir du règne personnel de Louis XIV. Il ne dit pas un mot des campagnes militaires de Louis XIII et de Richelieu contre les protestants. Elles auraient dû, pourtant, l'amener à s'interroger sur l'attitude du pouvoir royal et sa logique propre. Dès l'Édit de grâce d'Alès (1629), nous dit Élisabeth Labrousse, la Révocation devient plus ou moins probable.

Le travail de Puaux constitue une sorte de concentré du point de vue protestant traditionnel sur la Révocation. Certes, il existe des variantes : dans d'autres versions on insistera plus sur le rôle de Madame de Maintenon. Mais, en schématisant, c'est cette histoire là que beaucoup de protestants, parmi ceux qui s'intéressent au passé de leur communauté, ont appris, par tradition familiale, lorsqu'ils étaient enfants et adolescents. Là encore, en 1985, certains racontent l'histoire à peu près comme un siècle auparavant. Et un tel immobilisme apparent s'explique très bien. Au XXᵉ siècle plusieurs changements sociaux — la laïcisation devenue un état de fait, l'ouverture œcuménique mobilisant de plus en plus de chrétiens de la classe moyenne intellectuelle, le déclin de l'histoire dans l'enseignement, etc., — joints à la progression de théologies transcendantalistes (le mouvement barthien, par exemple) ou horizontalistes (la théologie du monde, etc.) ont en partie détourné les protestants français de la compréhension vivante — et donc changeante — de leur propre histoire. Face à ceux qui, par œcuménisme, ont affirmé bien fort vouloir être « plus chrétiens que protestants » (comme si, pour des protestants, les deux termes s'opposaient !), face à ceux qui ont tellement voulu être « présents au monde » qu'ils ont parfois oublié leur propre spécificité et leur propre richesse spirituelle, l'historiographie protestante traditionnelle a continué, de façon souvent peu apparente, de se transmettre, se durcissant parfois, par résistance à des excès.

Il faut, d'ailleurs préciser que les protestants ne sont pas ici seuls en cause. J'ai parfois constaté que le point de vue de l'historiographie protestante du XIXᵉ siècle se trouvait surtout adopté aujourd'hui par des non-protestants : des laïcs se souvenant de la participation du protestantisme à l'établissement de la République des Républicains, à la création de l'école laïque, à la fondation de la Ligue des Droits de l'Homme, etc., des catholiques se situant dans une vision de l'histoire très pénitentielle et qui court le risque de l'anachronisme.

En remettant — que l'on me pardonne cette expression familière — les pendules à l'heure, Madame Labrousse va sans doute choquer certains de ses lecteurs protestants ou sympathisants du protestantisme. Je comprends l'émotion que certains vont ressentir lors de leur première lecture de cet ouvrage. Et je voudrais leur dire ceci. Celui — celle — qui mène une recherche historique guidé par un souci d'honnêteté intellectuelle — et Madame Labrousse est incontestablement de ceux-là — est généralement conduit vers des chemins différents de ceux qu'il avait prévus au départ. Peu à peu, à travers des indices d'abord contradictoires puis finalement qui s'emboîtent comme les différentes pièces d'un puzzle, il reconstitue une réalité autre que celle qui lui avait été enseignée, une réalité qui a sa consistance propre et ne se moule pas dans ses opinions, dans ses convictions. La recherche amène des découvertes. Quand un historien scandalise malgré lui, c'est qu'en conscience il ne peut faire autrement. Élisabeth Labrousse est une historienne méticuleuse et rigoureuse et si, après un bon quart de siècle de recherches, elle nous livre — de façon d'ailleurs riche et nuancée — une vision de la Révocation qui rompt sur bien des points avec l'historiographie protestante traditionnelle, c'est qu'elle a d'impérieuses raisons. Seuls ceux qui croient posséder la science infuse refuseront de l'écouter.

* *
*

D'ailleurs Élisabeth Labrousse n'est pas — et ne prétend nullement être — la première qui rompe avec les traditions historiographiques héritées du XIXe siècle. Sans pouvoir retracer l'ensemble du parcours historiographique — ce serait l'objet d'un ouvrage spécifique et non d'une préface — les travaux de deux autres universitaires doivent, au moins, retenir notre attention.

Ces deux historiens, qui ont tous deux enseigné à la cinquième section de l'École Pratique des Hautes Études, sont Émile G. Léonard et Jean Orcibal. En me limitant à eux je risque, certes, de ne pas rendre justice aux nombreuses études qui, sur des sujets précis, ont permis de bien connaître telle ou telle pièce du dossier. Outre certains ouvrages, le lecteur qui veut approfondir la question trouvera des articles fort nombreux dans l'irremplaçable *Bulletin de la Société de l'Histoire du Protestantisme Français*. Mon choix m'amène également à passer sous silence le travail d'autres chercheurs qui ont apporté leur contribution à la constitution d'une historiographie nouvelle, tel, en son temps, Matthieu Lelièvre. Cependant, ces deux personnalités me semblent incontestablement, avoir écrit les travaux les plus décisifs. L'une était protestante, l'autre catholique. Avec elles, cependant, nous ne sommes plus dans des historiographies confessionnelles concurrentes mais dans la construction d'une histoire laïco-universitaire d'ordre scientifique.

Les synthèses d'Émile G. Léonard — de l'étude publiée en 1948 dans la *Revue Historique* au chapitre consacré, en 1961, à cette question dans le second tome de l'*Histoire Générale du Protestantisme* — ont fait date et présentent un intérêt toujours actuel. Reprenant les arguments de leurs coreligionnaires de l'époque, les historiens protestants insistaient sur « l'irrévocabilité » de l'Édit de Nantes pour mieux stigmatiser ceux qui avaient lutté contre son maintien. De façon plus distanciée, Léonard montre que l'Édit de Nantes constitue un « point d'équilibre instable » que chaque parti a tendance à considérer, dès sa promulgation, comme une mesure transitoire. Les protestants souhaitent qu'il soit un « point de départ » et qu'avec la paix religieuse qu'il instaure leur religion fasse de substantiels progrès. Pourquoi s'indigner dès lors que le parti adverse, le parti dévot, fasse pression, au contraire, pour une application restrictive de l'Édit ?

Léonard déclare lui-même refuser de traiter le protestantisme français du XVIIᵉ siècle en « petit garçon geignard persécuté par les méchants ». Selon lui, c'est d'abord dans les faiblesses internes de ce protestantisme qu'il faut chercher les raisons de sa chute. Certes, on le verra, Madame Labrousse ne

15

souscrit pas complètement à l'interprétation d'Émile G. Léonard. Elle la juge d'une sévérité excessive pour le protestantisme français du XVIIe siècle. De fait, Léonard n'indique peut-être pas assez à quel point, à partir du moment où la logique absolutiste était en marche et quelle que soit la stratégie mise en œuvre par les protestants, elle se retournait contre eux. Élisabeth Labrousse est, sur ce point comme sur d'autres, très convaincante.

Il n'en reste pas moins que le grand historien du protestantisme a tracé nombre de voies nouvelles. Il effectue, par exemple, une analyse très fine des stratifications sociales du protestantisme français d'alors et met en relation, dans une perspective de sociologie historique non marxiste (faut-il le préciser pour éviter toute équivoque ?), les classes sociales et les options religieuses et idéologiques des protestants. En rappelant le renouveau du catholicisme français du XVIIe siècle, en indiquant que les tentatives de « réunion du christianisme » ont eu un effet démobilisateur auprès de la communauté protestante, Léonard a le grand mérite d'indiquer que les mesures violentes ne constituent pas les seuls coups portés au protestantisme français d'alors. Sa conclusion apparaît fort iconoclaste sous une plume protestante ; « A suivre dans ses grandes lignes l'histoire de l'Édit de Nantes, l'étonnant n'est pas qu'il ait été révoqué, mais qu'il l'ait été si tard. »

L'ouvrage de Jean Orcibal, *Louis XIV et les protestants,* (1951), est devenu, pour les historiens, un classique. Il n'est peut-être pas connu comme il le mériterait d'un public plus large. Jean Orcibal montre avec clarté que la disparition de la double légitimité religieuse reconnue par l'Édit de Nantes et le retour à l'ancienne devise « Une foi, une loi, un roi » fut une constante de la politique du règne personnel de Louis XIV. Mais cette volonté d'uniformisation religieuse n'impliquait pas forcément, au départ, la Révocation de l'Édit. Le Roi et certains personnages importants du Royaume — un ancien protestant comme Turenne par exemple — crurent longtemps possible d'y parvenir par d'autres moyens. De là une succession d'entreprises différentes, l'échec, au moins partiel, de chacune d'entre elles, amenant à compléter ses effets par de nouvelles mesures : « cabale des accommodeurs de religion », caisse de conversions, dragonnades.

La Révocation s'explique aussi dans un ensemble où politique religieuse et politique étrangère se trouvent étroitement associées. Refusant de voir dans l'abolition de l'Édit de Nantes le résultat d'un acte de dévotion royal, Orcibal met en avant le « grand dessein » de Louis XIV qui prend notamment tournure avec la paix de Nimègue. Devenu, en 1679, « l'arbitre de l'Europe », le Roi Soleil s'estime qualifié pour « réunir » l'ensemble des confessions chrétiennes : non seulement le « petit troupeau » des réformés français, mais aussi les anglicans d'outre-Manche et les luthériens du monde germanique. Dans cette entreprise, il entre en rivalité avec l'Empereur Léopold qui, lui aussi, mène une politique de « réunion », avec l'appui du Pape Innocent XI. La délivrance inattendue de Vienne, assiégée par les Turcs, renforce l'axe Augsbourg-Rome au détriment de Versailles. La Révocation fait partie de la contre-attaque de Louis XIV qui tente de se rendre maître de l'Europe pour lui imposer, selon le témoignage du Prince d'Orange, « une monarchie universelle et une religion uniforme ». Pour reprendre l'image frappante, donnée en 1967 par mon prédécesseur à l'École Pratique des Hautes Études, Daniel Robert (dans la revue *XVIIᵉ siècle*), la « persistance d'une petite minorité de réformés en France pouvait apparaître au roi comme une petite pierre qui empêchait de démarrer un lourd et magnifique char, celui de la réunion des Églises ».

L'ouvrage de Jean Orcibal m'apparaît d'une importance décisive pour saisir les motifs politiques de la Révocation. Naturellement, dans cette affaire, politique et religion ne s'opposent pas mais s'interpénètrent : le Roi se croyait le plus qualifié pour discerner à la fois l'intérêt de sa couronne et celui du christianisme. Je suis moins assuré, par contre, de la conclusion que certains lecteurs d'Orcibal ont cru pouvoir tirer de son livre : la Révocation ne concernerait en aucune manière le clergé catholique qui serait resté étranger à une telle entreprise. Cette idée, que j'ai entendu s'exprimer oralement, me paraît aussi abusive que la thèse qui faisait du clergé catholique d'alors le responsable par excellence de la Révocation.

17

Comme la seconde était contaminée par un climat de polémique inter-religieuse, elle est dépendante d'une conception peu lucide de ce que doit être, à mon avis, un véritable dialogue œcuménique. Élisabeth Labrousse ne tombe pas, bien sûr, dans un tel travers. Les pages sereines et fortes qu'elle consacre aux « justifications théologiques de l'intolérance active », sont, à cet égard, exemplaires.

* *
*

Continuant le renouveau historiographique que je viens de retracer, liant même la gerbe en ce sens qu'elle nous parle aussi bien de la vie des huguenots que de la politique de Louis XIV, Madame Labrousse rompt avec une histoire dite « militante » tant protestante ou laïque que catholique. Sans escamoter aucune responsabilité, il s'agit moins pour elle, de juger que de comprendre les optiques diverses des protagonistes et pourquoi cette œuvre de « déraison d'État » a pu être commise dans l'euphorie générale. Son objectivité ne l'amène cependant pas à écrire une histoire froide ou impersonnelle. Au contraire, loin des manichéismes, la communauté protestante apparaît attachante, émouvante, adoptant différentes manières de réagir qui toutes se retournent contre elle. Le catholicisme est aussi nettement diversifié. Ce n'est pas un bloc monolithique et souvent ses membres ont une cohérence interne qui, au premier abord, nous échappe, pouvant, par exemple, approuver la Révocation et faire preuve de charité envers des protestants. Finalement, c'est l'ensemble du XVIIe siècle qui s'avère différent de nous et Élisabeth Labrousse rappelle, fort justement, par exemple, que dans sa première édition, en 1694, le *Dictionnaire* de l'Académie Française donne un sens exclusivement péjoratif au terme de « tolérance ».

Il existe de l'hétérogénéité entre les siècles. Des divergences et des ressemblances dans les mentalités comme dans les comportements. C'est bien ce qui rend la recherche historique à la fois difficile et possible : il faut utiliser l'expérience que l'on a acquise dans sa vie mais aussi savoir se décentrer par rapport à soi-même, à son milieu, à son époque, à toutes les normes implicites dans lesquelles on baigne. Mais quand on y arrive, après un long travail, quand on s'avère capable de restituer, comme Madame Labrousse, cette hétérogénéité, on écrit un livre passionnant. Un livre qui, mieux que toute histoire qui se voudrait engagée mais serait surtout naïvement édifiante, comporte des enseignements riches, inquiétants même, pour notre aujourd'hui.

Dans cet aujourd'hui nous avons, Élisabeth Labrousse et moi, certains combats communs. Je ne pense donc nullement la trahir en proposant, pour conclure cette préface, deux pistes d'actualisation de cet événement à la fois spécifique et exemplaire — la Révocation — qu'elle nous rapporte si bien.

Manifestation de l'absolutisme, la Révocation a historiquement montré le danger et l'aspect abusif de l'intolérance. Mais, paradoxalement, le pluralisme, la liberté dont nous jouissons, biens précieux d'un système démocratique, ne comportent-ils pas, eux aussi le danger d'un abus de tolérance ? D'une tolérance qui n'est finalement qu'une nouvelle manière de normaliser, d'uniformiser, de nier autrui non plus en le persécutant mais en ayant une superbe indifférence vis-à-vis de ce qu'il est.

Chacun sait que dans notre système bureaucratico-légal le pouvoir social ne doit pas provenir de privilèges de naissance mais de l'exercice temporaire de certaines fonctions. Hormis sa fonction, le détenteur de pouvoir est un être humain comme un autre, idéalement soumis aux mêmes droits et aux mêmes devoirs. De même la loi, et les règles sociales qui lui sont liées, doivent être égales pour tous, s'appliquer indistinctement à tous. Derrière son guichet, l'employé doit servir tout le monde qu'il soit jeune ou vieux, noir ou blanc, homme ou femme, non-croyant ou croyant. Les discriminations feutrées qui peuvent encore exister apparaissent choquantes et l'on cherche à les faire disparaître.

N'insistons pas sur les avantages certains d'un tel système, notamment pour tous les discriminés, les minorisés. La grandeur de l'idéal poursuivi est évidente : chaque être humain est semblable à un autre. Tous ont droit à une dignité égale. Pourtant Max Weber a montré que ce mode de pouvoir, qui s'exprime en lois et s'incarne dans des bureaux est aussi la « domination de l'impersonnalité la plus formaliste ». Il dépersonnalise, il a tendance à rendre les êtres humains interchangeables, à développer leur caractère anonyme. Et quelques décennies avant Weber, au milieu du XIXᵉ siècle, de façon intuitive, un grand théologien protestant Alexandre Vinet avait perçu, lui aussi, ce danger, au sein même, dit-il, de ce qu'il y a de « bon » dans l'évolution du monde moderne. Il écrivait : « Dans la société... l'individualisme est sur le trône et l'individualité est proscrite ! l'être réel, vivant, portant un cœur et une conscience est tout près d'être nié ; il ne lui est permis de se sentir vivre que dans le grand tout dont il fait partie ; ce panthéisme social ne lui laisse pas plus de personnalité que n'en a la goutte de l'Océan ; ce n'est plus un homme, c'est un chiffre, une quantité, une fonction, tout au plus un ingrédient... Il paraît expédient que les qualités trop prononcées s'effacent... (la société) a besoin de ses talents, de sa fortune, de ses forces et non pas de lui. » Ainsi les êtres humains tendent à ressembler « à des exemplaires parfaitement imprimés d'un même écrit ».

Est-il besoin d'un commentaire ? Chacun peut avoir dans l'esprit des réalités concrètes de la société moderne auxquelles cette citation, malgré son ancienneté, nous renvoie. Soyons attentifs, très attentifs à la fois à la lutte pour les « droits de l'homme » — et des associations comme Amnesty International ou l'Action des Chrétiens pour l'Abolition de la Torture (A. CAT.) mènent un combat fort important — et à la lutte, elle aussi nécessaire, pour les droits de l'individualité c'est-à-dire ce qui distingue un être humain, ou un groupe d'êtres humains, d'entre tous ses semblables et permet de ne le confondre avec aucun d'entre eux.

Différents et semblables : c'est cette dialectique qui apparaît bien difficile à assumer. Et à lire Élisabeth Labrousse on s'aperçoit qu'il a été fait grief aux protestants français et de leurs différences et de leurs similitudes avec les autres habitants de leur pays.

De leurs différences : cet ouvrage nous rappelle que le climat général d'hostilité aux huguenots comportait des raisons concrètes et quotidiennes qui présentent des analogies avec certaines situations contemporaines. Quand les protestants ne décoraient pas la façade de leur maison le jour de la Fête-Dieu et ne participaient pas, alors, à la liesse populaire, ils rompaient un consensus social un peu comme aujourd'hui des travailleurs immigrés musulmans peuvent sembler le faire, « par fidélité aux injonctions du Coran » en certaines occasions. Alors même qu'il subissait des atteintes à ses droits, le protestantisme apparaissait comme une minorité agressive, menaçante. Et cela parce qu'étant une minorité « différente » et voulant le rester.

De leur similitude : une des argumentations qui a accompagné le processus d'abolition de l'Édit de Nantes a consisté — Élisabeth Labrousse le montre — à affirmer que, finalement, les différences entre les deux confessions coexistant sous le régime de l'Édit n'étaient pas telles que les protestants ne puissent devenir catholiques sans trop de drame de conscience. Il y avait des accommodements possibles. Des accommodements étouffants.

Être différents tout en étant semblables, pouvoir ressembler sans être identiques. Ce problème qui s'est posé à la France du XVIIe siècle, se pose encore — avec des données autres — dans la France d'aujourd'hui. Vivrons-nous, en cette fin de XXe siècle, dans une France uniformisante, prompte à exclure, à transformer en bouc émissaire ceux qui n'apparaissent pas « comme les autres », ou à mettre tout un chacun dans le même moule ? Serons-nous, au contraire, capables de construire une France plurielle, riche de sa diversité et ainsi spirituellement grande ? Telle me semble être une des grandes questions que l'on peut se poser à la lecture d'*Une foi, une loi, un roi.*

Jean Baubérot
Directeur d'Études à l'École
Pratique des Hautes Études
(chaire d'histoire et
sociologie du protestantisme).

21

A la mémoire de Richard Stauffer

« Dieu est toujours du côté du persécuté. Si un juste est persécuté par un méchant, Dieu est avec le juste persécuté. Si un méchant est persécuté par un méchant, Dieu est avec le persécuté ; et si un méchant est persécuté par un juste, Dieu est aux côtés du méchant persécuté, contre le juste persécuteur. »

Talmud

« Il se peut faire que le persécuté ne vaille rien, mais le persécuteur est toujours injuste. »

Bayle

INTRODUCTION

Ce ne fut pas un simple épisode d'histoire événementielle que la signature, à Fontainebleau, le 17 octobre 1685 de l'Édit qui révoquait celui de Nantes. La Révocation, en effet, tient bien plus du processus que de l'intervention ponctuelle.

Encore faut-il savoir sur combien d'années l'historien peut se trouver conduit à étendre le processus en question. Une source à peine ultérieure, aussi bien informée, pour son temps, que tendancieuse, l'*Histoire de l'Édit de Nantes* du pasteur réfugié Élie Benoist, parue à Delft en 1693-1695 en cinq gros volumes in-4°, considère, comme le titre de l'ouvrage le suggère, que ce fut presque dès sa promulgation que débuta le dépérissement de la charte de Nantes. Mais faut-il voir dans la Révocation l'aboutissement d'un « grand dessein », savamment mûri, d'une stratégie calculée ? Doit-on la considérer comme la conséquence de la faiblesse politico-sociale de la Religion Prétendue Réformée dans la seconde moitié du XVIIe siècle ? Convient-il de mettre surtout en cause le centralisme incoercible de la couronne de France ? Enfin, quelle importance faut-il accorder à la volonté de monopole triomphaliste qui habitait l'Église gallicane ? On doit assurément faire appel à tous ces éléments d'explication à la fois, mais le problème demeure de savoir comment les doser.

D'emblée, nous voulons avertir le lecteur que nous conjecturons ici que la Révocation (avec tout ce qui l'a préparée) a été beaucoup plus *subie* par l'ensemble des Français — aussi bien catholiques que réformés — qu'elle n'a été sciemment *perpétrée* ; elle a plus été un effet d'inertie que d'initiative. Nul homme d'État, nulle force politique ne s'est trouvé qui

25

tentât d'endiguer ce vaste glissement de terrain, que plusieurs ont cherché à accélérer, dont beaucoup se sont passionnément félicités et au-dessus duquel ont bourdonné avec importance d'innombrables mouches du coche.

Quoi qu'il en soit, l'Édit de Fontaibleau a entraîné de lourdes conséquences à court et à long terme et l'ampleur des dimensions de la Révocation, ou, pour reprendre les termes de Benoist, de l'histoire de l'Édit de Nantes, que clôt sa Révocation, est patente. Il pourrait donc à bon droit paraître téméraire et superficiel de chercher à l'aborder dans un court essai, largement impressionniste et lacunaire, si notre propos ne se réduisait pas à suggérer certaines pistes de recherches, qui pourraient s'avérer fructueuses en d'autres mains, et à essayer de nous dégager de la problématique militante inaugurée par Élie Benoist, avec ce qu'elle comporte de récriminations geignardes et d'indignation vertueuse, parfaitement légitimes dans un livre de combat lancé depuis le Refuge, mais qui ont trop longtemps persisté à des degrés divers chez les historiens protestants ultérieurs — et chez leurs homologues anti-cléricaux. Nous voulons tenter de comprendre un désastre, trop étendu pour qu'il ne soit pas futile d'en individualiser naïvement les « coupables ».

CHAPITRE I

LES ANNÉES 1598-1661 : L'EFFACEMENT DE LA NOBLESSE ET LA MONTÉE DU PASTORAT

DE LA MORT D'HENRI IV A LA PAIX D'ALÈS

Les grandes dates historiques sont un secours précieux pour la mémoire, mais elles deviendraient un piège trompeur pour qui oublierait le savoir rétrospectif qui les privilégie artificiellement ; en histoire il n'y a guère de commencements absolus ni d'écrasements définitifs...

1598, l'année de la promulgation de l'Édit de Nantes (le 13 avril) échappe moins que toute autre date à cet avertissement. L'Édit ne reprenait-il pas, textuellement, nombre d'articles de ces documents antérieurs qui avaient si vainement tenté d'établir un compromis viable entre les adversaires affrontés dans les Guerres de religion ? Ces textes, il est vrai, n'avaient jamais eu qu'une portée passagère, aucun d'entre eux n'ayant été respecté durablement. Si l'Édit de Nantes prenait la suite de tant d'accords mort-nés, reste qu'un roi énergique et un pays exsangue créaient maintenant des chances de succès. Toutefois, ses articles secrets et les Brevets à durée limitée qui l'assortissaient (concernant les places de sûreté et la réunion des Assemblées politiques réformées), lui donnaient assez l'allure d'un traité entre le roi de France et ses sujets réformés ; ceux-ci, au reste, nommeraient leurs députés généraux à la Cour, qui faisaient un peu figure d'ambassadeurs.

L'Édit avait été très âprement négocié et il déçut amèrement les huguenots les moins réalistes. En effet, il faut se garder d'oublier que, partout dans le royaume il restaurait le catholicisme, qui retrouvait son tissu continu de paroisses, récupérait ses biens quand ils avaient été confisqués — cas assez fréquent dans le Midi — et pouvait compter sur les ressources financières immenses assurées par les dîmes, versées dorénavant par tous les Français. Ceux-ci, par ailleurs, restaient tous soumis à certaines dispositions du Droit Canonique (concernant les empêchements matrimoniaux par exemple) qu'avaient contestées les Réformateurs. En revanche, l'Édit de Nantes accordait aux Églises Réformées de France — nous les désignerons désormais sous les initiales E.R.F. — le privilège d'exister légalement dans un grand nombre de villes et de bourgs du royaume — ce qui était une amère défaite pour les Ligueurs — tandis que les Français qui le souhaitaient pourraient professer la Religion prétendue réformée, — la R.P.R. — sans encourir de ce fait la moindre sanction concernant leur carrière et, *a fortiori,* leur vie quotidienne, en tout cas, en principe.

Rétrospectivement, puisqu'il est resté en vigueur pendant des décennies, on n'a pu que saluer l'Édit de Nantes comme un document d'une rare sagesse politique, qui avait su transiger judicieusement entre les forces en présence et donc, rallier les modérés des deux confessions et convaincre une majorité de gens qu'il était plus raisonnable de s'en accommoder que de poursuivre la lutte armée. Mais, ne nous y trompons pas, aux yeux des plus fervents, l'Édit n'était qu'un armistice : à la guerre chaude, succéderait une guerre froide. On changeait de méthodes, mais non pas d'intentions à long terme, même si le déséquilibre énorme des forces en présence — les réformés à cette date ne représentaient plus qu'approximativement 6 % de la population du royaume[1] — engageait inévitablement les huguenots à une défensive vigilante, tandis que les catholiques pouvaient rêver d'une *reconquista* progressive.

---

[1] Les recherches minutieuses du pasteur Samuel Mours conduisent à une évaluation de cet ordre : il y aurait eu un peu plus d'un million de réformés pour une population française qui tournait autour de 20 millions d'âmes. Les computations démographiques pour cette époque sont très imprécises, en chiffres absolus, mais fournissent cependant une indication sûre quant au rapport de force, longtemps fort méconnu.

Au surplus, la fin véritable des Guerres de religion, qui supposaient l'existence d'un « parti » protestant, armé et donc redoutable, il faut la placer, non pas en 1598, mais en 1629, avec l'Édit de grâce d'Alès — pudiquement appelé Paix d'Alès par les auteurs huguenots —, qui confirma uniquement les clauses religieuses de celui de Nantes, sans plus laisser aux réformés le droit — quelque peu exorbitant — de réunir des Assemblées politiques, ni de disposer de places de sûreté, avec des garnisons huguenotes. Il est vrai que le caractère transitoire de ces concessions initialement consenties par la couronne avait été explicitement prévu dans l'Édit de Nantes, de sorte qu'en un sens, on pourrait soutenir qu'il n'a reçu d'application définitive qu'une fois allégé de ses Brevets.

On le sait, tant que vécut Henri IV, l'application de l'Édit de 1598 se fit sans trop d'accrocs, même si les Parlements rechignèrent longtemps à l'enregistrer : — celui de Rouen ne le fit qu'en 1609 ! — et s'il y fallut la patiente autorité du roi. Mais avec la Régence de Marie de Médicis, les réformés virent croître leurs motifs d'inquiétude ; dès 1611, la France devenait alliée de l'Espagne, rapprochement que sanctionnaient de doubles fiançailles : entre Louis XIII et l'infante Anne d'une part, le futur Philippe IV et Élisabeth de France de l'autre. Un tel changement de cap, au reste, inquiétait et mécontentait de très nombreux catholiques français, tous les « politiques » de naguère, passionnément hostiles aux traditions ligueuses. En dépit des oppositions qu'ils rencontraient, les deux mariages se firent en octobre 1615, un an après la majorité de Louis XIII.

La Navarre n'avait pas été concernée par l'Édit de Nantes puisque, depuis Jeanne d'Albret, le catholicisme avait été purement et simplement aboli dans ce petit royaume. Anomalie que déploraient régulièrement les Assemblées du Clergé de France, d'autant qu'on savait pertinemment que bien des Béarnais étaient restés catholiques, plus ou moins secrètement. Le centralisme croissant de l'époque incitait à mettre les deux royaumes de Louis XIII sous un régime semblable, mais, décidée en 1617, l'extension des dispositions de l'Édit de Nantes à la Navarre, avec la restauration du catholicisme et la dévolution des biens ecclésiastiques confisqués qu'elle impliquait, parut à beaucoup de huguenots une première et grave entorse au *statu quo* de 1598, qu'ils se flattaient d'avoir vu canonisé à jamais par l'Édit de Nantes.

Ce qui conduisit de proche en proche à des prises d'armes dans l'Ouest et dans le Midi. Toutefois, ce n'était pas les Guerres de religion qui se rallumaient : en effet, une vingtaine d'années de paix avait fissuré l'ancien parti protestant. Ceux des réformés du Nord de la Loire qui avaient survécu aux hécatombes suscitées par la Ligue étaient dispersés et, presque partout, très minoritaires, mais la paix religieuse avait puissamment bénéficié à leurs petites communautés. Très conscients de leur faiblesse numérique et passionnément monarchistes, ils étaient pleinement des hommes du XVIIᵉ siècle ; ils suivirent si peu les têtes chaudes languedociennes que beaucoup d'entre eux servirent dans les armées royales, contre leur coreligionnaires, devant La Rochelle en particulier ; il est vrai que la ville rebelle défendait indistinctement son particularisme religieux et les privilèges traditionnels qui lui valaient une quasi-autonomie politique — une sorte de statut de ville hanséatique — ce qui, à l'époque, représentait une anomalie archaïque.

Même dans le Midi, beaucoup de pasteurs et de notables déplorèrent des prises d'armes dont ils percevaient l'irréalisme et le caractère aventureux. Mais le petit peuple, dans des villes comme Montauban ou La Rochelle, percevait mal la faiblesse réelle du « parti » dans l'ensemble du royaume. Bercé par les récits légendaires des hauts-faits d'autrefois, il idéalisait nostalgiquement leur souvenir comme si la fin des conflits armés avait été simplement un glorieux triomphe pour la cause réformée — alors que l'abjuration d'Henri IV en 1593 lui ôtait absolument une telle signification.

Au surplus, dans bien des localités méridionales, loin de représenter une victoire pour les huguenots, la mise en exécution de l'Édit de Nantes avait entraîné leur recul, avec le retour des prêtres et des moines dans des bourgs dont ils avaient été chassés plusieurs années. Il avait fallu rendre les biens ecclésiastiques confisqués — affaire de longue haleine, qui prendra des décennies, car ces terres avaient souvent changé plusieurs fois de mains et leur liste n'était pas toujours facile à établir. Les traitements des ministres n'étaient plus assurés par les municipalités, mais dépendaient de la cassette royale et en contrepartie, les réformés avaient dû recommencer à payer la dîme.

Tout cela explique que les simples, à cette date, ne se soient pas sentis favorisés par l'Édit de Nantes et n'aient pas admis qu'il reçoive de l'extension. A l'autre bout de l'échelle sociale, plusieurs grands seigneurs du parti, pêcheurs en eau trouble s'il en fût, escomptaient à bon droit s'enrichir et se pousser en prenant les armes, quittes à les déposer volontiers au prix d'une pension de la Cour.

La sagacité politique de Richelieu, aidée par ses préoccupations majeures de politique étrangère, lui permirent de ne pas amalgamer les E.R.F. et le « parti ». En confirmant les clauses religieuses de l'Édit de Nantes à Alès, il séparait bien les premières du second et donnait rétrospectivement raison d'une manière éclatante à ceux des réformés qui avaient condamné les dernières prises d'armes. Cependant, dorénavant, l'exécution fidèle de l'Édit ne reposait plus que sur le seul bon vouloir de la Cour : si dérisoires qu'eussent été et surtout, que soient devenues avec le temps les garanties politico-militaires apportées aux réformés par les Brevets annexés au texte de 1598, à présent ce frein relatif à des entreprises contre la R.P.R. avait disparu.

Il ne restait plus aux huguenots que des recours juridiques et, pendant des décennies, tel fut le terrain d'élection des conflits. Qu'il s'agît d'un individu ou d'un consistoire, tout condamné, en premier ressort, au criminel ou au civil, pouvait faire appel à une des cours de justice « mi-parties » du royaume ; en fait, cette dernière appellation n'était exacte que pour la Chambre des Castres, rattachée au Parlement de Toulouse, car celles de Guyenne, de Dauphiné et de Normandie, ne comportaient qu'un petit nombre de conseillers réformés, voire, dans le dernier exemple, un seul. Ces cours de justice représentaient cependant une indéniable garantie d'impartialité dans le jugement des procès intentés contre des consistoires par des ecclésiastiques catholiques, mais, en 1662, un arrêt du Conseil retira aux Chambres de l'Édit la connaissance des affaires dites « d'État » — en général, des cas à forte couleur confessionnelle : transgression des fêtes romaines, lèse-majesté divine, convertis, etc. L'abolition de ces tribunaux, nous le verrons[2] n'intervint que quelques années avant la Révocation, mais les restrictions apportées à leur compétence dès 1662 avaient déjà singulièrement affaibli leur utilité pour les E.R.F.

LES ÉGLISES REMPLACENT LE « PARTI »

Après 1629, le « parti » protestant s'étant évanoui, ce qui subsiste et occupe tout le terrain, ce sont les E.R.F. : à l'encombrante présence des grands seigneurs succède l'autorité souveraine des pasteurs et des synodes. Il faut bien comprendre que l'Édit de Nantes n'avait pas établi une liberté de conscience, au sens actuel, qui présuppose un individualisme, impensable au XVIIᵉ siècle, dont la conséquence est de cantonner les options religieuses dans la sphère personnelle et privée. L'Édit accordait des *privilèges*, minutieusement circonscrits, aux Églises réformées de France ; il définissait leurs lieux d'implantation licite et reconnaissait aux Français le droit de choisir l'une ou l'autre des deux confessions chrétiennes reconnues dans le royaume. Nul Français, de ce fait, n'aurait pu professer ouvertement l'anabaptisme ou même pratiquer le luthéranisme (sauf en Alsace, après son annexion au royaume).

Chacune des deux confessions en présence — l'Église romaine et les E.R.F. — avait vocation multitudiniste ; autrement dit, chacune, idéalement, aspirait à regrouper la totalité de la population française sous la houlette de son clergé. Par conséquent, et le point est parfois négligé, ni l'une, ni l'autre ne préconisait une tolérance dans laquelle elles ne voyaient que démission et criminel indifférentisme religieux. Puisqu'on jugeait universellement que la croyance en un Dieu rémunérateur et vengeur était la seule garantie de l'ordre social et qu'on identifiait athéisme, immoralité et incivisme, le relâchement de zèle religieux qui semblait inséparable de penchants vers la tolérance était unanimement dénoncé comme dangereux et subversif.

La coexistence pacifique imposée par l'Édit de Nantes aux deux confessions légalement admises en France ne pouvait être

---

[2] Cf. *infra* VIII, p. 167.

qu'une sorte de pis-aller transitoire dont, théoriquement, l'une comme l'autre aurait souhaité qu'il cessât à son propre bénéfice[3]. Mais, bien entendu, en pratique, du côté huguenot, le rêve d'avenir d'une « France toute réformée » était bien plus chimérique encore (bien qu'on en retrouve des traces, au Refuge, chez Jurieu), que, chez l'adversaire, celui d'une « France toute catholique » ! Pourtant, il faut bien voir qu'en principe aucune des deux confessions ne pouvait abriter d'autre ambition ultime que celle du triomphe de la « vraie religion ».

Toutefois, concrètement l'Édit de Nantes s'était refermé comme un tombeau sur les réformés[4] qui, de par leur caractère si minoritaire, avaient assez à faire pour perdurer et ne pouvaient guère se dépenser en efforts de prosélytisme, ni manifester le dynamisme conquérant des débuts de la Réforme en France. Pratiquement, il leur était déjà difficile de conserver l'acquit : les privilèges reconnus aux E.R.F. par la couronne, d'un côté, et, de l'autre, la fidélité du peuple huguenot à son particularisme religieux, fidélité qui demandait des efforts et des sacrifices. Et d'abord, après 1627-1631, ces contributions financières, souvent si lourdes pour les humbles (déjà taxés par la dîme) qui seules permettaient le fonctionnement des institutions réformées, une fois que cessèrent les subventions royales prévues par l'Édit. Après la Paix d'Alès, elles ne redevinrent pas régulières et s'espacèrent pour ne plus être que des allocations occasionnelles — à l'occasion de la tenue d'un Synode national, par exemple. Les perpétuelles difficultés d'argent de la Cour, sous Richelieu et Mazarin, suffisent à expliquer cet état de choses, mais il est bien certain que l'exécution ponctuelle des articles financiers de l'Édit de Nantes ne

---

[3] Il faut excepter ici le théologien Moïse AMYRAUT ; dans la ligne des « politiques » du XVIe siècle, il s'efforça de donner des bases rationnelles à la tolérance civile — c'est-à-dire, à l'Édit de Nantes — en la fondant sur le Droit naturel. Les catholiques récusaient une telle doctrine, mais en outre, bien des réformés contestèrent une analyse qui aboutissait à cantonner l'affiliation religieuse dans la sphère de la vie privée, à se résigner à la déchirure de la tunique sans couture et à tendre, à long terme, à une laïcité de l'État.

[4] Cf. F. STROWSKI, *Pascal et son temps,* Paris, 1907, I, p. 1, cité par E.G. LÉONARD, *Histoire générale du Protestantisme.* II. *L'établissement,* Paris, 1961, p. 312, note 2.

fut jamais une priorité pour les gouvernements des cardinaux...

Si pour les humbles la profession du protestantisme représentait des sacrifices d'argent, pour les notables, petits ou grands, elle entraînait des handicaps sociaux, aussi incontestables que difficiles à énumérer ; quiconque abritait des ambitions pour soi ou pour ses enfants, quiconque voulait se pousser, comme on disait, voyait croître les obstacles s'il était réformé. C'est ce qu'atteste une saisissante débandade de la noblesse huguenote après 1620 ; nombre de gentilshommes rallièrent dans ces années-là la religion du roi ; leurs motifs, au reste, n'ont été sans doute que partiellement sordides, tant le loyalisme à l'égard du Prince revêtait des formes multiples dans cette couche sociale. Ces défections affaiblirent, politiquement, une confession qui ne pouvait plus se targuer de l'appui d'un seul Prince du sang et ne comptait plus guère de très grands seigneurs dans ses rangs : Rohan meurt en 1638, Soubise, en exil à Londres, en 1641 ; Turenne passe au catholicisme en 1668 : jusque-là, avec son gendre, le duc de La Force, qui n'abjura pas, il avait représenté l'appui majeur de la R.P.R. à la Cour.

Cependant, en revanche, les E.R.F. se virent délivrées des intrigues de grands personnages arrogants et brouillons, — fils des compagnons d'Henri IV — qui cherchaient plutôt à faire servir leur confession réformée à leurs ambitions personnelles qu'ils ne cherchaient à la servir : le désintéressement de Rohan a été ici l'exception. Car outre Lesdiguières et Bouillon, bien des nobliaux de moindre envergure semblent avoir considéré leur particularisme religieux surtout comme une excellente monnaie d'échange : tel ce Fontarailles, qui commandait pour les réformés la place de sûreté de Lectoure, et qui passa au catholicisme, avec la forteresse qui lui avait été confiée, au prix d'une appréciable pension royale... Après 1629, avec la prédominance incontestée des pasteurs et des synodes, s'instaure, pour ainsi dire, pour les E.R.F. une sorte de régime de croisière, sans à-coups majeurs jusque vers la fin du ministère de Mazarin.

Certes, durant cette trentaine d'années, la R.P.R. vit s'amenuiser ses privilèges — ses droits —, mais d'une manière relativement minime et discrète, sauf à la fin, et en combattant juridiquement pied à pied, parfois avec quelque succès. En fait, jusqu'en 1643, sous le ministère de Richelieu, l'Édit fut assez correctement respecté, ce qui ne veut pas dire que les Réformés n'étaient pas en butte à une quantité de tracasseries. Pour en donner un exemple entre mille, en 1633, après la publication à Genève de son traité *L'Eucharistie dans l'ancienne Église...*, le pasteur de Charenton (l'église de la communauté parisienne), Edme Aubertin, se trouva ordonné de prise de corps par Arrêt du Conseil privé, sous le prétexte que dans son ouvrage il s'était présenté comme « ministre de l'Église » et qu'il avait qualifié les cardinaux Bellarmin et Du Perron d'« adversaires de l'Église » ; ce vocabulaire incongru avait aussitôt entraîné une protestation de l'Agent général du Clergé auprès du Garde des Sceaux. Aubertin se réfugia à l'ambassade de Hollande pour éviter l'arrestation, tandis que ses collègues de Charenton étaient menacés de poursuites à cause de l'approbation, imprimée dans le volume, qu'ils avaient donnée au traité. L'affaire s'apaisa toute seule, comme tant d'autres du même genre, et Aubertin put assez vite quitter l'ambassade. Cependant l'épisode est suggestif car il montre bien à quel point les dirigeants réformés devaient être perpétuellement sur le qui-vive, harcelés qu'ils étaient par des tentatives d'intimidation, qui faisaient souvent long feu il est vrai, mais qui ont certainement porté les plus timorés à une sorte d'auto-censure, sans doute aussi utile pour restreindre la portée initiale de l'Édit de Nantes que les attaques frontales de certains de ses adversaires.

LE MINISTÈRE DE RICHELIEU

En France, employé isolément, le terme « Église » était réservé à celle de Rome. La désignation officielle de la confession protestante était, nous l'avons vu, « religion prétendue réformée » mais les huguenots renâclaient à l'emploi de l'adjectif « prétendue ». Ces questions de vocabulaire, nous venons de le voir, causèrent maints incidents en matière de textes imprimés, l'eussent-ils été hors de France, si leur auteur était Français. Mais c'était peu de chose comparé à la pomme de discorde sempiternelle que représentait la non-participation à la Fête-Dieu des habitants réformés des villes. A l'origine, les huguenots avaient été dispensés par l'Édit de l'obligation de « tendre » leurs maisons ce jour-là, c'est-à-dire, de décorer la façade avec des tapisseries ou au moins, des bouquets de fleurs quand la procession devait passer devant chez eux. On s'explique sans peine le mécontentement et les pressions du voisinage catholique : l'abstention des huguenots déshonorait la rue où elle se produisait et elle était évidemment ressentie par les majoritaires comme une espèce d'agression, d'où de nombreux conflits un peu partout, quand avait eu lieu ce témoignage soudain de rupture du consensus social[5].

D'autre part, l'agenouillement obligatoire au passage du Saint-Sacrement porté par un prêtre à un mourant représentait un risque perpétuel pour le passant huguenot. Au bruit de la sonnette, les réformés se précipitaient dans les rues adjacentes ou dans les boutiques, mais s'ils n'avaient pu s'éloigner à temps, ils pouvaient être houspillés par les témoins ou pénalisés pour leur refus de rendre honneur à l'hostie consacrée, ce qui eût été à leurs yeux un grave péché d'idolâtrie. Dans ce cas aussi, il faut voir la brusque révélation de divergences fondamentales, ressentie par les majoritaires comme un démenti cinglant apporté à la bonne entente quotidienne...

Si les pasteurs devaient être constamment sur leurs gardes, telle était aussi la condition des laïcs, du moins dans les villes, quoiqu'à un moindre degré. Les chicanes diverses ne leur étaient pas épargnées, à eux non plus. Reste que l'issue finale de ces incidents ne fut pas systématiquement défavorable aux huguenots sous le ministère des cardinaux, bien que les droits initialement reconnus aux fidèles de la R.P.R. aient été peu à peu amoindris ; dans plus d'une localité, ils durent se résigner à « tendre » à la Fête-Dieu et, partout, à se découvrir, s'ils étaient des hommes, sous un prétexte ou sous un autre, s'ils se trouvaient à proximité d'un prêtre portant le Saint-Sacrement.

La politique étrangère absorbait Richelieu, qui avait besoin des Princes protestants d'Allemagne et de l'alliance suédoise. En fait, le pire sujet d'inquiétude des dirigeants réformés

---

[5] Situation comparable à ce qui se produit de nos jours quand, par exemple, un travailleur immigré refuse une tournée offerte par des camarades français, parce qu'il s'abstient d'alcool par fidélité aux injonctions du Coran.

d'alors concerna les projets de « réunion des églises » que caressait un Premier ministre qui comptait, parmi ses méthodes de gouvernement, l'octroi secret de pensions aux gens favorables à ses desseins : cependant, ceux des réformés qui considéraient sans hostilité les projets de réunion ont plus d'une fois été sincèrement iréniques ; ils se berçaient de l'illusion qu'en cas de « réunion » les Gallicans ne manqueraient pas de faire aux protestants des concessions substantielles — et, avant tout, la rupture avec Rome. Il est certain que Richelieu n'a jamais vraiment envisagé d'aller aussi loin, mais vis-à-vis de ses auxiliaires huguenots, il restait habilement évasif. Il faut bien voir que les protestants du XVIIe siècle étaient beaucoup plus anti-papistes qu'anti-catholiques[6] ; c'est un lieu commun qu'invoque Saumaise quand il voit dans la puissance du Pape « la vraye cause du plus grand et du plus juste et légitime schisme qui soit jamais arrivé dans l'Église » et qu'il désigne le Souverain Pontife comme l'Antéchrist[7]. D'autre part, l'exemple de ce qui s'était passé en Angleterre naguère semblait prouver que la rupture avec le Vatican était l'élément crucial, la « protestantisation » se réalisant ensuite progressivement.

Au XVIIe siècle, la division si récente de la Chrétienté occidentale en églises rivales n'avait pas cessé de représenter pour beaucoup de chrétiens un douloureux, un insupportable scandale, que les plus pieux souhaitaient passionnément voir disparaître. Les moins naïfs des protestants envisageaient de procéder par étapes, le rapprochement des différentes confessions

---

[6] En ce sens que toutes les tares — effroyables ! — de la religion romaine étaient présentées comme liées à la papauté et comme découlant de ses stratégies séculaires, avides et ambitieuses. Le pontificat était aux yeux de la plupart des protestants la racine première des erreurs de la théologie romaine : du cléricalisme qui, sacralisant les biens temporels du clergé, prétendait dispenser les ecclésiastiques de l'autorité civile et élevait les prêtres (seuls capables d'opérer la transsubstantiation) à un rang surhumain — ce qui était réduire en tutelle le peuple chrétien à qui, de surcroît, on interdisait la lecture de la Bible. Cf. note suivante.

[7] A Rivet, avril-mai 1640, à paraître dans l'édition que préparent H. BOTS et P. LEROY des lettres de Saumaise à Rivet. Notons qu'en 1603, au Synode national de Gap (cf. article V) l'identification du Pape à l'Antéchrist avait été solennellement affirmée avec le vœu que cette thèse soit incluse dans la Confession de foi, mais Henri IV n'autorisa pas que la teneur en fût enrichie d'une proposition aussi agressive.

issues de la Réforme devant précéder les tentatives d'union avec la puissante église de Rome. Il y avait longtemps que sous des formes diverses (à un moment, sous l'égide de Jacques Ier d'Angleterre), on avait essayé d'établir une entente avec les luthériens, qui s'y refusèrent avec véhémence.

Les vœux du prestigieux cardinal français ont pu paraître ouvrir une autre issue et un grand esprit comme l'Arminien Grotius[8], qui résida longtemps à Paris, put juger une solution de cet ordre viable — non sans indigner les dirigeants huguenots, pour une fois, prudemment réalistes et inquiets des concessions énormes que le savant hollandais était disposé à consentir. Jouant sur la naïveté des uns et la vénalité des autres, et surtout, sans doute, sur le mélange confus de mobiles différents, les manœuvres de Richelieu, en fait, n'éblouirent qu'un nombre restreint de pasteurs et de laïcs lettrés, mais elles n'en créèrent pas moins un noir souci aux responsables des E.R.F., toujours sur une défensive anxieuse justifiée par leur position de faiblesse. Le Synode national finit par rompre avec quelques brebis qu'il avait tout lieu de juger galeuses — tel Brachet de la Milletière, un laïc, qui n'eut plus qu'à dévoiler ses batteries en se faisant ouvertement catholique[9].

La mort du cardinal sonna le glas de ses projets iréniques. Ils avaient valu aux dirigeants huguenots des sueurs froides, mais pourtant la disparition de Richelieu ne leur apporta pas un soulagement sans nuances. « Le defunct souffroit qu'on nous persecutast en détail, mais ne nous haïssoit pas de son

---

[8] Hugo de GROOT (1583-1645), célèbre juriste et théologien hollandais, avait embrassé la cause des Remonstrants (ou Arminiens). Après le Synode de Dordrecht qui les condamna et en liaison avec le conflit politique lié aux oppositions théologiques, Grotius fut emprisonné, réussit à s'enfuir et résida longtemps à Paris. S'il avait quelques grands admirateurs parmi les huguenots, beaucoup d'autres se méfiaient de son irénisme et le jugeaient crypto-catholique.

[9] Théophile BRACHET DE LA MILLETIÈRE (1596-1665), avocat féru de théologie, commença par adopter des positions politiques extrémistes au sein du protestantisme et préconisa la prise d'armes ; un revirement spectaculaire auquel contribua une pension royale et la faveur de Richelieu, fit de lui un partisan de la « réunion des religions ». Il n'abjura (en 1645) qu'une fois excommunié solennellement dans le temple de Charenton. Il serait à souhaiter qu'une monographie approfondie soit consacrée un jour à ce curieux personnage et à ses multiples ouvrages, car il est loin d'être certain qu'il s'est purement et simplement agi d'un être vénal comme l'a conclu l'opinion huguenote de son temps.

chef » constate Sarrau en écrivant à Rivet le 20 décembre 1642[10]. Pendant le ministère de Richelieu les E.R.F. n'avaient pas été favorisées, certes, mais, après 1629, elles avaient connu la sécurité relative d'une situation sans imprévu notable ni brimades systématiques. Le décès de Louis XIII — le 14 mai 1643 — instaurait une régence et les souvenirs de celle de Marie de Médicis étaient amers. Il s'ouvrait devant la R.P.R. des lendemains incertains...

LES CONTRE-COUPS DE LA RÉVOLUTION D'ANGLE-TERRE

En dépit de certaines apparences le ministère de Mazarin a été bien moins favorable aux huguenots que celui de son prédécesseur. En effet, un événement d'une importance capitale allait, par contre-coup, causer aux réformés français un incalculable préjudice : la Révolution d'Angleterre et son aboutissement, l'exécution de Charles Ier le 9 février 1649 (N.S.). L'opinion française, même au sein du gouvernement, était peu au fait de la complexité extrême des affaires d'Outre-Manche. Ç'avaient été les presbytériens d'Ecosse — exacts homologues ecclésiastiques des réformés français, puisque calvinistes, comme eux et attachés à l'organisation presbytéro-synodale — qui avaient été à l'origine des difficultés du roi d'Angleterree et l'on ne se souciait guère, à Paris, de savoir que ces monarchistes avaient été débordés, sur leur gauche politico-religieuse, par des Indépendants et des Sectaires[11]. Ces derniers avaient

---

[10] Cf. *Correspondance intégrale d'André Rivet et de Claude Sarrau (1641-1650)*, éditée par H. BOTS et P. LEROY, Amsterdam, Holland University Press, 3 vol. in-8°, 1978-1982, tome I, p. 342 et des mêmes Bots et Leroy « La mort de Richelieu vue par des protestants », in *Lias* IV (1977), pp. 85-95.

[11] Les Indépendants qui professaient parfois une théologie calviniste, récusaient tous l'organisation presbytéro-synodale en faveur d'une ecclésiologie congrégationaliste. Chaque communauté était auto-gestionnaire et les synodes n'avaient qu'un rôle consultatif et étaient sans autorité exécutive. Aussi les Indépendants récusaient-ils l'idée d'une Église nationale, partisans qu'ils étaient d'une large tolérance. Par ailleurs, à cette époque, l'Angleterre vit fleurir une multitude de sectes. Indépendants et sectaires étaient, en politique, non seulement hostiles à la cause royale, mais même aux Parlementaires modérés qu'étaient les Presbytériens.

radicalisé les positions initiales du Parlement britannique, qui ne récusait que les tendances absolutistes de Charles Ier au nom des traditionnelles libertés anglaises et qui ne devint révolutionnaire que lorsque l'armée l'eût drastiquement « purgé », en excluant tous les députés modérés (6 décembre 1648 (N.S.)). En France, on n'y regardait pas de si près et ce qu'on retenait avant tout, c'était que des protestants venaient de commettre un forfait inouï : un régicide à couleur légaliste (ce qui en accroissait le scandale) et le crime le plus horrible perpétré depuis la Crucifixion, à en croire un pasteur de Rouen[12].

Les huguenots, en effet, à qui n'échappait pas à quel point leur confession se trouvait compromise par les événements d'Angleterre, s'époumonaient à les stigmatiser afin de récuser l'association d'idées entre protestant et régicide ; elle était mortellement dangereuse pour eux, qui avaient au reste usé si volontiers, dans la controverse, de l'amalgame jésuite/régicide, autorisé par les assassinats d'Henri III et d'Henri IV et, sur le plan théorique, par la doctrine du tyrannicide soutenue par un auteur de la Compagnie, l'Espagnol Mariana.

Les huguenots s'évertuèrent, à bon droit, à monter en épingle le royalisme des Presbytériens et à réprouver — outrancièrement — les Indépendants afin de s'en démarquer au maximum (toutefois, si l'ecclésiologie congrégationaliste de ces derniers différait fortement du régime presbytéro-synodal des E.R.F., en revanche, en matière théologique, les affinités ne manquaient pas...). Quant aux Sectaires et aux illuminés d'Angleterre. dont les positions étaient effectivement si étrangères au calvinisme, les auteurs réformés français pouvaient les honnir sans forcer sournoisement la note. Par ailleurs, ils tentèrent désespérément de souligner leur solidarité cordiale avec les membres de l'Église d'Angleterre, ces royalistes à tous crins. Ce n'est pas un hasard si Turenne et La Force prirent

---

[12] Il s'agit de Jean-Maximilien Baux de l'Angle, selon toute vraisemblance, traducteur et préfacier d'une *Remonstrance* de dernière heure (elle est datée du 18 janvier 1649) adressée à Fairfax par des pasteurs presbytériens londoniens. La formule est reprise dans un texte de De l'Angle, du 8 avril 1650 (publié dix ans plus tard comme *Lettre... à feu M. de Saumaise sur son Apologie du Roy d'Angleterre...*) ; l'exécution de Charles Ier a été un « forfait... le plus grand qui se soit commis depuis la mort du Prince de gloire ». Cf. *Annuaire de l'École pratique des Hautes Études,* IVe Section, 1970-1971, pp. 601-613.

pour chapelains de jeunes pasteurs réfugiés, venus de Jersey (et par conséquent, francophones) et qui étaient prêtres de l'Église d'Angleterre.

Malheureusement pour les huguenots, la majorité des Anglais protestants qui avaient accompagné en France la reine Marie-Henriette et ses enfants battaient froid aux réformés français, en qui ils reconnaissaient, à juste titre, des coreligionnaires de ces presbytériens qu'ils exécraient. Au reste, les Anglais réfugiés avaient de bonnes raisons de bouder le temple de Charenton, où ils auraient rencontré les émissaires officieux envoyés à Paris, par le Parlement anglais, puis, plus tard, les ambassadeurs du Commonwealth...

La Révolution anglaise a donc porté, indirectement, un coup terrible aux protestants français ; cependant, à court terme, ses conséquences immédiates leur furent avantageuses, parce que Mazarin avait un besoin vital de la neutralité britannique et si possible (ce qu'il obtint) de l'alliance anglaise, dans la guerre interminable que la France poursuivait contre l'Espagne. Le cardinal fit donc l'impossible pour se concilier les bonnes grâces du régicide, Cromwell. Or, retrouvant la grande politique élisabéthaine, celui-ci s'était hautement proclamé protecteur d'office des réformés continentaux ; cependant, les agents secrets qu'il avait envoyés en France tâter le pouls des huguenots avaient dû constater le loyalisme de ces derniers par rapport à la couronne de France et qu'il n'y avait rien à espérer d'eux du point de vue anglais, détail instructif pour l'historien. Cromwell intervint avec fracas et succès en faveur des Vaudois du Piémont, que le duc de Savoie persécutait une fois de plus (1655).

Soucieux de complaire au Protecteur, Mazarin s'évertua à traiter favorablement les huguenots : une Déclaration de mai 1652 leur sait gré officiellement, de leur fidélité à la couronne durant les troubles des Frondes. Mazarin devait pousser si loin l'obséquiosité envers Cromwell qu'il alla jusqu'à faire cesser les poursuites judiciaires intentées contre les meurtriers réformés d'un domestique de l'évêque de Nîmes, afin de satisfaire à une sollicitation du Protecteur. Les huguenots allaient payer cher par la suite ces complaisances passagères.

Les concessions du cardinal à Cromwell expliquent que plus d'un historien ancien ait décrit le ministère de Mazarin comme un âge d'or pour les E.R.F. Pure illusion, car dès que le cardinal fut assuré de l'alliance anglaise (traité de commerce le 3 novembre 1655 ; d'alliance militaire le 23 mars 1657), il se hâta de revenir sur des mesures qui n'avaient correspondu qu'à une tactique temporaire. Deux décisions très lourdes d'avenir furent prises sous son ministère.

L'une, en 1656, restée théorique pendant plusieurs années, instituait des Commissions mi-parties (un catholique et un réformé) chargées de contrôler dans tout le royaume la fidèle exécution de l'Édit de Nantes. Formellement, un tel projet ne préjugeait en rien du résultat de l'enquête, mais il y avait tout lieu d'en escompter la rencontre du pot de terre et du pot de fer. Il resta longtemps dans les cartons, comme une sorte d'épée de Damoclès, et ce n'est qu'après la mort du cardinal que sa mise en œuvre, comme nous le verrons[13], porta des coups sérieux aux E.R.F.

L'autre décision, qui montre bien que si Mazarin ne prétendait pas réduire à néant la R.P.R., par un coup de force brutal, il voulait au moins démanteler insidieusement les E.R.F., c'est que s'il finit par permettre — après quinze ans d'interruption — la réunion d'un Synode national à Loudun, fin 1659, il assortit cette autorisation, tant sollicitée par le Député général appuyé par Turenne, de l'annonce que ce Synode national serait le dernier dont la couronne permettrait la réunion — et qu'elle subventionnerait. Or les Synodes nationaux représentaient la clef de voûte de l'organisation réformée ; ils étaient son instance juridico-théologique suprême et la seule manière pour des églises dispersées de maintenir solidement les liens qui les unissaient et de concerter une tactique commune. En décider autoritairement la cessation, c'était donc porter un coup très grave aux E.R.F. — et commettre au surplus une infraction patente à l'Édit de Nantes.

Vers la même date, l'Académie réformée de Montauban

---

[13] Cf. *infra* VII, pp. 125-129.

fut transférée autoritairement dans la bourgade de Puylaurens, sanction, parmi d'autre, infligée à la ville huguenote à la suite d'une émeute. Celle-ci avait couronné une échauffourrée qui avait mis aux prises les élèves réformés et catholiques du collège, partagé entre les deux confessions. De telles bi-partitions avaient commencé après la Paix d'Alès, dans les consulats des villes méridionales où Richelieu imposa que le Premier consul fût catholique ; jusque-là bien des jurades y étaient intégralement ou majoritairement réformées et la mesure s'explique parce que le Premier consul seul siégeait aux États du Languedoc, dont les huguenots se trouvèrent donc exclus. Quand ce partage confessionnel fut étendu aux institutions d'enseignement, où pénétrèrent ainsi les jésuites, on conçoit sans peine que pareils mariages de raison aient entraîné mille sujets de contestation : or l'issue des conflits s'opérait naturellement au détriment des plus faibles.

C'est aussi sous le ministère de Mazarin que fut effectivement interdit en France l'appel à des pasteurs genevois : depuis longtemps déjà les E.R.F. ne pouvaient plus employer de pasteurs étrangers, mais les traités signés entre le royaume et la république de Genève accordaient à bien des égards aux natifs de celle-ci un statut juridique de régnicole, de sorte que quelques genevois (dont le futur professeur de théologie, Louis Tronchin) avaient servi des églises en France.

Les dernières années du ministère de Mazarin virent donc une détérioration appréciable des privilèges des E.R.F. et le commencement, avec l'annonce qu'il ne se tiendrait plus de synodes nationaux, d'une infraction indubitable à l'Édit de Nantes. Les huguenots prenaient leur mal en patience, espérant que l'avenir améliorerait les choses pour eux, que la Cour se raviserait quant à la réunion d'un Synode national et, dans l'immédiat, souvent sensibles aux agréments relatifs et passagers que leur avait valu le désir de Mazarin de complaire à Cromwell.

Quand, en 1660, la restauration s'opéra en Angleterre, les réformés, fort sincèrement, s'en réjouirent à grand bruit et, en la personne de plusieurs de leurs pasteurs, s'empressèrent de garantir, à l'intention des Britanniques, la piété protestante impeccable de Charles II[14]... Les huguenots ne semblent pas

---

[14] Baux de l'Angle, pasteur de Rouen ; Drelincourt, pasteur de Paris ;

avoir soupçonné ce qu'ils avaient dû à la compromettante protection de Cromwell, et, en revanche, ils savaient combien avait été flétrissant, pour leur confession, le protestantisme militant du Commonwealth. La restauration de l'Église d'Angleterre, au royalisme si irréprochable, redorait, en quelque sorte, le blason monarchiste de la Réforme ; les huguenots s'en félicitèrent sans réserve aucune. Ils étaient fort peu avertis de tout ce qui séparait cette Église des traditions proprement calvinistes, qui ne se retrouvaient, Outre-Manche, que chez les Presbytériens. Après 1662, en Angleterre et en Écosse, ces derniers subirent une persécution assez dure, à laquelle les réformés français n'accordèrent aucune espèce d'attention, tout entichés qu'ils étaient de l'Église anglicane.

Du Bosc, pasteur de Caen et un anonyme. Cf. *Annuaire de l'École pratique des Hautes Études,* IVe Section, 1972-1973, pp. 549-559.

CHAPITRE II

LES E.R.F. VERS 1660

LE FONCTIONNEMENT DES E.R.F.

A la mort de Mazarin, il y avait un peu plus de 900 lieux de culte réformé à travers le royaume — temples ou exercices de fief — et un nombre légèrement supérieur de pasteurs en activité. Quelques-uns d'entre eux desservaient deux églises, dont l'une était une annexe de l'autre. Un arrêt de décembre 1656 tenta d'entraver cet usage, car il défendit aux ministres de prêcher ailleurs que dans le lieu de leur résidence, mais il ne semble avoir été suivi d'effets que lors de sa réitération,le 6/11/1674[1]. En revanche, les communautés populeuses employaient plusieurs ministres : Charenton en eut jusqu'à cinq !

Les pasteurs français se formaient dans quatre Académies : Saumur, Montauban (transférée après 1659 à Puylaurens) et Sedan étaient les principales, auxquelles s'ajoutaient celle de Die et, pendant certaines périodes, une institution nîmoise. Fondée par Duplessis-Mornay, Saumur bénéficiait de certains fonds propres de sorte que ses professeurs, moins surchargés qu'ailleurs, ont été souvent des érudits de grande classe et des théologiens de renom. Tandis qu'ailleurs on enseignait sempiternellement la scolastique réformée classique, il se développa

---

[1] Cf. *infra* VII, p. 137.

une école théologique originale à Saumur qui, au niveau de l'expression, tentait d'assouplir le dogme de la prédestination et s'éloignait des formulations abruptes de Bèze. Des recherches récentes[2] ont montré qu'à certains égards, il y avait là un retour à Calvin, mais, dans l'immédiat, la nouveauté de vocabulaire de « l'universalisme conditionnel » d'Amyraut, les audaces exégétiques de son collègue et ami Cappel — hébraïssant de premier ordre — et plus généralement l'ouverture d'esprit et les tendances timidement rationalistes de l'École de Saumur effarouchèrent les traditionalistes, en particulier, en Hollande, où l'on flairait dans toute innovation « l'hérésie » arminienne. Ce qui n'empêcha pas le rayonnement de l'Académie de Saumur, que fréquentaient beaucoup d'étudiants étrangers ; seule une minorité de pasteurs français, il est vrai, se rallièrent franchement à sa théologie, mais il s'agissait, à peu d'exceptions près, de la plupart des auteurs français de renom — pasteurs en Normandie et en Ile-de-France — et, parce que les cours professés à Saumur circulaient dans toute la France sous forme de notes d'auditeurs, d'un nombre sans cesse croissant de proposants.

On appelait ainsi les étudiants en théologie. Tous ne fréquentaient pas les Académies car certains d'entre eux acquéraient leur formation auprès d'un pasteur, souvent, de leur famille, en faisant simplement sanctionner le niveau de savoir finalement atteint en se présentant aux examens terminaux de l'une des Académies ; les réussir permettrait de présenter sa candidature à un poste auprès d'un Synode provincial. Le séjour dans une ville d'Académie était en effet relativement coûteux, à moins que l'étudiant n'y allât comme répétiteur d'un collégien de grand famille. Inversement, les proposants les plus fortunés restaient attachés à la vieille coutumes médié-

---

   [2] Cf. Brian ARMSTRONG, *Calvinism and the Amyraut heresy ; Protestantism, Scholasticism and Humanism in seventeenth century France*, Madison, 1969 et surtout, sur toute l'École de Saumur, les travaux de François LAPLANCHE : *Orthodoxie et Prédication. L'œuvre d'Amyraut et la querelle de la grâce universelle*, Paris, 1965 ; *L'évidence du Dieu chrétien. Religion, culture et société dans l'apologétique protestante de la France classique (1576-1670)* Strasbourg, 1983 (diffusé par la librairie Oberlin) et, à paraître, *L'Écriture, le sacré et l'histoire. Le Protestantisme français devant la Bible dans la première moitié du XVIIᵉ siècle*, sa magistrale thèse de doctorat ès-Lettres.

vale de la *peregrinatio academica* et fréquentaient successivement divers centres universitaires réformés, passant souvent une année à Genève, voire, parfois, en outre, à Leyde et — après 1660 — à Oxford. L'enseignement, partout, se faisait en latin, ce qui par ailleurs facilitait la présence d'étudiants étrangers à Saumur (Écossais, Anglais, Néerlandais) et à Sedan (Néerlandais et Allemands).

Les autorités civiles françaises regardaient avec beaucoup de méfiance et d'hostilité les relations des huguenots avec leurs coreligionnaires de l'étranger (autrement dit, « l'internationale calviniste »). On avait pris soin d'interdire aux E.R.F. d'envoyer des députés au Synode de Dordrecht, en 1618[3] et on s'ingénia à contrarier le penchant des proposants à fréquenter des universités étrangères ; ce ne furent longtemps que des tracasseries sans effet — comme plus d'une autre — parce qu'il s'agissait d'un geste d'intimidation, les moyens de contrôle du pouvoir en la matière étant en fait inexistants. Il suffisait au proposant de passer la dernière année de ses études dans une Académie du royaume pour paraître en règle ; ou bien, de voyager après la fin de sa scolarité et avant de prendre un poste. Le nombre annuel de jeunes pasteurs en quête d'une paroisse dans leur Province synodale d'origine (qui avait parfois subventionné leurs études) demeura toujours proche des besoins des E.R.F. et, plus tard, lors des persécutions, il ne fléchit qu'à peine, de sorte qu'il y eut pléthore à cause de l'interdiction de nombreux exercices. Les églises assuraient une petite pension aux veuves de pasteurs mais ceux-ci ne connaissaient de retraite que si leur santé défaillait, sans quoi ils conservaient un ministère actif même à un âge très avancé.

Partout les consistoires cooptés jouaient leur rôle de tribunal religieux et moral et administraient les églises de leur mieux. Dans les dix-sept provinces synodales (le Béarn s'était ajouté aux seize initiales), les Synodes provinciaux se réunis-

---

[3] A ce Synode néerlandais avaient été invités à participer des députés étrangers qui vinrent d'Angleterre, de Genève, de diverses régions d'Allemagne, mais les députés français, désignés par le Synode national de Vitré (1617) reçurent de la Cour l'ordre comminatoire de ne pas sortir du royaume. Cf. Lucien RIMBAULT, *Pierre Du Moulin, 1568-1658. Un pasteur classique à l'âge classique,* Paris, 1966, p. 89.

saient annuellement, jusqu'à leur interdiction complète qui n'intervint que peu avant la Révocation (avant laquelle d'ailleurs, nous le verrons[4], divers Arrêts de Conseil en avaient entravé le libre fonctionnement). Leur importance s'était encore accrue avec l'interruption des Synodes nationaux entre Charenton (1644-5) et Loudun (1659-60). Elle ne fit que grandir encore, une fois que le pouvoir eut annoncé qu'il n'autoriserait plus la tenue d'un « National ».

Pour la même raison d'ailleurs — le coup porté à l'instance suprême des E.R.F. — il se fit *de facto* un aménagement de substitution dans la mesure considérable où les pasteurs de Charenton — l'église de Paris —, toujours hommes d'une renommée exceptionnelle, furent tacitement reconnus dans un rôle de suppléance, comme dirigeants des E.R.F. Certes, formellement, ils restaient des minitres égaux aux autres ; ils ne pouvaient agir que par des lettres écrites, en apparence, à titre personnel ou par des conseils qui, ouvertement, n'engageaient que celui qui les donnait. Mais sur les questions brûlantes, leurs avis jouissaient d'un poids certain car on les savait mûrement concertés par des hommes exceptionnellement bien informés — le Député général des E.R.F. à la Cour n'était-il pas l'un de leurs paroissiens ? — particulièrement capables de ce fait de mesurer ce que requérait la défense de la R.P.R., mais aussi ce qu'exigeait la prudence.

Bien que beaucoup d'entre eux n'aient pas été formés aux bords de la Loire, la plupart des pasteurs de Charenton adoptèrent assez précocement les idées de Saumur ; Saumaise, aussi rigidement orthodoxe que son correspondant, écrit de Paris, à Rivet, lugubrement : « toute cette grande Église-là, et la première du royaume, s'en va perdue »[5] : Un jugement aussi outrancier était courant aux Pays-Bas, mais les pasteurs parisiens étaient souvent des auteurs connus dans toute l'aire culturelle du calvinisme européen, ce qui leur assurait un grand prestige de sorte que, même dans l'Ouest et le Midi de la France, où l'on réprouvait en général les innovations salmuriennes, on les envisageait avec plus de modération et on n'en faisait pas moins confiance aux pasteurs de la capitale en

---

[4] Cf. *infra* VII, pp. 140-141 et VIII, p. 167.
[5] Lettre du 2/5/1645, à paraître dans l'édition indiquée *supra* I, note 7.

matière de tactique à suivre pour préserver ce qu'on pourrait de liberté religieuse. Une sorte de singulier téléphone arabe, appuyé sur les voyageurs huguenots, les correspondances privées et les conversations à la sortie ou dans l'intervalle des cultes, assurait une circulation étonnamment rapide des nouvelles concernant les E.R.F. à travers tout le réseau des exercices réformés — et ces nouvelles allaient devenir de plus en plus régulièrement fâcheuses...

DIVERSITÉ DES COMMUNAUTÉS HUGUENOTES

Il ne faut pas sous-estimer les différences socio-culturelles considérables qui existaient entre les communautés réformées. Leur auto-financement respectif créait un écart énorme entre églises « pauvres » et églises « riches ». Nominalement, le traitement des pasteurs était partout à peu près le même : aux environs de 500 livres par an (au minimum 360 livres), mais beaucoup de communautés rurales du Midi souffraient d'un déficit endémique, de sorte que leurs pasteurs ne recevaient en numéraire qu'une partie de leur dû ; le reste s'accumulait en créances d'un recouvrement des plus problématiques, qui connaissaient pourtant toute une circulation fiduciaire entre réformés. Il est vrai que les ministres se recrutaient dans la mince couche sociale des notables, ce qui leur garantissait assez souvent un patrimoine personnel, fût-il modeste. Reste que les questions d'argent ont plus d'une fois pesé sur les relations du pasteur et de fidèles incapables de faire face aux engagements financiers qu'ils avaient pris.

En tout cas, ces insolubles problèmes d'argent ont interminablement occupé l'attention impuissante de beaucoup de consistoires méridionaux. Les autorités civiles n'ignoraient rien de cette situation, dont les rapports de police ne manquent pas de faire état : un ministre aux abois était un candidat tout indiqué pour l'offre d'une pension secrète de la Cour s'il acceptait d'en devenir l'informateur et de seconder ses vœux quant aux décisions à prendre dans les synodes provinciaux. Le nombre de ceux dont les autorités purent s'assurer ainsi la bonne volonté resta minime et, d'ailleurs, leur double jeu fut assez vite décelé par leurs collègues.

Parler d'églises pauvres et d'églises riches, c'est en fait, en général, distinguer les églises urbaines et les églises rurales. Même si le nombre des fidèles n'était pas nécessairement supérieur dans les premières, ceux-ci, en ville, comptaient dans leurs rangs beaucoup plus de notables, aux contributions financières appréciables et, surtout, assez régulières.

C'est ici l'occasion aussi de rappeler (car on l'oublie trop facilement) que les fidèles illettrés étaient nombreux, en milieu rural. L'analphabétisme passe pour avoir été un peu moins répandu parmi les protestants qu'en milieu catholique, mais il demeurait fréquent au sud de la fameuse ligne Saint-Malo/Genève, et extrêmement élevé parmi les femmes : l'épouse du professeur de philosophie de Saumur, dans les dernières années de l'Académie, Pierre de Villemandy, ne savait pas signer...

Certes, au XVIIe siècle, l'apprentissage de la lecture était bien distinct de celui de l'écriture, de sorte que tel qui signait d'une croix pouvait fort bien être capable de déchiffrer, plus ou moins laborieusement, un texte imprimé. Mais il faut renvoyer aux oubliettes la légende anachronique selon laquelle presque tous les foyers huguenots possédaient une Bible — ne serait-ce qu'à cause du prix élevé, au XVIIe siècle, d'un livre aussi volumineux. Il reste vrai que le Nouveau Testament, accompagné des Psaumes et de quelques prières, connaissait une grande diffusion en milieu réformé — ce qui bien entendu ne signifie pas qu'on le trouvait dans les toutes les familles paysannes !

Il faut donc souligner le contraste saisissant qu'il y avait entre une église urbaine du nord de la Loire — Caen ou Rouen, par exemple, ou, *a fortiori*, Charenton — dans laquelle les artisans étaient une minorité (où les hommes, au reste, étaient largement alphabétisés) et telle communauté rurale du Midi, dont la moitié des Anciens signaient d'une croix et la moitié de ceux qui signaient leur nom ne le faisaient pas cursivement. Les relations du pasteur et de ses fidèles étaient évidemment très différentes selon qu'il était l'un des seuls lettrés de son église ou qu'il y frayait avec des conseillers au Parlement, des avocats, des médecins et des gentilshommes cultivés. Si des méridionaux — tels Jean Claude ou Alexandre Morus — pouvaient fort bien exercer leur ministère au nord de la Loire (leur « grasseyement », comme on appelait l'accent du Midi, ne constituait aucun obstacle à l'appréciation de leur éloquence par leur auditoire), le contraire était plus difficile, en tout cas, à la campagne.

Certes la langue française était seule en usage dans les cultes réformés et la rédaction des actes consistoriaux et synodaux, mais, dans le Midi, hors des villes, les contacts personnels — la cure d'âme — requéraient l'usage d'un parler occitan, avec les simples et les femmes en particulier, et, à tout le moins, sa compréhension. Car tel qui pouvait suivre la liturgie ou même le sermon, prononcés en français — maîtrise passive de cette langue — n'était pas nécessairement capable de la parler couramment. Dans les endroits les plus reculés, on peut soupçonner qu'oralement les délibérations consistoriales se faisaient partiellement en dialecte, même si leur compte-rendu était toujours rédigé en français.

LE STATUT DU MINISTRE

Au XVIIᵉ siècle, le rôle et le personnage du pasteur différaient sensiblement de ce qu'ils sont devenus de nos jours. Il va de soi que la piété d'un ministre était ce qu'on attendait avant tout de lui, mais ensuite, ce qui était d'une importance cardinale, c'était sa science théologique. Aussi souhaitait-on qu'il continuât à étudier sa vie durant. On connaît la fréquence des « dynasties » pastorales dans une société où tant d'hommes adoptaient quasi automatiquement la profession de leur père ; dans le cas des pasteurs aussi, il y avait transmission des « outils de travail », ici, des livres, car nul pasteur ne pouvait se passer d'une bibliothèque personnelle, fût-elle maigre, à quoi remédiaient les prêts de livres entre collègues du voisinage. Ce qu'on attendait d'un ministre, c'était, prioritairement un savoir et des talents de raisonneur et de controversiste. La préparation des deux sermons dominicaux et de la prédication, plus brève, « sur semaine » (faite en fin d'après-midi, le mercredi ou le jeudi) constituait sa tâche essentielle. Les visites aux malades et le soin des pauvres étaient largement l'affaire des Anciens (dont en bien des lieux on avait cessé de distinguer clairement les diacres). Il faut bien voir que le pasteur était un notable, dispensé de payer la taille, quelque chose comme un magistrat local — de ce fait probablement intimidant pour le peuple, bien que l'habitude assez fréquente, pour un pasteur, de rester sa vie durant au service d'une même église ait fini sans doute pas créer, entre lui et ses fidèles, même les plus humbles, une certaine familiarité.

Mais souvenons-nous combien peu nombreux étaient, dans la France du XVIIᵉ siècle, les hommes qui avaient accédé à des études supérieures (comme c'était le cas des pasteurs, mais seulement d'une faible minorité de prêtres, en milieu rural). Même les moins cultivés ou les plus sots des ministres faisaient figure de savants prestigieux si leur église était celle d'un petit bourg. Et dans une société aussi formaliste et aussi puissamment hiérarchisée que celle du XVIIᵉ siècle, être un notable, appartenir aux élites dirigeantes comptait prodigieusement. Les pasteurs partageaient naturellement les valeurs de leur civilisation et nous paraissent parfois bien chatouilleux, quant à leurs prérogatives, voire solennels et hautains, plutôt que cordiaux ou fraternels. Ils étaient entourés en tout cas de beaucoup de déférence de la part des fidèles populaires, qu'on croit deviner plus à l'aise et moins paralysés de respect avec les Anciens : cette élite religieuse de la communauté ne coïncidait pas aussi clairement avec une élite sociale et les simples devaient se sentir un peu plus facilement de plain-pied avec les Anciens de leur quartier — des voisins au surplus — qu'avec leur pasteur.

L'importance majeure accordée à la prédication — ce « troisième sacrement » réformé — conduisait les huguenots — fussent-ils illettrés et leur maîtrise de la langue française fût-elle incertaine, comme chez tant de femmes méridionales — à écouter avec révérence de longues allocutions, solidement argumentées et ornées de savantes digressions. Les sermons n'étaient pas des exhortations moralisantes, mais des exposés doctrinaux précis, voire techniques, appuyés sur une exégèse minutieuse du texte biblique qu'ils prétendaient commenter en en extrayant tout le suc. Le lecteur actuel (quand le sermon a été imprimé) est tenté de soupçonner, peut-être à tort, que de telles prédications passaient au-dessus de la tête de la majorité de leurs auditeurs. La difficulté conceptuelle d'un sermon et la multiplicité de ses références, parfois pédantesques, semblent avoir été plus liées à la science théologique du prédicateur qu'au niveau culturel de son auditoire. Un témoin postérieur raconte que le pasteur Jean Bayle, très aimé cependant par ses paroissiens ruraux du Pays de Foix, les jetait souvent dans un sommeil profond par des sermons dans lesquels la science et le travail brillaient plus que l'éloquence animée...

LE PARTICULARISME HUGUENOT

S'il faut bien se garder de se faire une image monolithique des E.R.F. au XVIIe siècle — presque aussi diverses qu'était diverse la France d'Ancien Régime, ce qui est dire beaucoup —, on ne saurait sous-estimer tout ce qui, en profondeur, unissait tous les huguenots. Et d'abord, non seulement des options religieuses communes, mais encore l'importance capitale qu'on leur attribuait. Il faut bien voir que lorsque les controversistes catholiques dénonçaient, dans le protestantisme, une religion de relâchement moral, il n'y avait pas là pure et simple calomnie polémique, mais aussi l'aperception scandalisée d'une sécurité spirituelle qui récusait confession, Carême, jeûnes[6], pénitences spectaculaires, processions, pèlerinages, célibat du clergé, ascétisme et donc, en u sens, moralisme. Pour le réformé, le salut ne dépend pas des œuvres, mais exclusivement de la foi — et par un glissement facile, celle-ci tendait à être assimilée à la croyance « correcte », et à la « pure doctrine », ce qu'on associait, par contraste, à une vision du catholicisme comme idolâtre, superstitieux et féru de mômeries ridicules...

La confiance du huguenot en Dieu était inséparablement amalgamée à la certitude de professer la « vraie » religion de Jésus-Christ, d'où, au plan psychologique, un mélange ambigu d'humilité, face au Seigneur et à sa grâce, mais d'orgueil naïf face au catholicisme ambiant. Un solide « complexe de supériorité » — ce qu'on appellera au XIXe siècle, « propre justice » — habitait le huguenot le plus humble, socialement.

---

6 Les Synodes réformés induisaient (c'était le terme) de temps à autre des journées entières de jeûne rigoureux, associés à une série de services religieux au temple, souvent pour tenter de fléchir la colère de Dieu par une telle manifestation de repentance générale ; toutefois, ces jeûnes réformés n'avaient aucune périodicité précise.

« *Post tenebras Lux* » — la devise de Genève — valait pour eux tous, délivrés par la Réforme de l'obscurantisme déplorable du catholicisme romain, ramenés au pur Évangile par l'abandon de toutes les pratiques douteuses, de tous les rites et les dogmes qui avaient fini par l'occulter si désastreusement dans le papisme.

Élection, c'est aussi sélection... ; toute l'initiative vient de Dieu, la notion de mérite humain est rejetée avec véhémence, mais, à l'égard des hommes — des catholiques français — quelle fierté d'appartenir aux « happy few », au petit nombre des rachetés ! Car, à la différence de leurs coreligionnaires dans les pays où ils se regroupaient en Église d'État, les huguenots ne conservaient que virtuellement la notion d'église multitudiniste, puisqu'ils baignaient, socialement, dans une « religion contraire » à la leur et puissamment majoritaire. De ce fait, à l'instar des sectaires, ils pouvaient faire coïncider le « petit troupeau » qu'ils formaient avec le nombre restreint des élus et se sentir tous promis au salut éternel, s'ils restaient attachés à la saine doctrine. Les écarts de conduite, sanctionnés par les consistoires, ne rompaient pas la fraternité religieuse tant qu'ils n'étaient pas assortis d'« impiété » — erreurs dogmatiques ou rébellion durable à l'égard de l'autorité consistoriale (l'indocilité passagère n'était certes pas sans exemple).

Leur situation de minoritaires handicapés signifiait, pour les réformés français, qu'elle résultait d'un choix tacite, subconscient et constamment réitéré, dans la mesure, très réelle, où la pente de la facilité les aurait souvent entraînés à passer à la religion du roi. Autre trait de la secte, du point de vue sociologique, que ce caractère au moins virtuellement volontaire de l'adhésion à la R.P.R., chez un Français, qui appartient non seulement aux quelques transfuges adultes venus du catholicisme, mais à la masse des fidèles, nés dans le protestantisme, que cependant tant d'incitations en tout genre poussaient à rallier « le gros de l'arbre », comme on disait.

Seul un attachement intense à leurs traditions propres peut permettre à des groupes très minoritaires de perdurer comme « minorités actives », selon le terme proposé par le psychosociologue Serge Moscovici[7]. Dans le cas des huguenots, à tra-

---

[7] Serge MOSCOVICI, *Psychologie des minorités actives*, Paris, 1979.

vers l'extrême diversité des provinces françaises, des situations locales et des différences sociales, ce trait commun suscitait un vigoureux esprit de corps. L'organisation presbytéro-synodale et la Discipline commune sur quoi elle reposait assuraient avec efficacité une cohésion doctrinale à peine diminuée par le succès de la théologie de Saumur au nord de la Loire, les provinces synodales de l'Ouest et du Midi la suspectant le plus souvent d'innovations périlleuses. Au surplus, l'hostilité au moins latente de la société globale ambiante achevait de faire une nécessité vitale aux réformés français de leur front commun.

Il est significatif que les Synodes nationaux se soient refusés à suivre les outrances des théologiens réformés étrangers, qui dénonçaient comme une noire hérésie les aménagements doctrinaux proposés à Saumur : les assiégés qu'étaient les huguenots ont su éviter sinon, certes, les querelles intestines, du moins, le plus souvent, leur exacerbation en rupture ; ils savaient trop bien qu'elle aurait été mise à profit par leurs adversaires. Si Amyraut et ses collègues et amis de Saumur avaient été condamnés par un Synode national français, les autorités civiles se seraient empressées de démanteler une Académie qui n'aurait plus été couverte par l'Édit de Nantes...

A la mort de Mazarin, quand débute le gouvernement personnel de Louis XIV, les E.R.F. étaient tout à fait « établies » : installées dans la durée, institutionnalisées. Bien que des incidents à l'encontre des huguenots n'aient jamais cessé, ici ou là, qui obligeaient les fidèles de la R.P.R. à une vigilance perpétuelle et les plaçaient constamment sur une défensive inquiète, ces gens ne semblent avoir eu aucun sentiment prémonitoire concernant la précarité de leurs églises. Bien plus, on croit discerner chez les huguenots une sorte de sécurité foncière, contre-poids surprenant de leur nervosité épidermique.

Gardons-nous bien de projeter sur les réformés français de 1660 la connaissance que nous avons du destin qui était réservé à leur confession ! La mentalité du XVIIᵉ siècle était profondément fixiste et revêtait volontiers les institutions en vigueur (fussent-elles relativement récentes) d'une patine de vénération qui semblait en promettre la pérennité. Or les E.R.F. avaient un siècle d'existence derrière elles et, depuis

1598, jouissaient de la garantie représentée par l'Édit de Nantes. Parmi les huguenots, un juridisme candide canonisait le désir d'attribuer à l'Édit une valeur, pour ainsi dire, absolue. Déclaré perpétuel par Henri IV, le texte de Nantes, devenu aux yeux des huguenots inaltérable, faisait figure pour eux de « loi fondamentale » du royaume, aussi sacrée, par exemple, que la loi Salique, qui excluait les femmes de la succession à la couronne de France... Ce qui aurait pu alerter les réformés, c'est qu'ils étaient bien les seuls, dans le royaume, à accorder pareil statut au texte de 1598 ; en effet, pour la majorité des juristes, la « perpétuité » d'un Édit signifiait seulement qu'il ne pouvait tomber en désuétude et qu'il conserverait sa portée aussi longtemps qu'un autre texte, de même autorité juridique, ne viendrait pas le modifier ou l'annuler...

Le texte de Nantes avait été confirmé par l'Édit de grâce d'Alès, en 1629, puis par le jeune Louis XIV, devenu majeur[8]. Les huguenots se sentaient tranquilles et, bizarrement, à nos yeux, les innombrables grignotements qu'infligeaient les autorités à l'esprit, puis, même, à la lettre de la charte de Nantes ne paraissaient pas présager à leurs yeux une détérioration, à la longue, fatale, de leur situation, ni rendre aléatoire la portée d'avenir d'un texte qu'ils tenaient pour immuable... Après tout, si la mort de Louis XIV en survenant bien plus tôt qu'elle n'a fait, avait placé sur le trône le lymphatique Grand Dauphin, qui, en 1685, au Conseil, fut l'un des seuls à opiner contre la Révocation...

On dirait que, persuadés à bon droit que les autorités n'avaient rien à craindre d'eux et qu'ils étaient de loyaux sujets, les réformés français concevaient mal le degré intense de l'hostilité que certains leur vouaient et ne s'apercevaient pas qu'ils étaient haïs, parce que les prétextes apportés à cette aversion foncière étaient largement anachroniques ou

---

8 Pour exprimer les choses abstraitement, tout roule sur la question de savoir si la perpétuité des engagements pris par la couronne dans l'Édit de Nantes porte ou non atteinte aux prérogatives souveraines du roi de France. Bien entendu, les huguenots tiennent pour la négative, mais pour les adversaires les plus acharnés de la R.P.R. une telle perpétuité limiterait indûment la souveraineté royale. Par conséquent, en vertu du principe (indéfiniment élastique...) selon lequel nul n'est tenu par une promesse déraisonnable ou injuste, la perpétuité de l'Edit serait abusive et il est donc potentiellement révocable : il n'a que le statut d'un expédient temporaire.

calomnieux ; intellectualisme naïf, qui confond une passion et les justifications qu'elle invoque ! C'est pour une bonne part la conviction intime qu'ils avaient de leur propre innocuité qui a donné aux huguenots, en dépit de tout, une confiance dans l'avenir dont il semble qu'une analyse purement réaliste de leur condition aurait dû les écarter.

Mais surtout, et cela en paraît le facteur essentiel, l'assurance des huguenots se fondait sur leur confiance religieuse en la Providence divine — en dépit des infidélités et des manques qu'ils reconnaissaient dans leur conduite : petit troupeau, objet de la dilection du Seigneur, celui-ci ne ménageait pas aux siens les épreuves, afin d'épurer leur piété, mais, si elle était secouée par la tempête, la nacelle ne pouvait sombrer... Voilà pourquoi on rencontre chez les réformés français du XVIIe siècle, un singulier mélange d'inquiétude sourcilleuse, sans cesse attisée par les mille incidents qui faisaient constamment obstacle à une application plénière et sans à-coups de l'Édit de Nantes, et pourtant, de confiance absolue quant à la pérennité de cette charte de leur existence légale, au moins, dans son principe. Pour ainsi dire, les arbres des escarmouches empêchent de voir la signification menaçante de leur issue — de plus en plus souvent défavorable pour les minoritaires.

LES STRATÉGIES HUGUENOTES

Condamnés à une attitude purement défensive, les huguenots l'adoptèrent avec beaucoup d'énergie et sous des formes multiples. Une considérable production d'ouvrages de controverse ne laissait aucune attaque d'importance sans réponse — remarquable effort pour un groupe si minoritaire. Dans de nombreuses conférences contradictoires — qui tenaient à la fois du duel et de la pièce de théâtre, tant leur déroulement était minutieusement réglé — un champion romain, en général, un Régulier, défiait le pasteur du lieu d'oser se mesurer avec lui dans un débat public. Les actes ou les procès-verbaux de ces joutes oratoires étaient souvent publiés simultanément par les deux adversaires avec une préface ou des commentaires aigres à souhait, qui permettaient à chaque camp de s'attribuer la victoire[9]. Ce type de rencontres, d'ailleurs, a servi plus d'une fois à orchestrer l'abjuration d'un notable réformé, acquise d'avance ; si désireux d'en découdre que fussent souvent les pasteurs, ils s'aperçurent à la longue de mieux en mieux combien souvent les dés étaient pipés...

Sur le plan juridique, la défensive était perpétuelle. La plupart des Provinces synodales avaient à Paris, comme antenne, un avocat rétribué par elles et chargé de faire avancer et si possible, triompher, les procès qu'elles avaient devant le Conseil. Requêtes, suppliques, placets ne tournaient pas souvent à l'avantage des minoritaires, mais ce ne fut que dans les toutes dernières années du régime de l'Édit que l'issue des procès devint régulièrement inique, la victoire de la partie catholique étant assurée d'avance. Comme nous le verrons[10] les réformés continuèrent très longtemps à voir dans la justice du roi un recours dont ils escomptaient une certaine impartialité. En fait, une fois que le droit d'attaquer des consistoires en justice eut été reconnu aux syndics des évêques — ce qui débuta en Poitou et en Dauphiné en 1665, pour être étendu par la suite à tout le royaume — les procès se multiplièrent à l'infini ; un tel harcèlement engageait les églises réformées à de coûteux frais de justice et elles n'obtenaient souvent que des répits temporaires, que facilitaient le maquis extraordinaire des procédures sous l'Ancien Régime et le caractère suspensif des appels. Reste que dans la dernière période, nous le verrons, les piqûres d'épingle se multiplièrent assez pour infliger à la R.P.R. des plaies sanglantes...

La mauvaise volonté croissante de la Cour était tout au plus vaguement soupçonnée par les huguenots les mieux informés et les plus réalistes : tous les Français du XVIIe siècle, en effet, étaient acquis sans partage à la vieille notion du roi, père de ses peuples, bon et juste par définition ; tout au plus ce parangon de monarque pouvait-il être mal instruit des faits et mal conseillé... D'où tant d'efforts obstinés pour avertir la

---

9 Cf. la remarquable thèse de IIIe Cycle d'Émile KAPPLER : *Conférences théologiques entre catholiques et protestants en France au XVIIe siècle*, soutenue à Clermont-Ferrand en 1980. Un exemplaire dactylographié en est déposé à la Bibliothèque de l'Histoire du protestantisme, 54, rue des Saints-Pères, Paris VIIe.

10 Cf. *infra* VII, pp. 150-156.

Cour de la situation des huguenots, tant de démarches vaines demandées au Député général. Sous Louis XIV il s'est agi successivement des deux Ruvigny, père et fils, des huguenots dévoués dont le poids auprès du roi resta minime[11].

Vis-à-vis d'un tel mauvais vouloir des autorités, deux stratégies étaient possibles[12] : le désarmer par tant de docilité résignée, de soumission, d'expressions de dévouement empressé — parler d'obséquiosité éperdue serait un anachronisme — que le pouvoir politique en viendrait à reconnaître chez les huguenots des sujets exemplaires, qu'il y avait donc tout lieu de laisser tranquilles. En gros, les réformés du nord de la Loire penchèrent vers une telle attitude, que recommandait le Député général. En revanche, surtout dans le petit peuple du Midi — si peu conscient du faible nombre des réformés dans le royaume, parce qu'au plan étroitement local ils étaient souvent majoritaires, ou, à tout le moins, d'un grand poids — d'autres huguenots agirent spontanément comme si rien n'était plus utile à leur cause que de se faire craindre, comme leurs ancêtres, qui avaient été redoutables au XVIe siècle.

Aucune de ces deux stratégies n'aurait sans doute pu modifier sensiblement le sort qui attendait les E.R.F., mais leur mise en œuvre simultanée en garantissait absolument l'inefficacité, puisqu'elles se démentaient l'une l'autre : le bénéfice à tirer d'une soumission résignée disparaissait devant les « émotions » méridionales et, inversement, celles-ci cessaient de représenter un avertissement tant soit peu sérieux, dès lors qu'il était patent qu'elles demeuraient des incidents localisés et isolés. On retrouvait le dilemme de la décennie 1620...

Ce qui domine, finalement, c'est l'endurance, c'est la patience (d'ailleurs proverbiale) des huguenots. Subir de constantes tracasseries, voir régulièrement réduire la portée de l'Édit de Nantes ; faire de son mieux pour freiner cette érosion et ne laisser entamer la charte qui protégeait les E.R.F.

---

[11] Cf. Solange DEYON, *Du Loyalisme au refus : les protestants français et leur Député général entre la Fronde et la Révocation*, Lille, 1976.

[12] Cf. E. LABROUSSE, « Les stratégies huguenotes face à Louis XIV », pp. 37-45 in *Le bonheur par l'Empire ou le rêve d'Alexandre* (Travaux du Centre d'études et de recherches sur les stratégies et les conflits, III), Paris, Anthropos, 1982.

que le moins et le plus lentement possible ; espérer tenacement des lendemains meilleurs...

Il n'y avait pas d'autre attitude possible pour une minorité aussi faible et il est hautement significatif de souligner les analogies qu'on peut discerner entre le comportement des huguenots et celui des catholiques anglais, qui, eux aussi, presque tout au long du XVIIᵉ siècle, connurent une situation si difficile, au moins, par périodes, qu'ils comptèrent des martyrs dans leurs rangs. A l'envi, huguenots et catholiques britanniques s'époumonent à proclamer leur loyalisme politique entier et essayent de se faire oublier (si ce n'est qu'à certaines époques, à la différence des huguenots, les catholiques anglais ont pu bénéficier de solides appuis à la cour de leur monarque — parfois mêmes indiscrets —, que la trajectoire de leur destinée a été beaucoup plus heurtée et, surtout, que par paliers progressifs, leur sort a fini par s'améliorer). Huguenots et catholiques anglais au XVIIᵉ siècle, ont souffert des imprudences héroïques de certains de leurs coreligionnaires, plus fervents que réalistes. Et surtout, les uns comme les autres ont persévéré tenacement dans leur particularisme religieux, passionnément convaincus qu'ils étaient de la protection divine et du salut éternel promis à leur fidélité respective à ce qu'ils tenaient pour la « vraie » Église...

CHAPITRE III

LE CLERGÉ CATHOLIQUE, LES MILIEUX DÉVOTS

L'ÉGLISE DE FRANCE

Au sein de la société française du XVIIᵉ siècle, le groupe le plus consubstantiellement hostile à la R.P.R. était naturellement — par définition, par vocation, par devoir ! — celui, si puissant, que constituait le clergé catholique romain, en particulier, les prélats et, parmi les réguliers, les Capucins et les Jésuites. Bien entendu, l'Édit de Nantes ne pouvait apparaître à leurs yeux (et à ceux du Vatican) que comme une tare, combien humiliante, infligée à l'Église de France par le malheur des temps — un démenti inadmissible de sa prétention séculaire à détenir, dans le royaume, le monopole exclusif de la vérité chrétienne.

On le sait, à cette époque, le haut clergé, nommé par le roi, représentait un des rouages essentiels de l'État et lui fournissait, même pour des tâches purement temporelles, beaucoup de ses meilleurs serviteurs — sans parler des premiers ministres. Les préoccupations de l'épiscopat étaient alors tout autant administratives ou politiques que religieuses, au sens actuel du mot, ou, plus exactement, les deux domaines que nous différencions étaient indistincts et intimement amalgamés.

Le haut clergé français s'était résigné à l'Édit de Nantes comme à un moindre mal et à un expédient transitoire, moins déplorable que la guerre civile qui, surtout dans le Midi, avait

61

si gravement perturbé l'exercice du catholicisme. Nous l'avons dit[1], une des conséquences de l'Édit de Nantes fut le rétablissement à peu près immédiat du culte catholique dans le royaume (Béarn y compris après 1620) : le retour des prêtres et des religieux là où ils avaient été chassés fut rapide si la restitution des propriétés ecclésiastiques fut souvent laborieuse. Toutefois, ce que le clergé catholique, en conscience, ne pouvait admettre, c'est que le régime institué par l'Édit de Nantes pût se prolonger indéfinitivement ; autrement dit, c'était la validité du caractère « perpétuel » accordé par Henri IV à ce qu'un prêtre romain ne pouvait tolérer, tout au plus, que comme une trêve.

Répétées obstinément, d'Assemblée du clergé en Assemblée du clergé, les attaques frontales contre l'Édit de Nantes semblent avoir été longtemps des exercices rhétoriques indispensables, mais dont chacun connaissait bien le caractère formel. L'action réelle était moins ostensible : elle consistait à s'ingénier avec persévérance à grignoter l'Édit en toute occasion afin de peser constamment pour tenter d'en restreindre le champ d'application.

Toutefois, avec sagesse, l'Édit de Nantes ne permettait pas aux ecclésiastiques romains d'intenter des procès aux consistoires ; nous l'avons dit[2], ce fut à partir de 1665 que les syndics des évêques purent se livrer à des attaques aussi directes. Tant que la prohibition fut en vigueur, il y fallut des voies plus détournées et la démarche essentielle fut la liste de doléances et de plaintes présentée au Conseil du roi par les Assemblées du clergé : l'Église de France y affichait d'une manière douloureusement pathétique les plaies cruelles que lui infligeaient les constantes agressions des minoritaires et l'insolence de leurs attentats... Est-il nécessaire de souligner le caractère outrancier de ces jérémiades, dans lesquelles la puissante Église de France se dépeint comme la perpétuelle victime inoffensive d'adversaires sans foi ni loi ! Assurément, il a pu arriver ici ou là qu'un consistoire ait outrepassé les droits que lui reconnaissait l'Édit de Nantes, et, beaucoup plus fréquemment, que des huguenots aient participé à des échauffourrées

---

[1] Cf. *supra* I, p. 28.
[2] Cf. *supra* II, p. 58.

intempestives ; pourtant, statistiquement, de tels incidents restaient exceptionnels. En effet, l'intérêt vital de la R.P.R. était de voir respecté l'Édit de Nantes, tandis que celui de ses ennemis leur commandait impérieusement de tout faire pour en restreindre la portée avant d'en obtenir, à plus long terme, l'abolition.

CONTROVERSE ET MISSIONS

C'est d'abord au plan de la controverse et de l'apologétique que le clergé français mena la guerre froide contre la R.P.R. Il s'agissait de diminuer le nombre de ses fidèles en ramenant au « gros de l'arbre », par persuasion, le plus grand nombre possible de dévoyés. La controverse, alors, n'est plus que pour une part un jeu technique de théologiens, qui s'assènent de savants traités, se réfutent les uns les autres à perte de vue et dont les lecteurs s'en tiennnent presque tous, vraisemblablement, aux textes des champions de leur bord... Elle devient orale et se déroule devant un public mélangé, qu'il s'agit simultanément de chauffer à blanc dans sa foi catholique et d'ébranler dans ses convictions protestantes. Il n'était pas difficile de rassembler un auditoire ainsi « bigarré » pour des conférences contradictoires, opposant un controversiste catholique ambulant et le pasteur du lieu à qui il avait envoyé un défi : nous en avons parlé[3].

Mais surtout les « missions » se multiplièrent, au cours du siècle, dans les régions où les huguenots étaient nombreux et elles bénéficièrent d'un appui chaque fois plus patent des autorités civiles. Il est vrai qu'en principe elles visaient avant tout à instruire et à galvaniser leurs auditeurs catholiques, mais, en milieu rural, elles constituaient un événement sensationnel et une distraction de choix de sorte que, comme elles se déroulaient beaucoup en plein air, elles manquaient rarement d'attirer quelque huguenots qu'y conduisait une curiosité bien compréhensible... Si ces méthodes n'ont entraîné qu'un nombre assez minime d'abjurations — aussitôt montées en épingle — en revanche, aux yeux de leurs promoteurs, elles

_____
[3] Cf. *supra* II, pp. 57-58.

avaient le mérite de rappeler la noirceur de l'hérésie au petit peuple catholique, tenté plus d'une fois de l'oublier, nous le verrons[4], bien que leur but premier fût théoriquement de lui apporter une instruction religieuse élémentaire que les curés de campagne étaient bien loin d'être toujours en mesure de lui dispenser. Dans la situation de rivalité que créait le pluralisme religieux, dans un camp comme dans l'autre, on ne pouvait exposer la « vérité » sans réfuter les erreurs propres à ceux d'en face...

On le comprend, les Missions mettaient les consistoires et les pasteurs du canton où elles se déroulaient sur une défensive anxieuse : elles exacerbaient toujours ce qu'il pouvait y avoir d'hostilité latente envers les réformés dans la population catholique du lieu, de sorte que, plus encore que quelques défections, les huguenots pouvaient redouter des incidents plus ou moins violents, parfois suscités par l'un des leurs si, étourdiment, le sentiment que sa confession était calomniée par l'orateur, l'avait fait réagir imprudemment ou s'il s'était gaussé ouvertement des formes de dévotion, volontiers histrioniques, que favorisaient les missionnaires, en particulier s'il s'agissait de Capucins. Moins intellectuelles que les conférences contradictoires — activités urbaines qui attiraient les élites sociales —, les missions visaient avant tout le petit peuple des campagnes reculées qu'elles n'hésitaient pas à soumettre à un matraquage émotionnel intensif.

Le clergé catholique attaquait donc à tous les niveaux : les lettrés par des livres, les populations urbanisées, par des conférences contradictoires, les ruraux par le moyen de missions. Or ce n'était guère que sur le plan des publications de controverse que le combat n'était pas très inégal. Les pasteurs avaient une bonne formation théologique et les auteurs étaient assez nombreux dans leurs rangs pour que la controverse en langue française ait pu fleurir — sans vainqueurs ni vaincus à nos yeux, tant en fait elle excluait un vrai dialogue. Il suffisait à ses champions d'avoir une conviction préalable enracinée, quelque virtuosité dialectique et une certaine érudition théologique... En revanche, soit s'agissant des Conférences publiques, soit des missions, les réformés étaient fort

---

[4] Cf. *infra* IV, pp. 81-85.

désavantagés : ils n'avaient jamais l'initiative, ni donc le choix du lieu et du moment, et se voyaient condamnés à la défensive, alors que par ailleurs leurs possibilités de prosélytisme étaient des plus réduites.

LES CONVERSIONS

La stratégie de la Contre-Réforme accordait une grande importance à la reconquête des élites sociales protestantes. Quand il entrait en contact avec des notables huguenots — par exemple, à la Cour — le clergé catholique français cherchait volontiers à les inciter à l'abjuration. Il est indubitable que certaines des conversions ainsi obtenues ont été ou sont devenues loyales et sincères, mais il reste vrai qu'au plan temporel, elles ne manquaient jamais d'être avantageuses. Les autorités s'en réjouissaient et, par ailleurs, le clergé disposait de mille moyens d'aider, directement ou indirectement une famille : bourses d'étude pour les fils et, si l'un d'entre eux se faisait d'Église, prébende, tandis que les couvents accueillaient les filles. Si un pasteur passait au catholicisme, son avenir et celui des siens étaient bien assurés : pension du clergé, charge d'avocat ou permission d'exercer la médecine, etc. ; il s'agissait en effet d'une recrue de choix, dont on prenait soin d'orchestrer et d'ancrer la décision, car sa prospérité ultérieure aurait valeur d'exemple.

Il serait par trop sommaire de tout expliquer par la vénalité qui n'a assurément prédominé que dans certains cas ; dans les autres, elle s'est probablement trouvée associée à des motivations de meilleur aloi.

Comme toujours, en pareil cas, ce fut souvent parmi les renégats du protestantisme que se recrutèrent les controversistes les plus acharnés et les plus venimeux à son encontre[5], obsédés par la lutte antiprotestante à laquelle ils ont apporté plus d'une fois les aigreurs de rancœurs rancies et une agressivité calomnieuse. La publication tardive de la *Discipline* des E.R.F., en 1650, paraît bien avoir été occasionnée par la nécessité de désamorcer l'image infidèle qu'en répandait Meys-

---

[5] Cf. *infra* VII, p. 158 et p. 161.

sonnier, un transfuge du protestantisme, qui, tant que le texte restait manuscrit, pouvait dénoncer à cœur joie son caractère politiquement subversif...

Est-il vraiment utile de le souligner : toute autre attitude que celle que nous venons de décrire aurait été une forfaiture de la part du clergé catholique. Il est cocasse qu'il se soit trouvé des historiens protestants pour stigmatiser l'hostilité agissante du clergé français à l'encontre de la R.P.R. et de l'Édit de Nantes (et, en somme, lui reprocher de n'avoir pas été recruté parmi des libéraux du XIXᵉ siècle...). Ce clergé regroupait des hommes persuadés, s'ils étaient pieux, que les réformés couraient à l'Enfer et qu'il était de leur devoir d'arracher des proies à Satan ; ou, s'ils étaient mondains, très attachés aux prérogatives de leur Ordre, donc, sensibles à l'humiliation cruelle que lui infligeait l'existence légale, dans le royaume de la Fille aînée de l'Église, d'une communion rivale, pour faible qu'elle fût — anomalie juridique unique en Europe occidentale à pareille date[6]. De toutes façons, le plus élémentaire civisme incitait un catholique français à tout le moins à déplorer vaguement et passivement le pluralisme religieux de son pays natal.

Les huguenots du XVIIᵉ siècle, avec plus de bon sens que certains historiens ultérieurs, n'ont jamais songé à reprocher au clergé catholique ses *objectifs* pastoraux de reconquête ; ils se contentaient — et à bon droit — de contester les *méthodes,* trop souvent douteuses, puis, finalement, ignobles, utilisées pour atteindre ce but. Au reste, il aurait fallu beaucoup de mauvaise foi aux huguenots pour juger illégitime un désir d'unité religieuse que, virtuellement, ils partageaient, s'ils lui donnaient un sens inverse. Aucune des deux confessions légalement reconnues dans le royaume ne s'accommodait *de jure* (sinon, *de facto*) d'un partage qui, à ses yeux, condamnait une partie plus ou moins grande de la population française à

---

6 La Pologne connut jusque vers 1635 une tolérance civile remarquable, qui s'explique par la faiblesse des autorités centrales et les traditions d'autonomie de la grande noblesse, dont une partie avait passé à la Réforme et au socinianisme. Mais le catholicisme finit par reprendre le dessus et les minoritaires durent finalement abjurer ou s'exiler. En Hongrie aussi existait une tolérance civile qui permit à une minorité calviniste de prospérer quelque temps.

croupir dans des erreurs « monstrueuses » ou ne lui apportait que le droit de se damner ! Simplement, la faiblesse relative de la R.P.R. la réduisait à la défensive, tandis que les majoritaires pouvaient se permettre le luxe d'essayer, sur une assez grande échelle, de regagner des âmes...

Chez les réformés, les efforts apologétiques étaient cantonnés au plan général de la controverse ; quand ils étaient personnalisés ils cherchaient presque toujours à retenir un fidèle dans la confession de son enfance et bien peu souvent à faire changer de camp à un catholique. Quelques rares ministres, non sans inquiéter leurs collègues, tentaient un prosélytisme nécessairement discret qui ne pouvait aboutir qu'à quelques conversions individuelles, acquises par le moyen si lent de la persuasion. On a le sentiment, au reste, qu'en cas de conversions sincères (dans un sens ou dans l'autre), l'élément initial et décisif a été presque chaque fois l'inquiétude spirituelle du futur transfuge que les convertisseurs sollicités par lui ont réussi simplement à faire basculer vers une abjuration en forme[7]. Mais si le passage d'un catholique au protestantisme, en France, au XVIIe siècle, a toutes les chances d'avoir été sincère et désintéressé, il plane nécessairement sur la décision inverse de lourdes suspicions, tant elle comportait de substantiels avantages temporels pour qui la prenait...

Notons que l'hostilité foncière des ecclésiastiques romains à l'égard de la R.P.R. prenait moins souvent qu'autrefois des formes polémiques grossières. Avec le passage du temps, la politesse et la mesure gagnaient le siècle ; c'était de la courtoisie, éventuellement glacée, que rencontraient les élites huguenotes chez les prêtres et surtout, les jésuites, qu'il leur arrivait de coudoyer et, chez les écrivains, les invectives homériques n'étaient plus de mise. Les injures n'étaient plus le fait que de quelques curés mal dégrossis ou de ces moines — généralement des missionnaires capucins — que les huguenots exécraient. Et du côté protestant, la véhémence pittoresque et furibonde des pamphlétaires du XVIe siècle ne laissait plus de séquelles que chez des auteurs nés pendant les Guerres de religion, tel le théologien Pierre Du Moulin le père (1568-1658).

---

[7] Cf. E. LABROUSSE, « La conversion d'un huguenot au catholicisme en 1665 », in *Revue d'histoire de l'Église de France,* 1978, pp. 55-68 et 251-2.

Quand Pierre Jurieu, son petit-fils, retrouva occasionnellement au Refuge un style de controverse haut en couleurs, il scandalisa ses propres coreligionnaires, définitivement acquis à la politesse du classicisme.

LE GALLICANISME

Il y avait pourtant dans l'idéologie d'une grande partie du clergé séculier français une tendance — à savoir, le gallicanisme — que les huguenots approuvaient avec ensemble, s'ils regrettaient qu'elle se perdît dans les sables sans aboutir à ce qu'ils tenaient pour sa conclusion logique. Beaucoup plus antipapistes qu'anti-catholiques, nous l'avons dit[8], les réformés français se targuaient d'être, politiquement, les seuls gallicans conséquents, la rupture avec Rome étant, selon eux, l'unique manière d'assurer la plénitude des prérogatives du roi de France et des libertés de l'Église du royaume ; les catholiques gallicans s'arrêtaient donc malencontreusement en chemin, s'ils avaient choisi la bonne route... Les huguenots ne pouvaient voir que d'un très bon œil l'idée de la supériorité du Concile sur le Pape, l'infaillibilité dont se flattait l'Église romaine (à tort, bien entendu, du point de vue réformé) attribuée non pas au souverain pontife seul, mais aux Conciles œcuméniques (à la définition correcte desquels celui de Trente ne répondait pas aux yeux des protestants), et, plus concrètement, la récusation chatouilleuse des prétentions juridictionnelles du Saint-Siège sur les affaires ecclésiastiques de France, toutes thèses si énergiquement soutenues par les Parlements du royaume, acquis au gallicanisme. Bien entendu, les huguenots se félicitaient que les décisions disciplinaires du Concile de Trente (leur bête noire) ne fussent pas reçues en France (à la différence des décisions doctrinales de ce Concile).

Dans un ordre d'idées un peu différent, les thèses richéristes qui exaltaient le sacerdoce des curés ne déplaisaient pas aux réformés, dans la mesure appréciable où l'on pouvait y voir une contestation de la structure hiérarchique de l'Église romaine. En somme, tout ce qui était de coloration gallicane

---

[8] Cf. *supra* I, p. 37 et note 6.

dans la mentalité d'une bonne partie du clergé catholique français ne pouvait que rassurer un peu les huguenots. Leur proto-nationalisme — leur conviction spontanée concernant la supériorité de la France et des Français dans à peu près tous les domaines — ne le cédait guère à celui de leurs compatriotes catholiques ; il les conduisait à exagérer le contraste entre la relative sobriété des formes de piété de l'Église de France et les « superstitions » baroques des catholicismes péninsulaires.

En 1671, dans son *Exposition de la doctrine de l'Église catholique* (dont une première esquisse avait contribué à la conversion de Turenne), Bossuet sut habilement exploiter ce « préjugé favorable » au catholicisme français qu'abritaient tant de huguenots, convaincus que parmi toutes les formes d'une religion chrétienne abâtardie et souillée d'idolâtries — le catholicisme —, celle qui régnait en France était la moins dépravée... Certains controversistes huguenots soutenaient, au reste, que le mérite en revenait à la présence légale, en France de la R.P.R. : la pureté du culte réformé aurait engagé ses concurrents à s'éloigner moins que les Italiens ou les Espagnols de la norme idéale représentée par le christianisme des premiers siècles et le regard perçant de témoins malveillants aurait conduit le clergé gallican à châtier ses mœurs et accroître sa science...

Les auteurs huguenots étalaient complaisamment l'hypergallicanisme si hautement professé dans leur confession. D'une manière presque pathétique, ces marginaux s'insèrent avec délices au sein d'un puissant courant idéologique de leur culture ! Accessoirement, ils espéraient probablement, sinon conduire jusqu'à la R.P.R les gallicans les plus enthousiastes, du moins éveiller chez eux une sympathie, purement politique, à son égard. Il est de fait que le seul texte venu d'une plume catholique et pourtant favorable aux huguenots, paru (anonymement, bien sûr, en Hollande, sous l'adresse bibliographique fictive habituelle : « Cologne, Pierre Marteau ») en 1681 — les *Moyens sûrs et honnestes pour la conversion de tous les hérétiques et Avis et Expediens salutaires, pour la Réformation de l'Église* — est apparemment l'œuvre d'un Maître des requêtes[9], demeuré inconnu, qui préconisait la rupture du

---

9 Cet ouvrage, rare, se trouve à la Bibliothèque de l'Histoire du protes-

catholicisme français avec Rome, ce qui permettrait aussitôt, pensait-il, le retour des réformés au giron d'une Église de France devenue purement gallicane. Ce n'était pas grand'chose pour la R.P.R. que d'acquérir la bienveillance — toute relative — d'un excentrique, qui demeurait tout à fait hostile aux thèses proprement théologiques des réformés, mais au sein d'une opinion publique française si universellement déchaînée, à cette date, ce mince résultat est suggestif.

Chose exceptionnelle, donc, pour les minoritaires, sur le terrain du gallicanisme ils sortaient de leur ghetto ou de leur quarantaine idéologique et pouvaient entrer dans le chœur des catholiques adversaires de ce qu'on appellera plus tard l'Ultramontanisme. D'une manière analogue, les controversistes protestants lisaient avec plaisir les vives attaques lancées par certains théologiens catholiques contre les dévotions populaires « superstitieuses », certains aspects du culte des saints et surtout les outrances de la piété mariale[10]. Entente très partielle, certes, mais entente tout de même. Dans certains domaines la frontière était moins nette entre catholiques et protestants qu'elle ne l'était entre « dévots » et catholiques gallicans.

Parmi ces derniers, bon nombre exécraient les Jésuites avec tout autant de vigueur que pouvait le faire un huguenot : gallicans et réformés rivalisaient d'efforts pour présenter caricaturalement la Compagnie comme tout entière attachée à la théorie du tyrannicide, responsable de l'assassinat d'Henri III et d'Henri IV. A la suite de quelques Presbytériens anglais, tels Prynne et Baxter, il s'est trouvé des huguenots pour sou-

---

tantisme français (cote : 8° 8141). Sur l'identification de l'auteur comme Maître des Requêtes, cf. la lettre de Pierre Bayle à son frère Jacob du 12/4/1683, *Œuvres Diverses*[2], I.B., p. 137 b.

[10] Par exemple, d'inspiration janséniste, les *Avis salutaires de la B.V. Marie à ses dévots indiscrets,* court livret paru d'abord en latin, à Gand, anonyme. C'était l'œuvre d'un pieux laïc de Cologne, Adam Widenfeld. Il en parut une traduction française à Lille en 1674, préfacée par l'évêque de Tournay, ce qui n'empêcha pas la brochure d'être mise à l'Index par Rome quelques semaines plus tard. Cf. Paul HOFFER, *La dévotion à Marie au déclin du XVIIe siècle. Autour du jansénisme et des « Avis salutaires de la B.V. Marie à ses dévots indiscrets »* Paris, 1938. Notons au passage que les réformés ne contestaient que la déification de Marie, mais vénéraient la mémoire de la mère de Jésus. Cf. le traité du pasteur Charles DRELINCOURT, *De l'honneur qui doit estre rendu à la sainte Vierge,* Charenton, 1634, réédité en 1643 et, avec des additions, en 1645.

tenir que la Révolution d'Angleterre avait été manigancée par des jésuites (qui auraient noyauté le parti des Indépendants), de sorte que c'étaient — une fois de plus — les bons Pères qui étaient finalement responsables de l'exécution de Charles 1er[11]. Influencés par leur connaissance de la culutre britannique, Pierre Du Moulin le père et ses fils restèrent partisans obstinés d'une interprétation des événements d'Outre-Manche qui comportait le double avantage de noircir la Compagnie de Jésus et d'exonérer les protestants du crime affreux de régicide. Bel exemple des insanités jusqu'auxquelles l'intensité des préjugés peut conduire de bons esprits — et, accessoirement, des ravages provoqués par le schème obsessionnel du « complot » dans l'interprétation des événements politiques, dans l'Angleterre du XVIIe siècle.

LE CARTÉSIANISME

En matière philosophique aussi il se trouva quelques bases d'accord par-dessus les frontières confessionnelles. Un cartésianisme plus ou moins dilué finit par gagner progressivement les Académies réformées — Saumur, dès 1664, Sedan en 1675 et Puylaurens-Montauban plus tard encore et, chose significative, sous la pression des étudiants[12]. Bien avant cela, les huguenots les plus cultivés s'étaient intéressés à la philosophie nouvelle et ils avaient vite aperçu le parti à tirer de la définition cartésienne de la matière par l'étendue contre le dogme romain de la transsubstantiation, qui présupposait une conception aristotélicienne de la substance et de ses accidents.

De toutes façons, en dépit de la couleur péripatéticienne de l'enseignement dispensé dans les Académies réformées, ici conformes aux traditions universitaires partout en vigueur, la philosophie scolastique restait associée à ce qui, pour les protes-

---

[11] On retrouve encore cette idée, probablement avec ironie, sous la plume de Swift en 1708. Cf. *An argument against abolishing Christianity,* in Jonathan Swift, *Satires and personal Writings,* éd. W. A. Eddy, 2de éd. 1967, p. 16.

[12] Cf. E. LABROUSSE, *Pierre Bayle, I, Du Pays de Foix à la cité d'Erasme,* La Haye, 1963, p. 62, note 50. (Une seconde édition doit paraître incessamment).

tant du XVIIᵉ siècle, était l'obscurantisme déplorable des temps gothiques — qu'on n'appelait pas encore Moyen-Age ; sans être particulièrement ouverte aux nouveautés, l'intelligentsia huguenote ne manquait pas de raisons de les accueillir. Or, on le sait, si elle fut combattue par la Compagnie de Jésus et par la Sorbonne, la philosophie nouvelle avait vite rallié certains catholiques français, pénétrés d'augustinisme et, parmi les ecclésiastiques, beaucoup de jansénistes et d'oratoriens. De nouveau ici, sur un terrain limité dans lequel le particularisme religieux ne jouait aucun rôle, naissait une solidarité précaire et confuse.

En effet, pas plus que les E.R.F., l'Église de France ne constituait un bloc monolithique ; ses versants gallican et cartésien — qui se recoupaient souvent — paraissaient aux huguenots incomparablement moins inacceptables que ses côtés romains... On sait combien les jansénistes durent s'évertuer à contester le rapprochement injuste — mais polémiquement si habile — que leurs ennemis prétendaient faire entre leur théologie et le calvinisme. Ce qui, après la Paix de l'Église (1668) valut à la R.P.R. les attaques des controversistes catholiques les plus brillants du temps, en la personne d'Arnauld et de Nicole, bien décidés à manifester hautement leur horreur pour le schisme protestant.

Reste que les réformés lisaient avec édification les *Pensées* de Pascal (et, bien sûr, avec délices, les *Provinciales*) et les *Essais de morale* de Nicole — tandis qu'un peu plus tard bien des amis de Port-Royal se plurent à la lecture du *Traité de la vérité de la religion chrétienne* du pasteur Abbadie (duement amputé, il est vrai, dans les réimpressions faites en France, de sa dernière partie qui prétendait démontrer la supériorité du calvinisme sur les autres formes revêtues par le christianisme au cours de l'histoire, parce qu'il aurait su retrouver la norme de l'Église primitive).

Plus généralement, il existait certaines affinités de sensibilité religieuse entre les diverses branches de l'augustinisme théologique — jansénisme et calvinisme —, mais qui n'effaçaient pas les désaccords dogmatiques fondamentaux, concernant en particulier l'eucharistie et la nature de l'Église. Ce qui d'ailleurs vaut aussi pour ceux que leurs adversaires jugeaient pélagiens ou semi-pélagiens — molinistes et arminiens — ; les points de contact qui existaient entre eux étaient peu de chose en comparaison de ce qui séparait radicalement ces catholiques et ces protestants.

LE PARTI DÉVOT

En revanche, avec le parti dévot n'existait pas le moindre pont : entre lui et les réformés le désaccord était à la fois complet et entier, sans faille aucune, à tous les niveaux et sur tous les terrains, d'où une guerre froide implacable. En effet si, historiquement, les E.R.F. avaient succédé au « parti » protestant, les « dévots » étaient les héritiers directs de la Ligue : abandonnant sa militance politique, ils n'en avaient plus conservé que l'ardeur proprement religieuse[13]. On leur a parfois reproché d'avoir été pro-espagnols, mais il faut bien voir combien les alliances protestantes de la France de Richelieu avaient pu légitimement paraître contre-nature à ces pieux catholiques et surtout quel authentique souci du peuple dressait ces hommes contre une politique belliqueuse qui l'écrasait d'impôts et créait des misères atroces. Avant tout « papistes », les dévots ne se résignaient pas, fût-ce à titre d'expédient, à l'existence de l'Édit de Nantes — cet échec cuisant des Ligueurs. Aussi se mobilisaient-ils activement pour en réduire la portée par tous les moyens, en attendant le jour béni où son abrogation restituerait tout son lustre à l'Église de France en la délivrant d'une plaie déshonorante et en remettant enfin le royaume en accord avec le vieux dicton : « Une foi, une loi, un roi »[14]...

Fondée en 1627, la Compagnie du Saint-Sacrement fut l'expression par excellence de la militance dévote. Association

[13] Cf. Denis RICHET, « Les conflits religieux à Paris dans la seconde moitié du XVIe siècle », In *Annales,* XXXII, 4 (juillet-août 1977), pp. 781-783.

[14] Attribué à Postel ; mais Alain Dufour observe (cf. *Bibliothèque d'Humanisme et de Renaissance,* XLVI (1984), p. 536, note 1) qu'on trouve déjà l'adage antérieurement, par exemple, dans la marque d'un imprimeur rouennais, vers 1500, sous la forme « Ung Dieu, ung Roy, une Foy, une Loy » (cf. Sylvestre, *Marques typographiques* Paris, 1853, I, n° 135). Les analogies — et les différences — avec la formule : « ein Volk, ein Reich, ein Führer » sont suggestives.

sinon tout à fait secrète, du moins extrêmement discrète, dans laquelle se cooptaient clercs et laïcs d'une piété catholique ardente, elle engageait ses membres dans un vaste programme d'action sociale — pour employer un terme anachronique. L'orientation en était à la fois charitable et moralisatrice ; elle s'évertuait à porter secours aux pires misères, mais aussi à lutter contre les blasphémateurs et les déviants sexuels (la Cour exclue !), ce qui autorisait parfois des dénonciations que nous sommes tentés de juger odieuses. Les élites catholiques ne regardaient pas toujours aux moyens employés pour leur grande œuvre de Réforme — et de suprématie des valeurs bourgeoises ou classiques, d'ordre et de bienséance. Aussi bien les jurons traditionnels que les vieux Mystères médiévaux éveillaient l'indignation de ces bien-pensants, lourdement paternalistes.

Naturellement, au programme de la Compagnie figuraient en bonne place des initiatives systématiques à l'encontre des huguenots, comme individus, et des E.R.F. comme institutions. La Compagnie recrutait beaucoup de notables et d'officiers royaux à qui elle faisait un devoir, dans toute décision à prendre, de défavoriser les protestants : de faire obstacle à leurs carrières ou à leur prospérité économique et de surveiller toutes leurs activités religieuses avec une vigilance sourcilleuse afin qu'elles ne débordent jamais ce qu'avait — hélas — rendu licite l'Édit de Nantes et, si possible, afin qu'elles demeurent en retrait. Bien des plaintes portées devant le Conseil du roi — et puissamment orchestrées par les confrères — n'ont pas eu d'autre origine que le devoir que se faisaient les membres de la Compagnie de nuire aux réformés sous tous les prétextes — bons ou mauvais, légitimes ou tirés par les cheveux —, la bonne foi n'étant pas de mise à l'égard des hérétiques, thèse que beaucoup de controversistes réformés ont injustement fait endosser à tous les théologiens romains, mais qui était incontestablement le fait de quelques-uns d'entre eux dont la Compagnie adoptait l'opinion.

Toutefois, une association secrète aux visées théocratiques ne pouvait que déplaire à l'État absolutiste, dont les stratégies prétendaient n'être pas gauchies par des considérations éthiques, ni par un respect immodéré pour le Saint-Siège. Jansénistes et huguenots, victimes du centralisme royal, se retrouvent à cet égard avec leur adversaire par excellence, car en 1666 la Compagnie du Saint-Sacrement fut dissoute, par la volonté de Louis XIV, si hostile à toutes les « factions », autant que pouvait être supprimée une association sans statut légal. Mais bien entendu, en matière d'initiatives individuelles anti-protestantes, les ex-confrères n'abandonnèrent pas une ligne de conduite qui, au surplus, n'était pas pour déplaire à la Cour...

Il semble équitable de rappeler ici ce que nous avions dit de la forte tendance huguenote à la solidarité confessionnelle, qui a joué à bien des niveaux. Non seulement l'aide fournie aux voyageurs par les consistoires[15], mais plus généralement la préférence accordée partout au coreligionnaire ; dans le choix par exemple des serviteurs, des précepteurs et surtout dans le recrutement des commis en général : dans les Fermes et les Finances, les huguenots étaient légion. Il faut comparer cette habitude à celle qui était si fréquente à l'égard de la province d'origine : à conditions égales, on favorisait un « compatriote ». Reste que la tendance des minoritaires à s'épauler entre soi était tout de même autre chose qu'un projet explicite de nuire systématiquement aux non-coreligionnaires, tel qu'il figurait dans le programme de la Compagnie du Saint-Sacrement.

Ainsi l'Église gallicane, si dynamique et si diverse, au XVIIe siècle, abritait certains courants de pensée et de sensibilité qui rencontraient des échos favorables chez les protestants, et avant tout le gallicanisme et l'augustinisme. Les conflits internes qui déchiraient l'Église de France (et révélaient sa vitalité et sa richesse idéologique) incitèrent les réformés les plus naïvement optimistes — qui, par définition, n'avaient qu'une connaissance très superficielle de l'autre confession — à déceler dans ces désaccords des symptômes prometteurs, ou, du moins, rassurants pour la R.P.R. C'était se bercer d'étranges illusions et oublier que tous les catholiques français — et même les Parlements et les Assemblées du Clergé, ces rivaux perpétuels ! — tombaient d'accord au moins sur un point, l'hostilité, au minimum passive, envers les protestants. Cependant, c'était parfois à bon droit que les huguenots pou-

---

[15] Cf. *infra* IV, p. 79.

vaient espérer que, quand elles occupaient le devant de la scène, les polémiques internes de l'Église de France donneraient un peu moins d'urgence au combat contre les minoritaires. Mais il ne s'agissait jamais que de répits passagers : ici aussi, la R.P.R. ne perdait rien pour attendre et l'apaisement des querelles intestines du catholicisme lui coûtait cher — par exemple, quand après la Paix de l'Église, les jansénistes se consacrèrent à la controverse anti-réformée.

Il est patent — et logique — que l'adversaire premier de la R.P.R., son « ennemi héréditaire », la source inépuisable des difficultés rencontrées dans l'application de l'Édit de Nantes, puis celle des restrictions constantes qui lui furent apportées, ait été l'Église de France, avec son poids énorme dans un royaume dont plus de 90 % des habitants étaient ses fidèles, avec ses ressources colossales en argent (rappelons-le, un Synode national requérait non seulement une permission, mais des subventions de la Cour ; quel contraste avec les Assemblées quinquennales du Clergé qui lui apportaient leur « don gratuit »...), avec l'armée immense de son clergé, avec le splendide renouveau qui marqua au « siècle des saints » la version française du mouvement européen de la Contre-Réforme. Et enfin, le plus décisif de tout, peut-être, avec cette oreille du roi que les huguenots avaient définitivement perdue par la mort d'Henri IV...

CHAPITRE IV

L'INSERTION DES HUGUENOTS DANS LA SOCIÉTÉ FRANÇAISE

DES FRANÇAIS UN PEU PARTICULIERS

Quand on essaye de décrire un groupe minoritaire, on s'attache tout naturellement à mettre en relief les caractères qui le particularisent, en risquant par là de laisser abusivement dans l'ombre les innombrables traits communs qu'il partage avec les majoritaires parmi lesquels il vit. La spécificité religieuse est certes de première importance à une époque où elle a des aspects communautaires aussi marqués, car il ne s'y agissait pas, comme de nos jours, d'une option fortement individuelle. Reste que concrètement un nombre considérable d'activités, de coûtumes, de notions communes ne sont pas colorées par elle.

Les huguenots du XVIIe siècle — gardons-nous bien de sous-estimer une telle évidence — étaient des Français de leur temps ; leur mentalité et leurs comportements étaient vraisemblablement plus proches de ceux de leurs compatriotes catholiques que de ceux de leurs coreligionnaires de l'étranger — wallons des Provinces-Unies, presbytériens écossais ou même réformés genevois. Ils étaient en effet étroitement imbriqués dans leur communauté politique et sociale et partageaient ses modes de vie, qu'ils fussent paysans, artisans, négociants

77

bourgeois, robins ou nobles. Le facteur différentiel ne doit pas faire oublier le large socle commun.

Ainsi l'aristocratie huguenote pratiquait les duels, interdits par le roi et réprouvés par les théologiens des deux bords ; nombre de huguenots parisiens fréquentaient le théâtre — honni par tous les rigoristes ; les jeux de cartes étaient répandus dans toutes les classes sociales, bien qu'en principe tous les jeux de hasard fussent interdits aux huguenots ; certains de ceux-ci, par ailleurs, se masquaient lors du Carnaval, usage prohibé et de surcroît, participation indirecte à des festivités papistes ; quant au petit peuple, il était féru de danses, en dépit des exhortations parallèles des évêques et des consistoires, qui les condamnaient à l'envi, sans guère de succès.

L'austérité si volontiers attribuée aux protestants — si réelle chez les puritains anglais, à Genève ou en Écosse — pourrait bien n'avoir guère caractérisé les huguenots du XVIIe siècle, ces Latins, pour peu qu'on les compare à leurs coreligionnaires de l'étranger, auprès desquels ils font figure d'extravertis très insuffisamment morigénés. Les pasteurs, au reste, ne se privent pas de reprocher à leurs ouailles une manière de vivre qui ne les distingue guère de leurs voisins catholiques — alors qu'ils devraient s'en démarquer par une conduite irréprochable. Saumaise s'exclame douloureusement : « Pourquoi sommes-nous ou nous disons-nous réformés, si les mœurs ne le sont pas ?[1] »

Certes, le taux de délinquance des gens bien intégrés dans une communauté est toujours faible. Or, tel était le cas des huguenots : vagabonds sans aveu, feu, ni lieu, mendiants, errants, prostituées appartenaient bien rarement à la R.P.R. Les consistoires étaient attentifs à porter secours aux fidèles en difficulté — ne fût-ce que pour éviter que l'appât d'un aumône « papiste » ne les incitât à abjurer. Malades, veuves, orphelins, vieillards et misérables étaient pris en charge régulièrement. La caisse des pauvres était indépendante des finances, trop souvent obérées, des églises ; elle était alimentée par les collectes faites lors de la célébration des cultes (et parfois en outre par des rentes provenant de legs faits à cette intention) ; dans les testaments de réformés, les pauvres reçoi-

---

[1] A Rivet, 5/9/1640 : à paraître dans l'édition indiquée *supra* I, note 7.

vent immanquablement quelque chose, tandis qu'aucune dépense somptuaire pour les funérailles n'y figure. Aux allocations à fonds perdus accordées aux miséreux et aux malades s'ajoutaient le paiement d'un apprentissage ou d'un écolage pour des adolescents pauvres, la rétribution d'un médecin et d'un apothicaire en vue de la guérison (problématique, vue la médecine du temps...) d'un malade ou d'un blessé. En outre, dans l'administration de la caisse des pauvres, on discerne parfois des aspects de Mont-de-piété, car les consistoires consentaient à l'occasion des prêts sans intérêt (avec ou sans gage) pour l'achat d'outillage ou pour une aide temporaire à un artisan en mauvaise passe.

Par ailleurs, le rôle dévolu aux Anciens, entre qui étaient répartis des secteurs précis du territoire desservi par la paroisse réformée, laissait difficilement à l'écart un seul huguenot : on savait à qui s'adresser pour solliciter un secours et les Anciens étaient expressément incités à prêter attention à ces « pauvres honteux » qui répugnaient à quémander. Le curieux usage qui consistait à distribuer à des pauvres catholiques les restes du pain après les services trimestriels de communion, manifeste, certes, une intention théologique — le pain, hors du service de Sainte Cène, n'a rien de particulier —, mais il laisse aussi supposer qu'il n'y avait guère de miséreux intégraux parmi les réformés...

Partout, dans le royaume, et surtout, dans le Midi, où la distance d'un temple à l'autre n'excédait que rarement celle qu'on pouvait couvrir dans une journée de marche ou de cheval, les voyages étaient facilités aux huguenots par l'usage de la « passade », mince allocation que les consistoires fournissaient toujours aux passants « de la religion », duement munis d'une attestation garantissant ce caractère (émanée du pasteur et d'un Ancien de leur lieu d'origine) et justifiant la nécessité du trajet entrepris — pour des affaires de famille, pour rejoindre un collège, une Académie, un maître artisan, etc. —. Notons en passant combien cette coûtume a favorisé la diffusion des nouvelles au sein de la communauté huguenote, car le voyageur ne manquait jamais de relater ce qu'il avait pu apprendre de la situation des églises réformées dans les bourgs qu'il avait traversés — au premier chef, des difficultés qu'elles pouvaient avoir avec les autorités civiles.

La solidarité des réformés entre eux ne signifie pas nécessairement qu'ils aient connu querelles, rixes et procès — voire ivrognerie et fornication ! — à un degré sensiblement moindre, à milieux sociaux comparables, que leurs contemporains catholiques. Il semble qu'ici il faut bien se garder de généralisations téméraires et il faudrait disposer de plus d'études détaillées de registres consistoriaux pour oser être affirmatif. Il apparaît que dans les localités où les réformés formaient la quasi-totalité de la population et où coïncidaient donc les structures civiles et religieuses, le consistoire jouissait d'une autorité sans égale et que l'acculturation était assez profonde pour que les exigences de la Discipline aient été assez bien respectées. Ailleurs, là où les protestants ne constituaient qu'un secteur de l'ensemble de la population, les registres consistoriaux montrent les fidèles plus rétifs ; s'ils obtempèrent à une convocation, ce n'est souvent qu'au troisième et dernier avertissement et les exemples ne manquent pas de réparties insolentes face au pasteur et aux Anciens, si l'insubordination durable est très exceptionnelle.

Certes, il faut accueillir avec précaution les reproches des prédicateurs protestants à leurs auditoires ; ils étaient dans leur rôle quand ils déploraient tragiquement les incartades et les vices de leurs fidèles, accusés d'orgueil, d'avarice, de médisance et, par dessus tout, de tiédeur religieuse. Reste que la coquetterie des dames réformées et leur mondanité est bien attestée dans les milieux privilégiés[2]... Il y a tout lieu de penser que les communautés rurales ont été moins touchées par les usages du siècle, mais la fameuse austérité huguenote pourrait bien être plus propre au XIXe qu'au XVIIe siècle. A cette dernière époque, chez les élites, elle ne semble guère avoir été beaucoup plus marquée que celle des secteurs les plus pieux du catholicisme — des amis de Port-Royal ou de certains cercles dévots. Il est vrai que ces derniers avaient un comportement sensiblement plus rigoriste que la grande masse de leurs coreligionnaires. Concluons donc, conjecturalement, que la manière de vivre huguenote tranchait elle aussi quelque peu sur celle du catholique moyen. Toutefois, ce n'était pas

---

[2] Les *Historiettes* de Tallemant des Réaux, lui-même, protestant (jusqu'en 1677) sont on ne peut plus éloquentes à cet égard.

leur moralité quotidienne, mais bien leur pratique religieuse qui distinguait au premier chef les réformés français de leurs compatriotes catholiques, dans des couches sociales comparables. Comme l'a écrit sagacement Lucien Febvre[3], les Réformateurs n'avaient pas reproché aux romains de mal vivre, mais, de mal croire...

LA COEXISTENCE PACIFIQUE AU NIVEAU POPULAIRE

La controverse non théologique — la seule qui atteignait un public relativement large — était faite, de part et d'autre, d'apologies et de réquisitoires mêlés, souvent liés à des récits tendancieux concernant les Guerres de religion et l'histoire de l'établissement du calvinisme en France, tous aigrement revendicateurs ou récriminatoires. Cette source abondante pour l'historien des mentalités ne doit pas lui laisser oublier le vécu quotidien des hommes du XVIIe siècle : la France de Louis XIV ne comptait pas vingt millions de bigots, de l'une et l'autre confession !

Certes, à cette époque, l'affiliation religieuse était infiniment moins que de nos jours une question privée et personnelle ; il s'agissait d'un aspect majeur du personnage social de chacun. Elle n'estampillait tout de même pas toutes les activités des Français, de sorte que le pluralisme religieux légalisé par l'Édit de Nantes a permis, pendant quelques décennies, qu'émerge une sorte de plage « neutre », dont il y a tout lieu de penser qu'elle aurait gagné lentement du terrain, sans l'effritement constant de la portée de l'Édit de Nantes et l'hostilité, d'abord un peu sournoise, puis tout à fait ouverte que la Cour finit par manifester à l'égard des minoritaires.

L'activisme religieux de quelques-uns contraste avec l'inertie générale des masses, spontanément attachées à un *statu quo* qui, depuis 1598, avait rendu licite la profession de la R.P.R. Parmi les catholiques, comme parmi les réformés, tous les laïcs étaient bien loin d'être possédés à tous les ins-

---

[3] Lucien Febvre, *Au cœur religieux du XVIe siècle*, Paris, 1957, p. 22 à propos de Farel.

tants par une ardeur militante, à conséquences agressives. La préoccupation essentielle de bien des gens était celle de l'existence quotidienne et de l'ici-bas : de séculaires traditions d'anticléricalisme déconsidéraient insidieusement tous les clergés, pasteurs inclus, à l'égard desquels on conservait son quant-à-soi. La bonhomie naturelle de certains, des accès d'incrédulité goguenarde chez les autres, tout cela a évidemment contribué à la vitalité tenace de solidarités communautaires immémoriales, que les rivalités personnelles ou confessionnelles n'éclipsaient que par moments.

En dehors des pratiques religieuses respectives qui différenciaient si clairement ceux qui le dimanche assistaient à la Messe ou se rendaient au temple, il n'y avait pas de ségrégation très sensible entre huguenots et catholiques. Dans la vie temporelle, non seulement mille rapports de voisinage ou professionnels les mettaient en contact, mais souvent les rapprochaient de fréquents liens de parenté. Ceux-ci étaient devenus moins étroits avec le passage des années, mais il ne faut pas oublier une des particularités du protestantisme français, à savoir la part considérable des conversions individuelles à ses origines — ce qui le distingue de tous les autres, même si au Béarn et dans certaines villes méridionales assez rares, le passage à la Réforme avait été le fait du Magistrat. En conséquence de ces options individuelles initiales, la plupart des huguenots avaient une parenté demeurée catholique et cousinaient donc avec des papistes. Les registres consistoriaux sont pleins d'incidents mineurs qui n'ont pas d'autre origine. La Discipline, en effet, prohibait toute assistance à des cérémonies romaines et les infractions à cette interdiction, qui ne sont pas rares, relèvent perpétuellement de cette « bigarrure » (comme on disait) des parentèles. Il est patent que le huguenot moyen se rendait au baptême et surtout, au mariage et à l'enterrement de ses parents catholiques les plus proches, quitte, une fois convoqué devant le consistoire, à en exprimer des regrets, bien peu déchirants puisque les récidives sont fréquentes... Les Anciens, d'ailleurs, ne sanctionnaient ces fautes d'aucune pénitence publique, évidemment parce qu'ils en saisissaient parfaitement la source et qu'en hommes du XVIIe siècle, ils comprenaient l'importance cardinale des liens familiaux et le caractère impératif des usages qu'ils commandaient.

C'est ici l'occasion de rappeler à quel point la Discipline des E.R.F. définit un programme maximaliste, largement utopique dans la mesure où ce texte de 1571 se place idéalement dans la perspective d'une église établie et monopoliste — ou, du moins, supposée par abstraction, dans un état de ségrégation méticuleuse par rapport au papisme. La réalité sociale du XVIIe siècle, en France était toute autre chose et si les registres consistoriaux attestent les vaillants efforts exercés dans le but de respecter le mieux possible les injonctions de la Discipline — cette charte de l'organisation et du fonctionnement idéal des E.R.F. —, ils montrent en même temps à quel point, dans bien des cas, la pratique concrète était obligée de demeurer en retrait par rapport aux règles de conduite qu'elle avait instituées.

Ainsi, les mariages mixtes — on disait « bigarrés » — ne manquèrent pas au XVIIe siècle, bien que dans divers traités plusieurs pasteurs se soient efforcés d'en détourner les huguenots en posant une équivalence dramatique entre catholiques et Amalécites ou Philistins — infidèles en un mot —, assimilation qu'un gros bon sens a visiblement empêché plus d'un réformé d'admettre. Quand un mariage bigarré avait eu lieu, après une pénitence publique du conjoint réformé et de ses parents, le dimanche, au temple, le délinquant (ou la délinquante) était « réconcilié » et l'on n'en parlait plus. Les consistoires tentaient de combattre préventivement ce genre de faute en convoquant les personnes en cause s'ils avaient vent d'un projet d'union mixte, mais ils n'arrivaient pas toujours à temps.

L'étroite endogamie locale, en milieu rural, car on y cherchait bien rarement un conjoint pour ses enfants à plus de deux lieues, explique que là où la communauté réformée n'était pas très populeuse se soient produites quelques unions mixtes. Parmi les bourgeois et les notables — croyons-en les pasteurs qui s'en indignent — ce genre de mariages répondait à des vues « mondaines », les parents jugeant si bien assortie ou si avantageuse, sur tous les autres plans, une telle alliance pour leurs enfants, qu'ils passaient outre à l'inconvénient de sa bigarrure. Notons que les testaments montrent que dans de pareils couples chaque conjoint conservait sa religion d'origine. Quant aux enfants, le plus fréquent semble avoir été que les fils fussent élevés dans la religion de leur père, les filles, dans celle de leur mère. L'influence de celle-ci toutefois, se révèle régulièrement très prépondérante : d'une part la piété féminine semble avoir été, dans les deux confessions, de beaucoup la plus fervente ; de l'autre, on peut invoquer le poids décisif des habitudes acquises dans la petite enfance, livrée aux femmes — mère, grand'mère, tantes... Or l'existence de couples bigarrés faisait persister la mixité des parentèles à des degrés proches : en outre, elle tendait à se perpétuer dans certaines familles, en ce sens que les enfants d'un couple bigarré hésitaient apparemment moins que d'autres à contracter une union du même type.

Bien entendu, les curés tout autant que les pasteurs réprouvaient de tels mariages, en principe, sans qu'ils aient cessé pour autant. Ils apportent une preuve criante de la pérennité des usages immémoriaux qui présidaient traditionnellement au choix d'un conjoint, très affaiblis, assurément, mais non entièrement abolis par le pluralisme religieux introduit en France par la Réforme.

Dans un ordre d'idées analogue, on constate combien demeuraient vivaces les solidarités locales, car, même une fois « mi-parties », on voit les « Jurades » — les municipalités — continuer à faire bloc devant toute tentative venue du dehors qui semble menacer les libertés municipales — qu'elle vienne du gouverneur, de l'intendant ou de l'évêque. Quant aux conflits qui peuvent surgir à l'intérieur des Jurades, à en croire un cas que j'ai pu analyser de près[4], ils ne relèvent pas de clivages religieux, comme on l'a parfois postulé inconsidérément. Toutefois, toute généralisation serait imprudente tant qu'on ne dispose pas de monographies locales détaillées en nombre suffisant.

On est enclin à conjecturer que la coexistence pacifique était plus facile dans les bourgs dans lesquels les deux confes-

---

[4] L'étude des registres de délibérations de la jurade de Mauvezin (actuellement, Gers), ainsi que celle du registre du consistoire (qui couvre une bonne partie du XVIIᵉ siècle) et celle de nombreux actes notariés touchant les habitants de cette petite ville m'a convaincue que dans son travail, parue en 1890 *(Le protestantisme dans la vicomté de Fezensaguet)* Jean-Philip de Barjeau à indûment postulé d'avance que les conflits internes de la bourgade relevaient perpétuellement d'oppositions confessionnelles.

sions reconnues en France se trouvaient dans un certain équilibre, parce qu'il semble probable que, là où l'une était fortement majoritaire, elle cédait aisément à la tentation d'être oppressive. De toutes façons, les bonnes relations entre individus n'en étaient pas nécessairement influencées ; ainsi dans deux bourgs à majorité réformée écrasante, on en trouve des témoignages ; il y eut des papistes, au Carla, en 1670, pour prier afin que le fils du pasteur du lieu, le jeune Pierre Bayle, qui venait d'abandonner le catholicisme et, de ce fait, était passible de poursuites pénales, comme relaps, pût gagner Genève sain et sauf[5], et à Mens-en-Trièves, au printemps 1676, un dimanche soir, dans la maison d'un ancien (absent), parmi les quatre personnes qui jouaient — ô scandale — aux cartes, figuraient la fille du pasteur, la femme d'un ex-Ancien et le curé de la petite ville[6]. Un tel épisode éclaire merveilleusement la solidarité des élites sociales (dont le curé faisait partie[7]) et il est plus éloquent et précieux pour l'historien que dix volumes de controverse acerbe...

Au surplus, ces rapports si souvent amènes entre gens des deux confessions sont amplement attestés après la Révocation. En effet, on possède de nombreux récits dans lesquels les auteurs ont relaté les multiples aventures de leur fuite clandestine hors du royaume ; or il y figure presque toujours une mention pleine de gratitude pour l'aide reçue de la part de catholiques — et cela à une date où dénoncer un huguenot qui s'apprêtait à partir était un acte de civisme, dûment récompensé, alors que tout secours apporté aux fuyards était passible de peines sévères ! Ainsi, même à une époque de propagande anti-réformée obsédante, puissamment répercutée dans les prônes par le clergé catholique, il s'est trouvé dans presque toutes les provinces de France de braves gens prêts à couvrir le départ illicite de leurs voisins protestants et, même, dans bien des cas, à le favoriser positivement. Dans cette attitude amicale, il ne faut assurément pas déceler la conséquence d'une réprobation explicite de la politique religieuse de la Cour, mais simplement l'expression d'une solidarité immémo-

---

[5] Cf. *op. cit.* (*supra* III, note 12), p. 79, note 14.
[6] Cf. *Le protestantisme en Dauphiné au XVII⁰ siècle*, sous la direction de Pierre Bolle, Poët-Laval, 1983, p. 59.
[7] Cf. *infra* VII, p. 133.

riale face aux pouvoirs lointains, alors que le huguenot était un « prochain ». Ce n'est pas la Révocation qui aurait suscité un sursaut moral chez les catholiques de la base qui ont secouru leurs voisins réformés, c'est simplement qu'entre eux le lien communautaire n'avait jamais été rompu.

C'est ce qui transparaît aussi dans le comportement de certains « anciens catholiques » vis-à-vis de leur concitoyens huguenots qui avaient abjuré sous la contrainte. Dans un effort pour réconcilier ses amis nouveaux convertis avec le catholicisme, on voit[8] un notaire gascon ancien catholique leur répéter à cor et à cri que lui-même ne croit pas au Purgatoire, ni à l'efficacité des prières pour les morts, où il voit une invention des prêtres pour extorquer de l'argent aux fidèles crédules ! A un niveau populaire, c'est en substance la tactique de Bossuet dans l'*Exposition* : démontrer qu'on peut être catholique sans pour autant être obscurantiste... Par ses arguments « apologétiques », le notaire tombe bien entendu dans l'hérésie, du point de vue romain, mais ce qui est suggestif, c'est qu'il essaye de convaincre les ex-huguenots que s'ils en prennent et s'ils en laissent dans la confession qu'on les a forcés à professer, ils rejoignent tout simplement les plus éclairés de leurs nouveaux coreligionnaires. On ne peut savoir si ce curieux exemple possède une portée générale, tout ce qu'on peut dire c'est qu'il n'y aurait là rien d'impossible.

LA COEXISTENCE PACIFIQUE DANS LES ÉLITES SOCIALES

Dans un tout autre milieu que celui des petits bourgs ruraux, on trouve aussi de multiples témoignages d'une solidarité fondamentale que les particularismes religieux ne peuvent effacer. Ultime avatar de la *Respublica christiana,* la Répu-

---

[8] En novembre 1688, le juge royal de Mauvezin recueille de multiples témoignages concordants concernant les discours « contraires à la Religion Catholique Apostolique Romaine et au service du Roy » tenus publiquement par le second consul, le notaire Charles Clavé « ancien catholique ». Le document est actuellement entre des mains privées, à Mauvezin, mais sa photocopie est déposée à la Bibliothèque de l'Histoire du protestantisme français et il sera publié ultérieurement dans le *Bulletin de la Sté de l'Histoire du protestantisme français.*

blique des Lettres, (le monde des érudits : numismates, philologues, historiens, etc.) suppose entre ses citoyens — actifs, les auteurs et passifs, les lecteurs, les curieux — des affinités décisives : culture gréco-latine de base commune, intérêts et goûts partagés, penchants rationalistes et habitudes critiques qui éloignent des affirmations simplistes ou péremptoires et des préventions aveugles. Étroit par le nombre, ce petit milieu était aussi cosmopolite que la latinité elle-même.

En France les cercles lettrés s'accommodèrent on ne peut mieux de l'Édit de Nantes ; à Paris, Caen, Rouen, partout où il y a des cénacles ou des académies — formelles ou non — érudits catholiques et réformés fraternisent. Cela est même vrai de Saumur où les Oratoriens entretiennent des relations assez cordiales avec les professeurs de l'Académie réformée[9]. Le détail est significatif qu'Amyraut par testament laisse de l'argent pour les pauvres de la ville sans considération de leur confession. Conrart, longtemps secrétaire perpétuel de l'Académie française et l'un de ses fondateurs, fut maintes fois Ancien de Charenton. Le savant Saumaise, établi à Leyde dans la seconde partie de sa carrière fut en butte à des efforts de conversion venus de haut lieu, puisque Richelieu y trempa ; il les éluda non sans peine et n'en continua pas moins à être tenu pour le Prince des érudits par les savants catholiques. L'irascible Guy Patin comptait des médecins huguenots parmi ses meilleurs amis. On n'en finirait pas d'énumérer les indices de cette bonne entente, qui au reste ne disparut pas avec la Révocation. Pierre-Daniel Huet — pourtant, évêque — maintint une correspondance affectueuse avec ses anciens amis réfugiés en Hollande. Le bon abbé Nicaise écrit régulièrement avec mille marques d'estime aux journalistes huguenots des Provinces-Unies et les uns et les autres se rendent constamment des services.

---

[9] La *Critica sacra* de Louis Cappel ne put être imprimée, à Paris, en 1650, que par les efforts conjoints des Pères Mersenne, Morin et Petau. Cette intervention de savants réguliers romains ne s'explique pas exclusivement par la bienveillance de ces érudits envers l'hébraïsant huguenot : les libraires néerlandais avaient été incités à refuser d'éditer un ouvrage dont les audaces effrayaient les théologiens réformés de Hollande et, du point de vue romain, il était avantageux de miner une certaine bibliolâtrie protestante dans l'espoir que le recours à la Tradition — l'un des deux piliers de la théologie catholique — en apparaîtrait mieux justifié.

Il ne faut pas confondre l'attitude des lettrés avec celle des mondains, bien que par périodes elles semblent indiscernables : la courtoisie est de règle à la Cour et dans les salons, comme aussi dans les milieux artistiques ; lors de sa fondation, en 1648, l'Académie royale de peinture compta sept huguenots sur vingt-trois membres fondateurs[10]. Mais ici la bonne entente est pure affaire de mode. Quand le vent tournera à la bigoterie, courtisans et mondains changeront d'attitude vis-à-vis de leurs relations huguenotes, de même que les Académies royales ne feront plus de place aux minoritaires. Et si les collèges jésuites, à toutes les époques, acceptaient des externes protestants, c'était dans une intention évidente de les convertir ; mais à malin, malin et demi, il est de fait que tous les élèves réformés des bons Pères sont loin d'avoir abjuré, même si cette perspective redoutable incitait les consistoires à réprouver la tendance des notables huguenots à vouloir assurer à leurs fils une des meilleures éducations de l'époque. Mais pour superficielle qu'elle se soit révélée dans les jours difficiles, la parfaite politesse des rapports entre huguenots et catholiques des milieux huppés — comme on disait — est un témoignage éloquent de l'acceptation du régime institué par l'Édit de Nantes.

On peut soupçonner que ce fut dans les classes moyennes, là où sévissaient le plus nettement les rivalités professionnelles et où le bon ton régnait moins impérativement, que les relations entre huguenots et catholiques furent le moins détendues et le moins cordiales. Mais encore une fois, les dévots n'étaient qu'une minorité dans chacune des confessions en présence et au surplus la récusation d'une théologie ne va pas nécessairement de pair avec l'exécration a priori de ses partisans. Il est indubitable que l'Édit de Nantes avait réussi peu à peu à cicatriser certaines plaies et à émousser certaines hargnes ; il a été une réussite incontestable pendant des décennies.

Il faut donc reconnaître, dans les deux confessions, un courant pour ainsi dire laïc, qui récusait comme outranciers,

---

[10] Cf. Jacques PANNIER, *L'Église réformée de Paris sous Louis XIII*, Paris, 1932, p 419 : l'un des membres fondateurs, pourtant jeune et huguenot, le peintre Sébastien Bourdon fut l'un des douze « anciens » chargés de diriger l'Académie.

les anathèmes des controversistes, se souvenait que tout le monde était chrétien et donnait un poids décisif à l'expérience quotidienne qui montrait de bons esprits ou de braves gens de part et d'autre de la frontière religieuse. C'était implicitement admettre qu'on pouvait être sauvé dans les deux confessions, thèse admise par quelques théologiens réformés si les catholiques la rejetaient — mais évidemment sous-jacente, chez les laïcs, aux comportements cordiaux que nous avons évoqués.

Fruste pré-œcuménisme ou indifférentisme, cette attitude signifiait que chacun, tout en tenant sa propre Église pour la meilleure, se souvenait que l'autre — celle que les controversistes appelaient « contraire » ou « adverse » — restait une confession chrétienne dont des membres adultes de bonne foi pourraient accéder au salut éternel (ce que tous admettaient dans le cas des enfants morts jeunes, s'ils avaient été baptisés). Un moralisme spontané valorisait la conduite des gens, fussent-ils attachés à des doctrines et à des pratiques religieuses erronées. Etre hostile au catholicisme ou méprisant à son égard n'empêchait pas forcément un huguenot d'être amical avec tel catholique de chair et d'os : parent, voisin, compatriote (au sens du XVIIe siècle, où la patrie était le lieu précis de naissance et ses alentours immédiats). Après la Révocation, certains ont parfois considéré rétrospectivement cette bonhomie comme une faiblesse et même un péché, appelant l'ire de Dieu[11] ; reste qu'elle n'avait sans doute fait que progresser jusqu'aux années 1660-70, et peut-être même plus tard encore.

LA FRAGILITÉ DE LA COEXISTENCE PACIFIQUE

Toutefois, il faut bien reconnaître la fragilité de cette coexistence assez harmonieuse, et qu'elle était naissante et précaire et ne pouvait fleurir qu'à l'abri des vents déssèchants. Or pour peu que deux hommes fussent en compétition — pour une place, un contrat, une vente — quelle tentation presque irrésistible n'y avait-il pas à porter préjudice à son rival auprès de celui de qui dépendait l'issue de l'affaire en soulignant

[11] Cf. *infra* VII, p. 133.

qu'il ne s'agissait pas d'un coreligionnaire ! Spontanément au petit pied, c'était utiliser la stratégie systématisée dans la Compagnie du Saint Sacrement. Certes ces méthodes de concurrence déloyale ont pu parfois favoriser des huguenots, mais il est clair que des gens aussi minoritaires y perdaient. Elle ne les a très gravement désavantagés qu'une fois que la Cour eut commencé à manifester une partialité évidente et nous le verrons, à la longue, un handicap insurmontable rendra une foule de professions et de métiers inacessibles aux huguenots.

Mais, jusqu'au règne personnel de Louis XIV, à la différence de celle du clergé catholique, la position des autorités civiles à l'égard de la R.P.R. a été assez ambiguë et perpétuellement commandée par la conjoncture ; elle est fluctuante et son fond n'apparaît pas comme une hostilité implacable ou constante. Toutefois il ne s'agit pas d'une acceptation sans arrière-pensée du pluralisme religieux. La minorité est au minimum source d'agacement ; elle inspire toujours de la méfiance, à cause des souvenirs du passé et aussi de ses liens confessionnels avec l'étranger que la Cour s'efforce systématiquement de distendre. Mais celle-ci sait aussi se servir des huguenots, pour chercher parmi eux des diplomates à envoyer dans les pays protestants, se faire honneur de leur présence légale en France auprès de ceux qui redoutaient les Habsbourg et l'Espagne, voire même, invoquer l'Édit de Nantes pour colorer tel mécontentement donné au Saint Siège...

Ce qui est lourd de signification, c'est que ce que les huguenots pouvaient souhaiter de mieux, c'est que les autorités, affrontées à mille problèmes pressants, négligeassent cette question secondaire de politique intérieure que posait leur présence légale en France. La Paix d'Alès en avait désamorcé les dangers les plus palpables pour la couronne, mais elle demeurait toujours sans solution définitive ou satisfaisante dans une civilisation où la tolérance était universellement tenue comme un pis-aller peu reluisant ; implicite certes, assez souvent, dans bien des attitudes quotidiennes, mais sans aucune valeur positive dans son principe.

Aussi, les contemporains les plus perspicaces l'ont remarqué avec des intentions dénigrantes, c'est un fait que les E.R.F. avaient toujours la vie plus facile en périodes de guerre, quand les autorités avaient mieux à faire qu'à lever le lièvre de la question huguenote. De tels répits n'ont pas manqué aux réformés au cours d'un siècle où la France fut si souvent en guerre, ce qui représenta certainement un facteur de durée pour le régime institué par l'Édit de Nantes. Toutefois, dès que l'attention du gouvernement se fixait sur les termes et les conditions d'application de l'Édit, il en résultait immanquablement des chicaneries qui en restreignaient la portée antérieure. Pendant longtemps, il ne s'est agi que de mesures localisées et ponctuelles — un exercice interdit ici, un temple déplacé là, un établissement d'enseignement partagé obligatoirement avec les Jésuites, telle ou telle entrave créée par une nouvelle réglementation —, bref, des brimades d'importance secondaire, mais de sombre augure à force de se multiplier.

Naïvement, parce qu'ils s'attribuaient à eux-mêmes une importance que les autorités civiles étaient loin de leur accorder, les huguenots ont souvent pris pour de la bienveillance relative ce qui n'était que de la négligence. Psychologiquement, il est moins pénible encore d'être détestés que d'être ignorés. L'attention des autorités à l'égard des réformés a tenu du phare à éclipses, mais chaque fois qu'elle se portait sur eux, ils y perdaient quelques plumes, sans pourtant qu'il faille attribuer prématurément à la Cour une hostilité systématique à l'égard de la R.P.R. : elle aurait entraîné en effet à son encontre une attention obsessionnelle qui n'existera qu'après 1679.

MÉCONNAISSANCE DE LA SPÉCIFICITÉ HUGUENOTE

Depuis l'Édit de grâce d'Alès, les huguenots ne pouvaient avoir d'autre attitude que celle des réformés du Nord de la Loire, quand ils avaient condamné les prises d'armes des années 1621-1629 : il s'agissait de proclamer leur dévouement empressé envers un monarque qui tenait, en fait, leur sort entre ses mains et qui était, au reste, à leurs yeux, Lieutenant de Dieu dans son royaume. Cette position des réformés qui, logiquement, fondait leur hyper-gallicanisme, leur paraissait commandée par l'autorité suprême de la Bible selon l'exégèse courante à l'époque, de Romains, 13, 1-7. Le dernier article de la Confession de foi n'avait-il pas fait un devoir religieux de la soumission au Prince ? non sans une proposition conditionnelle : « moyennant que l'empire souverain de Dieu demeure en son entier », qui, virtuellement, rendait un peu suspecte cette obéissance passive qu'elle enjoignait au chrétien.

En fait, l'hyper-gallicanisme avait deux faces : l'une, anti-pontificale, l'autre, absolutiste ; toutes deux convenaient également bien à la situation des réformés français. Ce n'était pas sans fondement, en ce sens, qu'ils se dépeignaient désespérément eux-mêmes comme les plus fidèles, les plus soumis, les plus dévoués des sujets du roi de France. Mais il en aurait fallu plus pour amadouer définitivement la Cour, sans compter que ces protestations éperdues de soumission, apparemment sans réserve, ont pu laisser croire à ceux qui ne prêtaient pas attention à la condition énoncée dans la Confession de foi, que le dévouement empressé promis par les huguenots les conduirait jusqu'à abjurer leur foi, pour peu que le roi l'exigeât d'eux !

Ce n'était pas la présence à la Cour de Députés généraux des E.R.F. — réduits à un seul après 1659, nommé par le roi et non plus élu par le Synode national — qui pouvait remédier à l'information à la fois indigente et biaisée des milieux dirigeants concernant la spécificité du christianisme réformé. Le rôle du Député général, si souvent ingrat mais d'ailleurs exercé avec dévouement le long du siècle[12], était de transmettre au roi les plaintes et les requêtes des E.R.F. et, en somme, essentiellement, de plaider pour une exécution correcte de l'Édit de Nantes. Les autorités en connaissaient bien le texte ; ce qu'elles semblent n'avoir même pas soupçonné, et a fortiori entrevu, c'est la mentalité huguenote, son théocentrisme jaloux, son attachement à la Bible et son horreur viscérale pour les gestes qu'elle jugeait idolâtres.

C'est probablement parce qu'on y ignorait si dédaigneusement le particularisme huguenot qu'on a constamment tenu pour facile, à la Cour, le passage du calvinisme au catholicisme, et radicalement méconnu la nature des résistances qu'il pourrait rencontrer ; jamais personne n'y a imaginé qu'il pouvait poser un déchirant problème de conscience et être ressenti

---

[12] Cf. l'excellente étude de Solange Deyon, citée *supra* II, note 11, p. 59.

comme un conflit entre les exigences de Dieu et celles des hommes. Il faut certainement voir dans l'arrogance méprisante qui a interdit aux dirigeants français de discerner les termes réels du dilemme dans lequel se débattraient les huguenots, une source majeure de l'erreur politique qu'allait être la Révocation. Leur résistance serait monotonement et misérablement interprétée comme une opiniâtreté presque monstrueuse, entraînée par un orgueil proprement pathologique ! Il est d'ailleurs fréquent que les oppresseurs se masquent à eux-mêmes les véritables racines des résistances qu'ils rencontrent.

L'ISOLEMENT DES RÉFORMÉS

Les huguenots n'avaient pas seulement le dédain ou l'hostilité de la Cour à redouter au sein des milieux dirigeants. Ils comptaient des adversaires dangereux parmi les Parlementaires. Ici ne jouaient qu'indirectement des considérations religieuses, qui n'avaient d'ailleurs pas été seules à l'œuvre, autrefois, pour alimenter la répugnance des Parlements à enregistrer l'Édit de Nantes. Des arguments juridiques, appuyés par un tenace esprit de corps traditionaliste, soulignaient les anomalies impliquées dans l'Édit : non seulement son arrière-plan indéniable de traité passé entre le roi de France et une partie de ses sujets, mais aussi la création de ces Chambres de l'Édit — ou mi-parties — dans lesquelles siégeaient obligatoirement des conseillers des deux religions ; une telle précaution offensait profondément les magistrats catholiques puisqu'elle révélait une méfiance de principe quant à leur impartialité. Les Parlementaires se résignaient mal à un texte qui créait une catégorie de nouveaux privilégiés — les réformés —, divisait les sujets du roi de France en deux catégories et, jusqu'à la Paix d'Alès, instaurait une sorte d'État dans l'État. Cette hostilité en quelque sorte, professionnelle, de beaucoup de parlementaires et de robins devait nuire sourdement aux E.R.F. tout au long du siècle, sans pour autant que les relations personnelles entre conseillers des deux confessions aient été nécessairement épineuses.

On en vient presque à penser que, tout autant qu'une aversion explicite à l'égard de la R.P.R. — au sein du clergé catholique, de la Cour, des milieux parlementaires, d'une partie de la population — lui a été fatal le fait qu'on ne puisse discerner, parmi les majoritaires, aucun groupe qui lui fût favorable ou crût tirer profit d'une alliance conjoncturelle quelconque avec elle. Il est moins grave d'avoir des ennemis que de ne compter aucun ami. Si orchestré et majoré qu'ait été l'immense soupir de soulagement que devait pousser la « France toute catholique » lors de la Révocation, on ne peut en sous-estimer la spontanéité et la sincérité. Les plus placides étaient jusque-là vaguement agacés par l'existence légale d'une minorité religieuse en France, bizarrerie un peu humiliante, et nulle couche sociale, nul obscur groupe de pression ne discernait dans l'Édit de Nantes autre chose qu'un expédient, un moindre mal, une chose à quoi se résigner ; certes, autour de Colbert, on était sensible au rôle économique joué par des huguenots : on n'en désirait pas moins les voir abjurer, quitte à y mettre moins de précipitation et de fureur que les convertisseurs patentés[13]. Aucun notable catholique français ne pouvait voir quelque chose de positif ou de bénéfique dans la tolérance accordée à la R.P.R., même si, rétrospectivement, la plupart des gens informés savaient qu'en 1598 elle avait résolu un problème politique grave et tenaient donc l'Édit pour justifié *à pareille date*. Mais le Roi-Soleil n'avait nul besoin des mêmes expédients que son grand-père : les historiens catholiques des périodes récentes de l'histoire de France le lui répétaient à satiété !

Ce qui n'est pas dire qu'au sein d'une culture à l'idéologie si traditionaliste tous les catholiques souhaitaient explicitement l'abrogation de l'Édit de Nantes ; les changements paraissaient aisément redoutables aux hommes du XVIIᵉ siècle, volontiers enclins à penser qu'ils empiraient souvent les choses et si attachés au *statu quo*. Simplement, dans l'hypothèse où la question se poserait, nul catholique ne prendrait la défense d'un Édit qu'il avait subi, en quelque sorte, machinalement, sans guère en percevoir les mérites. C'était, en somme, au mieux, la complète indifférence de tant de leurs compatriotes à leur égard qui achevait de rendre précaire la condition des protestants français, si l'on songe qu'elle s'ajoutait à l'hostilité agissante de plusieurs groupes proches du pouvoir.

---

[13] Cf. *infra* VII, pp. 157-158.

CHAPITRE V

LES FONDEMENTS IDÉOLOGIQUES DE L'INTOLÉRANCE ACTIVE

A. LES JUSTIFICATIONS THÉOLOGIQUES

LE STATUT DE L'HÉRÉSIE

Dans sa première édition (1694), le *Dictionnaire* de l'Académie française donne encore[1] un sens exclusivement péjoratif au mot de tolérance ; la boutade de Claudel (« il y a des maisons pour cela ») est en parfaite consonance avec la signification ancienne du terme : lâche complaisance, acceptation transitoire d'un mal auquel on n'est pas en mesure de remédier immédiatement, indifférence coupable à l'égard d'autrui — « non assistance à personne en danger » —, trahison des responsabilités qui incombent au clergé et au Magistrat...

Aux yeux des autorités, le relativisme n'était pas de mise en matière de doctrines religieuses et morales, bien qu'au niveau individuel n'aient pas manqué des lecteurs de Montaigne, des libertins ou des mal sentants de la foi... Mais officiellement, il apparaissait impensable qu'il y eût des vérités nécessaires au salut « qu'une rivière borne ». Passe encore

---

[1] Dans la seconde édition, publiée en 1718, à la définition antérieure : « condescendance, indulgence pour ce qu'on ne peut empescher », vient s'ajouter « ou qu'on croit ne devoir pas empescher ».

pour des usages vestimentaires ou culinaires, pour des coutumes de Droit positif (la peine de mort est ici, pendaison, ailleurs, décapitation, garrot, roue...), des traditions politiques, domaines où régnait la variété depuis la tour de Babel. Mais en matière de foi, les chrétiens se flattaient d'accéder à des vérités divinement révélées, interprétées et élaborées en dogmes par une Église infaillible...

Le présupposé théorique des persécutions religieuses est donc la naïve assurance qui habite les persécuteurs que les vérités de foi sont connues, formulables, définies d'une manière indubitable par le magistère ecclésiastique, de sorte qu'on peut et qu'on doit exiger des laïcs — du « peuple chrétien » — qu'ils les accueillent, au moins implicitement, par leur docilité envers les enseignements et les injonctions d'un clergé, identifié pratiquement à l'Église.

A l'égard des hérésiarques, toutes les églises établies — l'Église romaine et les diverses Églises protestantes — partageaient le même jugement. Un tel monstre offense Dieu par ses blasphèmes, met en péril la collectivité qui l'héberge, attirant par là sur elle les foudres du Ciel, et enfin, s'il ne vient pas à résipiscence, marche droit à l'Enfer. Par ailleurs, l'expérience historique avait amplement démontré la puissance de propagation des hérésies, qui corrompaient si vite des secteurs entiers du corps social ; c'est ce qu'illustrent bien les comparaisons qu'on faisait de l'hérésiarque avec un incendiaire, un empoisonneur de puits, un faux-monnayeur, tous criminels si dangereux parce que, virtuellement, c'est la colllectivité tout entière qu'ils menacent, personne ne demeurant à l'abri des conséquences de leurs forfaits...[2] Il suffit de songer à la vigueur sans arrière-pensée avec laquelle les sociétés modernes luttent contre les risques de pollution ou les épidémies (vaccinant les gens contre leur gré, à l'occasion) pour comprendre l'état d'esprit — et la bonne conscience épaisse — des adver-

---

[2] Cf. Joseph LECLER, S.J., *Histoire de la tolérance au siècle de la Réforme*, 2 vol. in-8°, Paris, 1955. Notons qu'on trouve une véritable encyclopédie de tous les arguments possibles en faveur de l'intolérance religieuse, due à l'Oratorien Louis Thomassin, dans son : *Traité de l'unité de l'Église et des moyens que les princes chrétiens ont employés pour y faire rentrer ceux qui en étoient séparés*, Paris, 1686-8, 2 vol.in-8°, qui connut une réédition posthume avec un supplément du Père Bordes in-4° en 1700.

saires de l'hérésie, mal contagieux par excellence dont il s'agissait de protéger à tout prix les populations. Il incombait aux autorités de combattre et d'extirper l'hérésie, la plus nocive des infections, dès qu'elle surgissait, dans la personne de l'hérésiarque, porteur de germes mortifères et voué partout au supplice s'il ne renonçait pas à ses erreurs. Mais les théologiens avaient dû constater que l'orgueil et l'opiniâtreté étaient les traits les plus saillants de l'hérésiarque et de ses sectateurs. D'où la nécessité de remettre les contestataires des vérités officielles au bras séculier : l'eau ou, le plus souvent, le feu, tentait alors de juguler le mal. Aussi bien à Zürich ou à Genève, qu'à Rome, Paris, Bruxelles ou Londres, l'Europe du XVIᵉ siècle fut couverte de ces bûchers qui continuèrent si longtemps à flamber dans la Péninsule ibérique...

Cependant, l'histoire de l'Église l'attestait, les méthodes drastiques ne réussissaient pas toujours à extirper la déviance ; on connaissait des hérésies — par exemple, l'Arianisme — qui avaient duré des siècles grâce à l'appui de princes gagnés à leurs erreurs et, au Proche Orient, il existait toujours des Nestoriens ou des Eutychiens... En pareil cas, l'élimination physique des hérétiques n'était plus une solution : leur nombre seul la rendait impraticable et il fallait bien, d'une certaine manière, composer avec les errants. Puisqu'il y avait des millions de protestants en Europe, il n'y avait plus qu'à s'efforcer de leur exposer les vérités catholiques et à pourfendre leurs erreurs : la controverse restait maîtresse du champ de bataille et la victoire finale de la vraie foi se trouvait reportée dans un avenir indistinct. Le préambule de l'Édit de Nantes — nous y reviendrons plus bas[3] — illustre un tel point de vue : Dieu n'a pas *encore* permis l'uniformité religieuse de la France, si désirable, donc... Quand ce qui, doctrinalement, ne peut être que provisoire s'éternise, il convient de formuler des règles pour le jeu social, afin de sortir de l'anarchie interne ou d'une guerre épuisante ; après 80 ans, l'Espagne elle-même avait fini par traiter avec les Provinces-Unies...

Dans les pays où la Réforme avait rallié les autorités politiques, le problème se posait dans des termes assez différents. Le catholicisme romain n'était pas contesté en tant qu'il aurait

---

[3] Cf. *infra* p. 99.

été une hérésie, mais parce qu'il était supposé avoir laissé occulter au cours des siècle, les vérités essentielles du christianisme sous une foule d'accrétions ou d'interprétations qui les avaient atrocement défigurées. C'était un obscurantisme routinier, cultivé par un clergé ignare ou corrompu qui attachait ce qui restait de catholiques à leur christianisme abâtardi, ce qui ne manquait pas de poser d'épineux problèmes politiques aux dirigeants des États protestants.

De facto un *modus vivendi* embarrassé finit par s'instaurer là où (à la différence de Genève ou des pays scandinaves) l'extermination ou le bannissement des romains n'avaient pu résoudre élégamment le problème. Ceux qui se refusaient à rallier l'Église d'État — catholiques romains et sectaires protestants — souffraient de brimades diverses : amendes et discriminations multiples. Leur pratique religieuse subissait bien des entraves : clandestine ou semi-clandestine, elle ne bénéficiait naturellement d'aucun fonds public (alors que les biens et les édifices de l'ancienne religion avaient été confisqués) et les obstacles légaux mis au ministère des prêtres (en Angleterre, en particulier) rendaient constamment précaire et souvent dangereux leur sacerdoce. S'ils étaient expulsés, emprisonnés ou exécutés, c'était, formellement, pour avoir désobéi à des lois civiles auxquelles obtempérer eût été à leurs yeux trahir leur foi ; tel sera nous le verrons, exactement le cas des huguenots en France après la Révocation.

Au cours du XVIIᵉ siècle, cependant, la condition des catholiques anglais et néerlandais s'améliora — non sans à-coups tragiques dans le cas des premiers. Dans les contrées germaniques, avec la Paix de Westphalie, le droit des minoritaires (tantôt catholiques, tantôt protestants selon les lieux) fut moins bafoué qu'ailleurs : il leur fut licite ou d'émigrer avec des délais raisonnables et la permission de réaliser leurs biens *(jus emigrandi)*, ou de pratiquer leur religion d'une manière privée *(devotio privata)* sans être obligés de se conformer publiquement à celle qui était officielle dans le pays. C'était résoudre le problème avec une certaine humanité, après les brutalités du XVIᵉ siècle, transaction rendue possible par le relatif équilibre des forces en présence, chaque camp ayant souci de ne pas nuire à ses coreligionnaires minoritaires chez l'adversaire.

LES HUGUENOTS COMME HÉRÉTIQUES ET COMME SCHISMATIQUES

La promulgation de l'Édit de Nantes avait instauré, en France, une situation singulière, unique en son genre en Europe occidentale[4], puisque deux confessions chrétiennes y étaient reconnues comme licites, même si l'Église romaine y conservait une prééminence éclatante. L'Édit sanctionnait tout un courant d'opinion qui avait fini par reconnaître, à travers les horreurs des Guerres de religion, la vanité des moyens violents pour restaurer un consensus ; il ne restait plus qu'à fonder celui-ci non plus sur le conformisme religieux, mais sur la qualité de Français. En conséquence, l'image du protestant « hérétique » s'en trouva sensiblement affaiblie. Au surplus, en 1598, en France, on naissait assez souvent huguenot : il ne s'agissait plus d'une option individuelle, perverse et scandaleuse, mais d'un caractère héréditaire, familial : la R.P.R. commençait à avoir un terreau sociologique et donc des racines respectables. L'abomination rétrospective pour les hérésiarques du XVIe siècle — Luther et Calvin surtout — eut beau être cultivée par les controversistes catholiques qui persistaient à l'envi à proposer de ces Réformateurs des portraits monstrueux, elle n'était plus transférable telle quelle par les Français catholiques sur leurs compatriotes réformés. Nous l'avons vu, la coexistence pacifique devenait une réalité quotidienne.

Les références chrétiennes des deux églises sortaient de l'ombre, comme dans le préambule de l'Édit de Nantes où Henri IV explique qu'il a voulu pourvoir à ce que Dieu « puisse être adoré et prié par tous nos sujets, et s'il ne lui a plu permetttre que ce soit pour encore en une même forme, que ce soit au moins d'une même intention ». Chacune des deux confessions savait l'autre chrétienne et reconnaissait d'ailleurs la validité du baptême qu'elle célébrait.

De facto par conséquent, les huguenots furent de moins en moins considérés comme hérétiques, au sens fort du terme et accédèrent sourdement au statut de schismatiques. Un tel glissement présentait pour eux des avantages patents : ils cessaient

---

[4] Cf. *supra* III, note 6, p. 66.

d'être en théorie les objets d'une exécration horrifiée et des hommes qu'un catholique scrupuleux n'aurait dû fréquenter d'aucune manière (bien que, rigoriste, le Grand Arnauld s'y soit efforcé, sa vie durant, ainsi probablement que quelques autres). Après qu'au serment du sacre le roi de France ait juré de combattre les hérétiques, on précisait discrètement aux E.R.F. que ce serment ne l'engageait qu'à extirper de son royaume les hérésies des cinq premiers siècles : malheur aux Ariens, aux Manichéens, aux Nestoriens français[5]... Envisagés au premier chef comme schismatiques, les réformés devenaient dans le meilleur des cas des « frères séparés », voués cependant à l'Enfer par leur rupture avec une Église hors de laquelle le salut était impossible. Il n'était plus question de chercher à les exterminer jusqu'au dernier, comme l'avait tenté la Ligue ; le projet était de les ramener peu à peu au « gros de l'arbre » dont, dans une intention assez largement bienveillante, on minimisait ce qui les écartait. Sauf dans la controverse technique, les « dogmes » des réformés étaient presque occultés, tandis que leur « séparation », rendue par là inexplicable, étaient dénoncée et déplorée avec des accents de plus en plus menaçants, à partir de la décennie qui a précédé la Révocation.

A mille égards, il est clair que l'accession tacite des huguenots au statut approximatif de schismatiques, qui correspondit au plan théorique à ce qu'était la coexistence pacifique dans le concret, leur était très avantageuse : toutefois elle comportait un inconvénient qui allait leur devenir fatal. Si, en théorie, le bras séculier se devait d'assurer le supplice expiatoire des hérétiques que lui livrerait l'Église, il avait également des devoirs impérieux à l'égard des schismatiques qu'il lui incombait de ramener dans le droit chemin ; ici il ne s'agit plus d'expiation mais d'amendement, de correction « douce ».

Les controversistes catholiques tendirent de plus en plus, au long du XVIIe siècle, à minimiser les divergences dogmatiques par lequelles les réformés s'écartaient de Rome — leurs

---

[5] Cf. Louis BATIFFOL, « Louis XIII et la liberté de conscience », in *Revue de Paris*, 15/7 et 1/8/1907, pp. 352-70 et 544-68. Au lendemain du sacre de Louis XIII, le 20/7/1616, une Déclaration précisa que les protestants n'étaient pas compris dans le serment prêté la veille, concernant l'extirpation de l'hérésie... (cf. p. 365).

hérésies, qui pourtant aux yeux des huguenots justifiaient leur séparation —, pour insister presqu'exclusivement sur celle-ci décrite comme une simple mise en question de l'autorité de l'Église, comme une déplorable rébellion sans raison valable — inexplicable, absurde — à laquelle il était opportun de mettre fin car elle ne se perpétuait que par l'opiniâtreté orgueilleuse des minoritaires. Le schisme ne se fondait que sur une aberration, un quiproquo, une méprise, si l'on en croit l'*Exposition de la doctrine de l'Église catholique* publiée par Bossuet en 1671 ; *les prétendus réformés* étaient *convaincus de schisme*, par Pierre Nicole, en 1684 : leurs hérésies n'étaient jamais que la conséquence de leur schisme et c'était à l'encontre de celui-ci que le bras séculier était incité à agir.

Il faut y insister ; en réalité les controversistes catholiques qui répandaient une telle idée ne pouvaient le faire qu'avec une criante mauvaise foi. Ils connaissaient bien en effet, la teneur proprement hérétique des dogmes réformés, mais calculaient, en polémistes avisés, qu'il convenait à leur cause de la laisser dans l'ombre. Car ils savaient bien pouvoir mobiliser beaucoup plus efficacement les autorités et l'opinion à l'encontre d'un schisme, sans justifications véritable, qu'ils n'auraient pu escompter le faire à l'égard d'une hérésie caractérisée. C'est pourquoi l'expression mielleuse de « frères séparés » et les appels pathétiques à la réunion ressemblent péniblement à la voix du loup déguisé en grand'mère dans le conte du Petit Chaperon rouge. Au plan purement moral, le comportement des théologiens gallicans eut des côtés ignominieux : l'aspiration triomphaliste les conduisit à la malhonnêteté intellectuelle, et celle-ci allait avoir de terribles suites pour les huguenots de chair et d'os.

LA THÉORIE AUGUSTINIENNE DE LA RÉDUCTION DU SCHISME

Le précédent du Donatisme devint le paravent[6] derrière lequel s'engouffrèrent toutes les formes d'aversion ou de simple agacement que pouvaient inspirer les huguenots à leurs compatriotes catholiques. L'autorité souveraine de saint Augustin sanctifiait les diverses pressions exercées pour obtenir qu'ils renoncent à leur « séparation », prétendue sans fondement réel, et qu'ils reviennent dans le giron de l'Église romaine, leur mère, qui leur tendait les bras... En effet, initialement adversaire de l'emploi de la contrainte pour ramener au bercail les brebis égarées, Augustin fut très frappé des brillants résultats obtenus pour anémier le schisme donatiste une fois que le pouvoir impérial eut multiplié les sanctions à l'encontre de ses sectateurs : amendes, prison, bannissement, à l'exclusion de la peine de mort. L'évêque d'Hippone abandonna alors, en utilitariste, ses idées d'antan et la tradition qui remontait au temps où les empereurs païens persécutaient les chrétiens, époque où naturellement ces derniers s'époumonaient à soutenir que la foi ne peut se commander de l'extérieur... Augustin admit dorénavant la légitimité morale et l'opportunité des interventions du bras séculier pour venir à bout d'un schisme : la fermeté éventuelle des Donatistes devant la persécution ne le troublait pas car à ses yeux l'erreur a des suppôts, non des témoins : *martyrem fecit causa, non pœna...*

Les historiens actuels ont amplement montré la complexité du mouvement donatiste, dans lequel des revendications socio-économiques étaient venues conforter un schisme à l'état pur, une rupture avec l'Église romaine qui n'était associée à aucune hérésie doctrinale, mais cette complexité échappait au XVIIe siècle. On se contentait de retenir qu'à l'égard des schismatiques, Augustin avait préconisé l'emploi d'une certaine

---

[6] Fin 1685 parut à Paris, amplement distribué parmi les nouveaux convertis, la *Conformité de la conduite de l'Église de France, Pour ramener les Protestants : avec celle de l'Église d'Afrique, Pour ramener les Donatistes à l'Église catholique.* Après une préface, il s'agissait de deux lettres de St Augustin — à Vincent et à Boniface — dans la traduction de P. Goibaud du Bois.

contrainte et qu'il avait appuyé sa thèse sur le verset de Luc, 14, 23 : « contrains-les d'entrer » (dans la parabole du Festin), qu'il interprétait plutôt, au reste, comme *compelle remanere* : les sujets de la contrainte légitime sont les baptisés car, on le sait, à l'égard des Juifs et des Musulmans, les catholiques, en principe, s'interdisaient de procurer des conversions par la force. Parce que Rome reconnaissait la validité d'un baptême administré par un pasteur, tous les protestants — en dépit de ce qu'ils pouvaient en penser — relevaient, selon elle, de son autorité ; ouailles indociles, les huguenots n'en étaient pas moins des membres de l'Église catholique, à l'égard de qui cette mère avait donc des droits et des devoirs semblables à ceux que l'évêque d'Hippone s'était attribués sur les Donatistes de son diocèse.

Cette tragique exégèse augustinienne du « contrains-les d'entrer », responsable au cours des siècles de tant de souffrances, était assortie d'analyses psychologiques qui prétendaient l'autoriser. Pourquoi la prédication de ce qui, axiomatiquement, était la vérité rencontrait-elle des oreilles sourdes ? Pourquoi les autorités romaines se heurtaient-elles à des insoumis ? Comment comprendre, en un mot, qu'il y ait des non-conformistes, des « déviants » ? La certitude de départ est qu'une attitude de rébellion ne peut être que peccamineuse. Il ne restait plus qu'à mettre en lumière le mécanisme de ce péché.

Puisque les vérités religieuses étaient posées comme limpides, patentes et surtout, que l'autorité qui les proposait et les garantissait, était visible et puissante, il ne pouvait s'agir d'une ignorance innocente ; on était confronté par un aveuglement pervers, une offuscation engendrée par les trois concupiscences (cf. I, Jean, 1, 16) — par la sensualité, la cupidité et l'orgueil...

D'où les méthodes à mettre en œuvre pour ramener les égarés : la prédication de la vérité, bien entendu, qui doit être incessante, mais, puisque c'était les mobiles les plus bas qui engluaient le schismatique dans son indocilité, il se révélait fort expédient de s'appuyer sur eux, mais pour la bonne cause. Tout est licite « pourvu que le principal but soit de servir Dieu et le roi. C'est comme l'on dit d'un coq qui regarde de ses deux yeux, en même temps, le ciel d'un côté et la terre de l'autre, sans offenser la vue »[7]. Si on équilibre l'attrait exercé par l'erreur par un attrait un peu plus fort — et tout aussi peccamineux — qui serait lié à la profession de la vérité (par exemple, en promettant une pension à un gentilhomme huguenot s'il abjure), le schismatique reviendra à celle-ci. De deux choses l'une, ou bien il y adhérera d'emblée sincèrement, une fois délivré de l'hypothèque que créaient des passions qui maintenant peuvent être également assouvies dans les deux options offertes ; ou bien, à la longue, après une conversion de pure façade, la fréquentation des sacrements finira par rendre authentique une démarche initialement adoptée d'une manière hypocrite. Les auteurs ne considèrent guère le cas où le retour au gros de l'arbre serait et resterait jusqu'au bout une feinte ; en ce cas la damnation attendait le dissimulateur, mais l'action des convertisseurs n'avait pas aggravé son destin puisqu'il était également promis à l'Enfer comme schismatique. Au surplus, on pouvait espérer que les enfants et petits-enfants du converti insincère professeraient de bonne foi le catholicisme...

Or les plus vieilles méthodes de dressage et d'éducation faisaient appel alternativement aux châtiments et aux récompenses. A côté de la carotte, le bâton... Il revenait au même de rendre le catholicisme attrayant ou le protestantisme pénible, du point de vue mondain. En assortissant l'entêtement dans le schisme d'une kyrielle d'inconvénients et de handicaps, on faciliterait le passage à la « vérité ». Et bien sûr, cette seconde méthode était la plus simple et, surtout, la moins coûteuse.

Dans le langage, si précis, du XVIIe siècle, le clergé romain savait pouvoir « convaincre » les réformés — à savoir, les convaincre d'erreur — mais n'ignorait pas qu'il n'était pas aussi facile de les « persuader » — d'obtenir d'eux un assentiment sincère, spontané, authentique aux vérités catholiques, car un tel assentiment ressort de la grâce divine. Le for intérieur demeure inaccessible aux convertisseurs, et il reste pourtant la cible qu'ils souhaiteraient atteindre — supplice de Tantale en un sens. Notre époque connaît bien le recours ultime pour arracher un aveu, un renseignement, une autocritique : la

---

[7] Cf. l'article de BATIFFOL cité *supra* note 5, p. 553.

torture. Nous verrons que si elle fut plus sporadiquement et pour ainsi dire, plus timidement pratiquée dans toute son horreur au XVIIᵉ siècle à l'encontre des huguenots, les exécutants finirent trop souvent par l'employer avec les plus rétifs.

Toutefois, gardons-nous de confondre la théorie et les méthodes d'exécution qu'elle a suscitées ou couvertes. Le dogmatisme intempérant dont elle témoigne était courant au XVIIᵉ siècle. Sa faille essentielle était la prétention absurde que des procédés de dressage pussent obtenir autre chose qu'une soumission apparente, alors qu'un dernier souffle de spiritualité créait chez les moins arrogants des convertisseurs le désir — et souvent, l'illusion — d'obtenir des « aveux spontanés » : des abjurations sincères, des conversions authentiques. L'immense autorité de saint Augustin a ainsi conduit l'Église de France dans une impasse qui a engagé beaucoup de ses membres les plus éminents — un Bossuet, un Nicole — à des sophismes misérables et obscurément honteux, à cause d'une majoration désespérée et caricaturale du principe d'autorité, cher à leur confession, menée jusqu'à l'extinction totale de toute inspiration évangélique et rendue quasi blasphématoire par l'onction doucereuse et dévote du langage employé pour sanctionner moralement la brutalité des sévices. Toutefois ces théologiens voyaient les choses de loin et de haut et les pires violences physiques — sinon morales — furent le fait des exécutants, des « convertisseurs bottés », des dragons du roi.

En effet, l'Église de France se contentait de rappeler au bras séculier — au Prince — le rôle que lui avait attribué Augustin à l'occasion de la répression du schisme donatiste et de l'adjurer d'imiter l'Empereur du Vᵉ siècle. Elle n'allait pas plus loin et si Louis XIV avait voulu faire durer le régime de pluralisme religieux institué par son grand-père, les objurgations chroniques des Assemblées du Clergé seraient demeurées sans effets plus sensibles à la fin du siècle qu'à ses débuts. Il nous faut voir maintenant ce qui a pu pousser la Cour à prêter une oreille de plus en plus complaisante aux sollicitations du clergé catholique, que ses premiers succès encouragèrent à accroître son acharnement.

B. Justifications politiques

CUJUS REGIO, EJUS RELIGIO : *L'UNIFORMITÉ RELIGIEUSE CIMENT DE L'UNITÉ NATIONALE*

La théorie de l'absolutisme de Droit Divin des rois, qui a dominé l'Europe occidentale au XVIIe siècle, ignorait les frontières religieuses : l'un de ses thuriféraires les plus ardents fut le roi d'Angleterre, Jacques Ier. Elle mettait le monarque au pinacle, où Dieu même, supposait-on, l'avait placé en le choisissant pour son Lieutenant sur une portion de terre, « extension au domaine de l'État de la prédestination calvinienne », selon l'heureuse expression de Denis Richet[8]. De ce fait, le prince ne relevait que du tribunal divin, sans être comptable de ses actes, ni devant ses sujets, ni devant le Saint Siège. Il incombait au monarque chrétien de veiller au bien des peuples que la Providence divine lui avait confiés et, dans la mentalité du XVIIe siècle, en théorie, leur bien-être sur cette terre importait moins encore que leur salut éternel. Mineurs irresponsables, les sujets devaient être guidés par leur souverain tandis qu'un de leurs devoirs religieux essentiels était de le servir avec empressement et fidélité, dans une soumission entière à ses ordres. Les monarques du XVIIe siècle, à qui Dieu enjoignait de respecter scrupuleusement le Décalogue et donc, ces lois fondamentales de leur royaume qu'ils avaient juré de conserver lors de leur sacre, abritaient bien entendu, en fait, des visées essentiellement temporelles.

De leur côté, les peuples ont été loin de manifester toujours l'obéissance entière qu'on leur demandait : dans toute l'Europe occidentale, les rébellions furent nombreuses au XVIIe siècle. Notons d'ailleurs qu'en France, le biais immanquable pour justifier un soulèvement consistait à prétendre qu'il s'opérait en faveur de la couronne (fût-ce contre des troupes royales) et pour délivrer le prince des mauvais conseillers qui le trompaient... Le roi, en France, était tout particulièrement vénéré comme père de ses peuples et la colère de ceux-ci ne visait jamais que ses ministres. En théorie, le

---

[8] Cf. *La France moderne : l'esprit des institutions*, Paris, 1973, p. 56.

monarque se devait de procurer à ses sujets justice et paix, ici-bas, et salut dans l'autre monde. Protecteur nourricier de l'Église, « évêque du dehors », il devait veiller, par exemple, à la bonne conduite des ecclésiastiques et à la prospérité des fondations religieuses. Si divers que fussent les devoirs d'Henri IV à l'égard de ses sujets, il est clair que l'Édit de Nantes avait donné le pas au souci premier de la paix civile — de ce que l'on appelait souvent alors le « repos public » — reléguant au second plan la tâche de placer tous les Français sur la voie du salut éternel, mais, nous l'avons vu, le préambule même de l'Édit avait évoqué, pour un avenir indéterminé, la réalisation de cette aspiration inéluctable.

Dans ses instances auprès de la Cour, nous l'avons dit[9], le Clergé catholique se présentait toujours comme victime des agressions huguenotes : toutes ses offensives contre l'Édit de Nantes revêtaient la forme de jérémiades pathétiques et s'adressaient au Prince comme au redresseur de torts par excellence. La rhétorique du temps et la déférence éperdue envers le roi-justicier exigeaient l'outrance de ces récriminations — qu'on retrouve d'ailleurs à d'autres niveaux, par exemple, dans les procès entre particuliers, où la moindre écorchure devient un « assassinat », une insulte banale, injure « atroce » et où toute perte d'argent menace de réduire une famille entière à la mendicité. Comptons que ce langage conventionnel ne trompait personne. Les plaintes du clergé romain ont fourni à la Cour plutôt des prétextes, irréprochablement respectables, que des motivations décisives de ses mesures anti-protestantes. Une politique a d'abord des mobiles politiques et la politique religieuse de la Cour de France n'échappe sans doute pas à la règle ; religieuse dans son objet — ramener les huguenots au catholicisme — elle demeure politique dans ses objectifs comme dans sa motivation primordiale. Elle a répondu à une raison d'État, dont on s'est évertué à déguiser la brutalité malséante par les oripeaux d'une propagande édifiante.

Quels ont été les motifs réels et déterminants de cette politique ? Encore une fois, Henri IV lui-même avait exprimé le vœu pieux que tous les Français pussent vivre à nouveau le

---

[9] Cf. *supra* III, p. 62.

vieil aphorisme[10] : « une foi, une loi, un roi ». C'est qu'en effet l'unité — l'uniformité — religieuse d'une nation représentait alors aux yeux de tous un ciment essentiel de cohésion politique. Le pluralisme religieux au sein d'un État (qui n'était légalement institué qu'en France, mais qui existait aussi *de facto* dans les Provinces-Unies et en Angleterre) était universellement ressenti comme une pernicieuse faiblesse intrinsèque. Il suffit de songer à ce qu'avait été, autrefois, la politique espagnole, avec l'expulsion des Juifs et des Morisques de la péninsule, ou, mieux encore, aux efforts obstinés — bien que malencontreux et vains — déployés par les gouvernements anglais dans le but de regrouper toute la population au sein de l'Église d'État, pour constater l'importance cardinale reconnue au principe, *cujus regio, ejus religio* ; l'unité territoriale était tenue pour fragile et aléatoire si elle n'était pas renforcée par l'uniformité religieuse. Si l'on se souvient de l'extrême disparité des provinces qui composaient les royaumes d'Europe occidentale, dont beaucoup avait un dialecte propre et surtout des coûtumes, des institutions et des structures administratives particulières, on s'explique mieux cette recherche anxieuse des facteurs d'unité. Au reste, de nos jours, nous pouvons constater — à Chypre, en Ulster, au Liban — des situations conflictuelles qui éclairent l'expérience séculaire qui semblait avérer le principe.

Il avait été mis en œuvre, on le sait, dans les traités de Westphalie : la mosaïque des principautés de l'Empire y était simultanément une mosaïque confessionnelle[11]. Il y a tout lieu de penser que beaucoup de huguenots n'auraient pas tenu pour illégitime la Révocation, si elle avait respecté le *jus emigrandi* et leur avait donné le choix entre l'abjuration et le bannissement — hypothèse qu'envisage Claude en 1666[12], tout en

---

[10] Cf. *supra* III, note 14, p. 73.
[11] Cf. *supra*, p. 98.
[12] Cf. *Relation succincte de l'Estat où sont maintenant les Églises réformées de France* (B.N. : Ld^{176} 358), pp. 18-19 : le dessein de nos ennemis « est de nous porter par désespoir à quelque soulèvement, ce que nous ne ferons jamais... ; que s'ils ne peuvent forcer notre patience... leur pensée est d'importuner tellement Sa Majesté, qu'enfin elle nous chasse de son royaume... ». L'opuscule, supprimé par le Parlement, avait paru anonyme, mais on le sait de Claude. Le pasteur de Charenton argumente ici, à cette date, par l'absurde ; il est suggetif qu'il n'envisage pas l'hypothèse d'une

estimant alors que le nombre des réformés français la rend chimérique. Mais, en 1685, nous le verrons cette option ne fut offerte qu'à un millier de pasteurs — et elle fut refusée à un million de laïcs. Quant à la *devotio privata*, envisagée nous le verrons dans l'Édit de Fontainebleau, il ne s'est agi que d'un leurre[13].

Nous pouvons d'autant mieux appréhender ce que représentait le principe *cujus regio, ejus religio*, que *mutatis mutandis* un tel principe est actuellement en vigueur dans les pays à « parti unique » — souvent des pays en voie de développement et par là, comparables à quelques égards à ce qu'était la France du XVIIᵉ siècle : par l'analphabétisme d'une grande partie de leurs ressortissants, au surplus, patoisants, et par le niveau de vie misérable et précaire de leurs masses paysannes. En pareil cas, les minces « élites » ont inéluctablement une attitude de formidable arrogance — mais aussi de méfiance apeurée — vis-à-vis de populations dont le niveau culturel et le mode de vie sont si loin des leurs. Le peuple est souvent décrit, au XVIIᵉ siècle, comme un monstre aux cent têtes, un Léviathan, aux convulsions aveugles et redoutables. N'oublions pas que la France du XVIIᵉ siècle a connu, outre les Frondes, de multiples et graves soulèvements paysans, jacqueries le plus souvent anti-fiscales, durement réprimées après avoir plus d'une fois causé au pouvoir central de cruels soucis[14]. En même temps, le peuple est jugé fruste, ignorant, « imbécile ». Il appelle par conséquent un paternalisme musclé : les dirigeants ne peuvent avoir à son égard qu'une condescendance autoritaire, un peu apitoyée dans le meilleur des cas, brutalement manipulatoire, dans le pire.

---

catholicisation forcée, sans permission de s'exiler, dont il n'y avait pas encore eu d'exemple. L'alternative c'est l'Édit de Nantes ou le bannissement de plus d'un million de personnes ; cette dernière issue étant absurde, il faut conserver et respecter l'Édit de Nantes...

[13] Cf. *infra* IX, pp. 199-202.

[14] Cf. Boris PORCHNEV. *Les soulèvements populaires en France de 1623 à 1648,* Paris, 1963 ; Roland Mousnier, *Fureurs paysannes. Les paysans dans les révoltes du XVIIᵉ siècle (France, Russie, Chine),* Paris, 1967 ; Yves-Marie Bercé, *Histoire de croquants. Étude des soulèvements populaires au XVIIᵉ siècle dans le sud-ouest de la France,* Paris/Genève, 1974, 2 vol.

De toutes façons, la Cour de France aurait eu des motifs sérieux de réduire le protestantisme, ne fût-ce que pour des raisons apparentées à celles qui la poussèrent à persécuter les jansénistes et, plus tard, les quiétistes : par une méfiance intense envers les particularismes — les « cabales », les « factions », tout ce qui pouvait constituer des obstacles à ses aspirations centralisatrices et uniformisantes. Mais certains traits caractéristiques de la R.P.R. aggravaient désastreusement son cas. Certes les huguenots — ces hyper-gallicans — s'affichaient en toute occasion comme partisans ardents de l'absolutisme de Droit Divin et fondaient sur la Bible l'obéissance empressée qu'ils enjoignaient aux sujets à l'égard de leur prince légitime. Reste que les autorités ne se payaient pas si aisément de mots ; elles n'avaient oublié ni les Guerres de religion, ni les soulèvements des débuts du règne de Louis XIII, ni la Révolution anglaise !

Les controversistes catholiques, au surplus, se gardaient bien de laisser de tels souvenirs dans l'ombre et leurs ouvrages concernant l'histoire récente étaient d'autant plus nuisibles aux réformés qu'ils atteignaient un public beaucoup plus vaste que les livres de pure théologie. Dans la culture traditionaliste du XVIIᵉ siècle, de même que la gloire des ancêtres d'un homme était largement sentie comme la sienne, on demeurait comptable du passé et les réformés ne pouvaient dénier les soulèvements auxquels avaient participé leurs aïeux, d'autant que, sans grand tact, ils continuaient à se faire lourdement honneur d'avoir si puissamment contribué à assurer le trône de France à la dynastie des Bourbon. Ainsi l'idée « platonicienne » pour ainsi dire, du protestant le dépeignait dans une large mesure comme un trublion, les armes à la main.

Ce n'est pas tout. La Discipline des E.R.F. éveillait à la Cour de noires suspicions. Nous avons vu[15] qu'elle fut éditée au milieu du XVIIᵉ siècle, certainement pour une part afin de controuver les descriptions calomnieuses qu'en faisaient courir les adversaires ; mais son texte authentique n'était pas fait pour rassurer beaucoup les autorités. En effet, le système

---

[15] Cf. *supra* III, pp. 65-66.

110

d'organisation presbytéro-synodale était tout entier fondé sur un régime d'assemblées — consistoires, colloques, synodes provinciaux et nationaux — dont les décisions, consécutives à un vote étaient prises à la majorité, ce qui en faisait évidemment un régime de type « républicain ». En fait, il est certain que la pure démocratie était loin de le caractériser : c'est à bon droit qu'Amyraut s'était évertué à souligner les aspects aristocratiques qu'entraînait la cooptation des Anciens dans l'organisation réformée. Toutefois, pour un monarchiste à tous crins, quel scandale que ces délibérations collectives auxquelles, pour comble, participaient des laïcs (en principe, car, en fait, par manque d'argent, beaucoup d'églises ne députaient pas dans les Synodes provinciaux les deux Anciens qu'elles étaient en droit d'y envoyer, en sus de leur pasteur) .

Pour la mentalité du XVIIe siècle, il était patent que l'organisation presbytéro-synodale relevait de la démocratie — détestable système aux yeux des partisans du Droit Divin, que ce fût celui des rois ou du Pape. De surcroît, les pays acquis au calvinisme — Genève, les Provinces-Unies — n'étaient-ils pas des républiques ? Les affinités étaient criantes, que manifestait au reste l'issue finale de la Révolution d'Angleterre : l'exécution de Charles Ier et l'établissement Outre-Manche d'un Commonwealth — traduisez, république.

Certes le clergé romain connaissait des assemblées et des Conciles, mais nul laïc n'y siégeait et, surtout, l'Église romaine, si fortement hiérarchisée, était une monarchie, avec le Pape à sa tête, tandis que les E.R.F. récusaient l'épiscopat et proclamaient explicitement l'égalité de principe des pasteurs. Les controversistes catholiques avaient beau jeu de souligner le disparate périlleux qu'il y avait pour la monarchie française à nourrir dans son sein ces républicains virtuels qu'étaient les huguenots ! La profession de la R.P.R. était décrite par ses ennemis comme irrécusablement et inévitablement associée à des penchants démocratiques, anathèmes dans une monarchie, car semence d'incivisme à son égard.

Les controversistes romains, en outre, se gardaient bien de laisser oublier les pamphlets politiques protestants composés après la Saint-Barthélemy, qui avaient délimité les droits des magistrats, légitimé le tyrannicide et tendu vers un timide « droit des peuples », avant les théoriciens de la Ligue, qu'on

111

ne citait plus. Pour couronner leur réquisitoire, ils se complaisaient à rappeler les appuis que l'étranger — en particulier, l'Angleterre — avait apporté aux protestants français, non seulement pendant les Guerres de religion, mais encore lors du siège de La Rochelle, en 1628, ville que l'Espagne aussi avait aidée... Après quoi, la coupe était pleine et la démonstration achevée, auprès de laquelle les constantes proclamations de loyalisme des huguenots ne pesaient guère lourd...

On voit donc que les motifs purement temporels et politiques ne manquaient pas à la Cour de France pour souhaiter réduire la R.P.R. Certes, la faiblesse numérique relative de la minorité huguenote (d'ailleurs un peu méconnue par les autorités en un temps sans recensement) et surtout, sa fidélité à la couronne pendant les Frondes n'en faisaient pas un danger *actuel* pour le royaume : tout au plus pouvait-on voir en elle une source possible de troubles futurs. Mais on conçoit sans peine que le désir d'assimiler, d'intégrer, les protestants n'ait jamais été absent de l'esprit des dirigeants ; à une époque où le domaine religieux et le domaine politique étaient si peu distincts, assimiler les protestants, c'était nécessairement en faire des catholiques. Toutefois entre une aspiration et un projet précis, il y a de la distance ; en outre, un même objectif peut être poursuivi selon des méthodes diverses.

La Révocation de l'Édit de Nantes sera l'aboutissement ultime de la volonté de plus en plus impatiente de Louis XIV de promouvoir l'uniformité religieuse de son royaume. Quant à l'échec, à long terme, de cet effort obstiné et à la faute politique énorme qu'il a représentée, ils ont découlé des moyens — sournois, brutaux et totalement inadaptés à la fin recherchée — qui allaient être mis en œuvre finalement. La prodigieuse méconnaissance, par les autorités, des termes mêmes du problème, *tels qu'ils apparaissaient* à ceux dont elles prétendaient oblitérer le non-conformisme, condamnait leur tentative à l'insuccès, en même temps qu'elle allait engendrer d'innombrables et indicibles souffrances et des conséquences politiques désastreuses pour la France.

CHAPITRE VI

LOUIS XIV

LOUIS-DIEUDONNÉ ET LE ROI

Il serait inepte de voir dans la Révocation une décision gratuite, arbitraire et personnelle de Louis XIV, comme il le serait aussi de n'invoquer pour l'expliquer que les pesanteurs sociologiques et les impératifs idéologiques de l'époque. Il est patent qu'il y a eu rencontre : le monarque a répercuté les idées de son milieu, mais ses choix ont eu une portée décisive. Toutefois, il faut bien se garder de superposer absolument Louis-Dieudonné de Bourbon et le roi de France.

Louis XIV avait un sens si aigu de la majesté de sa charge qu'il a été plus d'une fois superbement capable de contrôler ses réactions personnelles pour ne pas s'écarter du comportement digne d'un monarque, quand par exemple, le roi jeta sa canne par une des fenêtres de Versailles, pour ne pas frapper un gentilhomme — Puyguilhem, le futur Lauzun — qui, par une inconcevable insolence, venait de l'insulter[1]... Puyguilhem fut envoyé le lendemain pour quelque temps à la Bastille, mais Louis XIV avait splendidement conservé son contrôle et sa dignité : un roi ne se venge pas, il châtie ; croyons-en Saint-Simon, ce fut là une des plus belles actions de la vie de Louis XIV.

Cette première observation nous détourne très largement de

---

[1] Cf. SAINT-SIMON, *Mémoires*, éd. Boislisle, XLI, pp. 245-250.

l'interprétation précoce des milieux protestants (chez un Spanheim, par exemple, ambassadeur du Grand Électeur à Paris[2]), selon lesquels le roi de France faisait pénitence de son inconduite passée sur le dos des huguenots. Ce type d'explication plaisait au XVIIᵉ siècle, admirateur de Tacite et féru des grains de sable supposés déclencher de grands événements. Les historiens modernes sont moins portés à l'explication par l'anecdote pittoresque ou à la majoration de l'événementiel.

Depuis le XVIIIᵉ siècle, on s'est complu à faire porter à madame de Maintenon des responsabilité qui n'ont vraisemblablement jamais été les siennes. Nous verrons à quel point la Révocation est peu un décret ponctuel et combien elle a été la suite inévitable des mesures prises depuis le début du règne personnel de Louis XIV ; or le mariage morganatique se place en 1684, à une date où les E.R.F. sont à l'agonie et où il ne restait à peu près rien de l'Édit de Nantes. Au surplus, ce rôle de mauvaise fée qu'on a attribué à madame de Maintenon a été largement fondé sur les *Mémoires* abondants publiés à son sujet en 1755-56 par le protestant La Beaumelle. Remplis d'erreurs et d'anachronismes, ces *Mémoires* sont fort tendancieux — ce qui n'a rien de scandaleux dans la mesure où ils représentaient de la part de leur éditeur une propagande utile en faveur de la tolérance civile ; mais bien entendu, un historien actuel doit se dégager de cette légende tenace tout autant que de la partialité militante d'un Élie Benoist et des écrivains du Refuge en général. Quant au confesseur de Louis XIV, le Père de la Chaise[3], s'il dirigeait assurément la conscience de Louis-Dieudonné, gardons-nous de penser trop vite que le roi de France permettait à l'un de ses sujets — fût-il jésuite — de lui dicter sa politique !

Il y a certainement des traces de bien-fondé dans les interprétations psychologiques que nous venons de rappeler, mais de faibles traces. Assurément la promulgation de l'Édit de

---

[2] Cf. Ezéchiel SPANHEIM, *Relation de la Cour de France*, Paris 1973, p. 51. L'idée se retrouve chez Saint-Simon (*Mémoires*, éd. Boislisle, XXVIII, pp. 225-230) et dans *Le Siècle de Louix XIV* de Voltaire, chap. XXXVI. Cf. J. ORCIBAL, *Louis XIV et les protestants*, Paris, 1951, p. 91, notes 2 et 3.

[3] Cf. Georges GUITON, S.J. *Le Père de la Chaize, confesseur de Louis XIV*, 2 vol. Paris 1958.

Fontainebleau doit quelque chose à la personnalité de Louis-Dieudonné — à sa soif inextinguible de gloire, par exemple —, mais elle a été avant tout une décision politique du roi de France. Certes, tout le monde en a été transporté de joie, à la Cour, et assurément le Père de la Chaise et madame Maintenon n'ont pas été les derniers à s'en féliciter — se joignant par là au prodigieux concert de louanges qu'elle a suscité. Mais ce n'est pas parce que la marquise a conseillé à son garnement de frère de profiter des ventes à bas pris des terres des gentilshommes protestants du Poitou[4] (qui cherchaient à réaliser leurs biens dans l'intention de quitter le royaume) qu'un si judicieux conseil financier fait d'elle un moteur appréciable de la Révocation ! Tous ces détails minuscules n'ont évidemment joué aucun rôle dans le naufrage du protestantisme français, dont ils n'ont été, pour ainsi dire, que le bruitage d'accompagnement.

Le Conseil de conscience, où siégeaient à côté du confesseur du roi, Bossuet et l'archevêque de Paris, Harlay de Champvallon (dont la conduite privée était scandaleuse, mais qui était un excellent administrateur) avait pour tâche d'aviser le roi au sujet des nominations d'évêques, d'abbés, de supérieures de couvents ; il s'occupait de la feuille des bénéfices et de la chasse aux jansénistes, et non pas de dicter au roi une politique anti-protestante, que d'ailleurs il approuvait bien évidemment.

Quant au clan Colbert, qui, au Conseil, opina contre la Révocation, cet avis ne représente en rien une opposition de principe, mais simplement le projet de laisser s'achever d'elle-même l'extinction, presque acquise, de la R.P.R. Vu l'arsenal d'Arrêts du Conseil en vigueur, l'Édit de Fontainebleau pouvait à bon droit paraître assez superflu, et il pouvait sembler plus habile de laisser simplement le temps faire son œuvre, sans braquer inutilement les puissances protestantes, ni achever d'effrayer, par ce coup de tonnerre, les banquiers et les négociants huguenots qu'on n'avait pas encore réussi à pousser à l'abjuration.

---

[4] Cf. *Lettres*, éd. Langlois, lettre du 2/9/1681, n° 244, tome II, p. 399.

Nous l'avons vu, l'Édit de grâce d'Alès, en confirmant l'Édit de Nantes sans ses Brevets, n'offrait plus d'autre garantie aux E.R.F. que le bon vouloir de la couronne et le souci qu'elle montrerait de respecter les engagements pris autrefois par Henri IV, pour lui et ses successeurs, puisque l'Édit avait été déclaré « perpétuel ». Alors que le Vert-Galant avait été réellement arbitre entre les deux confessions, la Cour de France tout en héritant de ce pouvoir d'arbitrage n'eut, par la suite qu'une impartialité moins effective et finit, avec Louis XIV par abandonner toute apparence de neutralité et par prendre avec militance le parti de l'Église romaine. C'est que l'écrasement de la Ligue et la relative faiblesse de ce qui lui avait succédé, le « parti dévot », dont l'ardeur était devenue plus religieuse que politique, avaient privé la R.P.R. de ce rôle utile de contre-poids qui lui avait valu, à la fin du XVIᵉ siècle, l'appui des catholiques « politiques ».

Les E.R.F. se trouvèrent donc en quelque sorte en porte-à-faux : les privilèges concédés autrefois tendaient à n'avoir plus guère de justifications proprement politiques, à savoir, d'utilité pour la couronne ; ils n'avait plus d'autre base que juridique, morale, historique. Or, on le sait, bien rares sont en histoire les exemples où un texte qui a cessé de paraître avantageux à qui y a souscrit ne devient pas aisément à ses yeux un chiffon de papier...

Ce qui paraît souvent incompréhensible, dans la Révocation de l'Édit de Nantes (et toutes les mesures antérieures qui y conduisaient inexorablement), c'est qu'à l'époque du règne personnel de Louis XIV, la minorité huguenote du royaume ne présentait plus le moindre danger pour un gouvernement central devenu si incontesté et puissant. L'oppression de gens non seulement inoffensifs — au sens le plus fort du terme —, mais politiquement loyalistes (on l'avait constaté pendant les Frondes) et économiquement actifs pourrait paraître gratuite et absurde. Assurément, la couronne avait les mains libres et les huguenots se trouvaient entièrement à sa merci pour peu qu'elle décidât le jouer à leur égard le rôle d'un adversaire.

Mais justement, pourquoi la Cour allait-elle les traiter en ennemis ? l'innocuité de la R.P.R. n'était-elle pas assurée par cette faiblesse même qui permettrait de l'écraser aisément ? La réponse à ces questions est en fait simple : il s'agissait de mettre à profit un rapport de forces qui se trouvait très favorable à la couronne, pour en finir à tout jamais avec un problème, qui avait été très épineux dans le passé, et s'assurer ainsi qu'il ne puisse se reposer à nouveau dans l'avenir. Nous avons vu dans le chapitre précédent les principaux présupposés idéologiques qui conduisaient à une telle vision des choses, que sous-tendaient une sorte de rancune et d'anxiété rétrospectives ; puisqu'on le pouvait maintenant, il fallait mettre tout en œuvre pour niveler les particularismes et « normaliser », pour ainsi dire, le royaume.

Dans une formule, vite devenue célèbre, Louis XIV observa un jour que son grand-père (Henri IV) aimait les huguenots, que son père (Louis XIII) les avait redoutés, mais que, quant à lui, il ignorait l'un et l'autre sentiment[5]. Indifférence méprisante et glacée à l'égard d'une minorité, privée maintenant de tout poids politique et dont la puissance du Roi Soleil lui épargnait la commodité humiliante de se servir à l'occasion — et donc la nécessité de ménager. Mais il y a plus : en langage moderne, c'était vouer les huguenots aux poubelles de l'Histoire ; c'était prophétiser leur inexistence annoncer leur néant et refuser hautainement toute écoute à leurs protestations éperdues de loyalisme et de dévouement. C'était au surplus découpler la meute de leurs ennemis, que seule la Cour pouvait tenir en lisières !

Prenons-y garde, toutefois ; il ne s'agissait pas là d'un « racisme » qui aurait désigné à la vindicte publique une certaine catégorie de Français qui n'en pourraient mais : c'était exercer une pression énorme pour que, par l'abandon de leur particularisme religieux — seul mis en cause —, les huguenots vinssent se perdre dans ces masses catholiques romaines qui jouissaient, en principe, de la paternelle bienveillance du trône. Il faut se souvenir de la ferveur monarchiste passionnée

---

[5] Cf. Pierre BAYLE, *Critique générale de l'Histoire du calvinisme de M. Maimbourg* XXII, i. La première édition est de 1682. Bayle cite l'épigramme latine inspirée au Père François Vavasseur, S.J. par la formule de Louis XIV : cf. ses *Épigrammata*, II, 69, Paris, 1669. Cf. aussi de BAYLE *Ce que c'est que la France toute catholique*, rééd. Paris, 1973, p. 54, note 85.

des Français du XVIIᵉ siècle et de la dépendance absolue des E.R.F. par rapport à la couronne pour mesurer la portée calculée d'un tel aphorisme royal, aussitôt duement répercuté et divulgué dans la Gazette et divers opuscules de controverse.

Quand avait débuté le règne personnel de Louis XIV, en 1661, on peut dire qu'en un siècle « l'hydre de l'hérésie » avait été domestiquée en France. La politique des cardinaux premiers ministres avait sévèrement rogné les privilèges des huguenots et s'était attachée à ne leur laisser passer nulle « insolence », nul « attentat » (sauf pendant la courte période où Mazarin voulut complaire à Cromwell). Tout en espérant qu'à long terme leur engeance finirait bien un jour par s'éteindre dans le royaume de France, Mazarin (tout comme Richelieu avant lui) était trop occupé ailleurs (par la « grande » politique, à savoir, la politique étrangère) et trop peu chimérique pour songer à résoudre par la force un problème dont il laissait la solution au passage du temps.

Mais s'il a beaucoup retenu des leçons de son parrain, Louis XIV ne s'en tint pas à son empirisme patient. Les humiliants souvenirs de la Fronde lui donnaient une horreur indignée et presque craintive des « factions » et des « cabales » — des minoritaires en un mot, ces déviants — ; par ailleurs l'habitait — et le ravageait — un insatiable souci de « Gloire », c'est-à-dire, de pouvoir souverain assorti de bienséance. Libérer le royaume et délivrer ses successeurs de l'hypothèque huguenote, et cela, par la « douceur », réussir ainsi ce qu'aucun biais n'avait permis d'accomplir depuis un siècle, quel prodigieux, quel glorieux haut-fait ! Bossuet le dira, c'était égaler Constantin et Théodose[6], mais c'était aussi surpasser sept de ses prédécesseurs, puisque depuis François Iᵉʳ les rois de France s'étaient heurtés au problème huguenot, sans pouvoir lui apporter jamais une solution définitive, car pleinement satisfaisante ; la force avait échoué et la douceur, avec Henri IV, avait dû composer...

---

[6] Cf. *Oraison funèbre* de Michel LE TELLIER, prononcée le 25 /1/1686. Le chancelier était mort à 82 ans le 30/10/1685, dans la joie d'avoir encore pu signer la Révocation avant de disparaître.

Dans une partie de ses *Mémoires*, rédigées vers 1669-1670 à l'intention du Dauphin, Louis XIV relate : ...« quant à ce grand nombre de mes sujets de la religion prétendue réformée, qui était un mal... que je regarde... avec beaucoup de douleur... il me sembla... que ceux qui voulaient employer des remèdes extrêmes et violents, ne connaissaient pas la nature de ce mal, causé en partie par la chaleur des esprits, qu'il faut laisser passer et s'éteindre insensiblement, plutôt que de la rallumer de nouveau par une forte contradiction, surtout quand la corruption n'est pas bornée à un certain nombre connu, mais répandue dans toutes les parties de l'État ».

Le roi se fait ici l'écho de la vieille idée qu'on peut et qu'il faut étouffer les hérésies naissantes par la manière forte, mais qu'une fois qu'elles ont réussi à gagner du terrain, il convient d'user d'une autre tactique. Au reste, il semble que Louis XIV se faisait peut-être une idée excessive du nombre des réformés français, ce qui a pu leur nuire en ce sens qu'ils apparaissaient d'autant plus virtuellement dangereux qu'ils étaient jugés pulluler. Il est vrai que si l'on avait sous-estimé leur poids numérique, cela ne les aurait probablement pas non plus servis, car leur réduction aurait paru moins onéreuse. Ce qui illustre bien le caractère sans issue de la situation des huguenots, qui perdaient à tout coup.

Un peu plus loin, le roi poursuit : « ... je crus... que le meilleur moyen pour réduire peu à peu les huguenots de mon royaume était de ne les point presser du tout par aucune rigueur nouvelle contre eux, de faire observer ce qu'ils avaient obtenu sous les règnes précédents, mais aussi de ne leur accorder rien de plus, et d'en renfermer même l'exécution dans les plus étroites bornes que la justice et la bienséance le pouvaient permettre... »

« ... quant aux grâces qui dépendaient de moi seul, je résolus et j'ai assez ponctuellement observé depuis, de n'en faire aucune à ceux de cette religion, et cela par bonté et non par aigreur, pour les obliger par là à considérer de temps en temps, d'eux-mêmes et sans violence, si c'était par quelque bonne raison qu'ils se privaient volontairement des avantages qui pouvaient leur être communs avec mes autres sujets... »

« ... je résolus aussi d'attirer, même par les récompenses, ceux qui, se rendraient dociles, d'animer autant que je pourrais les évêques, afin qu'ils travaillassent à leur instruction et leur ôtassent les scandales qui les éloignaient quelquefois de nous, de ne mettre enfin dans ces premières places, ni dans toutes celles dont j'ai la nomination, que des personnes de piété, d'application, de savoir, capables de réparer par une conduite toute contraire les désordres que celle de leurs anciens prédécesseurs avait principalement causés dans l'Église[7]. »

Texte qui mérite une grande attention et qui est très instructif, pourvu que, loin de le comprendre à la lumière du sens que nous accordons à « justice » et à « bienséance », nous lui demandions de nous éclairer sur la signification que ces termes avaient pour le roi. Observons d'abord qu'il définit l'adhésion à la R.P.R. comme une « corruption », une sorte de maladie d'esprit et la fin du passage cité montre l'idée pauvre et simpliste que Louis XIV se faisait du mouvement réformateur : pur contre-coup, de la vie immorale du clergé du XVIe siècle, la R.P.R. n'a cherché qu'à réformer les mœurs, tentative explicable et presque excusable à l'époque.

Une analyse aussi indigente[8] était fatale aux huguenots du XVIIe siècle car, dès lors que le clergé catholique — ce qui était largement le cas en France — avait cessé d'être scandaleux et était assez souvent fort édifiant, la « séparation » des protestants perdait toute justification et sa persistance n'était plus explicable que par un aveugle attachement à des traditions familiales, autrement dit, par une indocilité « schismatique ». Dans une pareille optique, le protestantisme n'avait pas de contenu ni d'être propres : il n'était qu'une sorte de négatif du catholicisme et dès lors que celui-ci ne souffrait plus de carences, son inverse n'avait plus d'autre explication qu'une inertie opiniâtre et mal informée.

L'intention royale explicite d'éviter la violence et de respecter la justice montre le sens très étroit de ces deux termes. La violence rejetée est une violence physique. Celle-ci n'est

---

[7] Louis XIV, *Mémoires pour les années 1661 et 1666,* éd. Longnon, Paris, 1923, pp. 114, 116 et 117.
[8] Cf. *supra* IV, p. 81, note 3.

intervenue que plus tard et les cruautés des dragonnades ont été le fait d'exécutants brutaux — nous disons, ignoblement, des « bavures ». L'intention explicite du roi ne comportait pas de tel excès, bien qu'il les ait couverts ; Louvois et certains intendants étaient plus réalistes, mais comment le maître de Versailles aurait-il pu imaginer ce qu'était la condition d'un pauvre homme ? En tout temps, les privilégiés ignorent abyssalement le quotidien des simples et les « logements de troupes » sont restés vraisemblablement des abstractions pour Louis XIV. Le tournant décisif, nous le verrons, est marqué par l'Arrêt du 1er juillet 1686 qui prévoit la peine de mort pour les prédicants des Assemblées du Désert[9] ; jusque-là, la couronne avait obéi aux critères de saint Augustin. Amendes, bannissements, incarcérations, galères ne relèvent pas de « violences » ; puisqu'ils résultent de la sentence d'un juge, il s'agit de décisions de « justice »...

Dans le texte que nous avons longuement cité, Louis XIV proclame l'intention de faire observer l'Édit de Nantes, tout en en restreignant au maximum la portée, autrement dit en ergotant sur la lettre de ce document. Le subterfuge casuistique de plus en plus outrageusement adopté a consisté à refuser aux huguenots tout ce que l'Édit ne leur accordait qu'en termes généraux (à la manière dont le Père Véron avait traité les versets bibliques dans sa controverse anti-réformée)[10]. Ainsi, nous le verrons[11], de multiples Arrêts allaient interdire le chant des psaumes hors des temples, dont effectivement l'Édit de Nantes n'avait pas expressément statué qu'il serait permis aux huguenots quand ils marcheraient ou seraient au travail... Au reste, ce vaste domaine ne suffisant pas, les Arrêts du Conseil finirent par statuer à l'encontre d'articles précis du texte de Nantes.

Il semble bien que le roi se flattait d'éviter la « violence » parce que, source des lois, il lui était possible de les fabriquer sur mesure pour en faire, en quelque sorte, des pièges à huguenots ; ce formalisme puéril a quelque chose qui nous étonne, mais un tel procédé permettait de complaisantes illu-

---

9 Cf. *infra* IX, p. 204.
10 Cf. *infra* VII, pp. 129-130.
11 Cf. *infra* VII, p. 138.

sions. Si les huguenots sont poursuivis par les tribunaux, ce ne sera pas à cause de leur particularisme religieux (que le pouvoir se défend, croit-il, d'attaquer de front), mais parce qu'ils auront enfreint les lois du royaume — Arrêts du Conseil pris tout exprès pour créer l'infraction. Mais n'oublions pas que telle était aussi la situation des catholiques anglais, dont les difficultés provenaient du fait qu'ils n'avaient pas prêté le serment du Test, ou, s'agissant de prêtres, qu'ils étaient revenus exercer leur sacerdoce clandestinement dans les îles britanniques, après avoir été formés à Douai ou à Rome...

Il serait vain de notre part de déceler une insigne mauvaise foi dans de tels abus de formalisme juridique, et fallacieux, sans doute, de sous-estimer son prodigieux pouvoir de trompe-l'œil sur ceux qui s'y réfugiaient si volontiers...

Concluons que beaucoup des violences (à nos yeux) que le gouvernement de Louis XIV infligera aux réformés n'étaient pas telles dans l'esprit du roi, mais étaient des sanctions qu'il était pleinement de son droit d'infliger à ceux qui désobéissaient aux lois du royaume. Notre époque connaît ce qui, vu de l'extérieur, apparaît comme une hypocrisie éhontée, tels ces chefs d'inculpation imprécis et généraux qui font de l'expression d'opinions des crimes d'État, des actes de subversion durement châtiés. Il n'est pas certain que les gouvernements qui les utilisent le fassent toujours dans le plus parfait cynisme. Il est en tout cas assez probable que Louis XIV a naïvement pensé que puisqu'il lui appartenait de promulguer des Arrêts du Conseil, il était de son droit de leur donner une teneur qui rendrait la vie des réformés de plus en plus ardue. Les formes étaient sauves, ce qui était l'essentiel dans cette culture. Souvenons-nous de l'habillage juridique fourni au déclenchement de la Guerre de Dévolution[12] !

Au surplus, tout scrupule qui aurait pu surgir se trouvait refoulé par la charitable intention de multiplier généreusement

---

[12] En 1667 on colora d'un prétexte la Guerre de Dévolution, en invoquant un principe de Droit privé en usage dans certaines parties des Pays-Bas, selon lequel les filles d'un premier mariage — c'était le cas de la reine de France — entraient en possession des biens de leur père défunt avant les enfants mâles de mariages postérieurs. Or l'énorme dot promise à Marie-Thérèse dans son contrat de mariage n'avait pu être versée par l'Espagne et Philippe IV était mort en septembre 1665.

les « grâces » envers les individus « dociles ». Il est patent que les efforts de « séduction » de la Cour à l'égard des huguenots ont été persévérants et multiformes. S'ils demeuraient infructueux, ils éveillaient assez naturellement chez ceux qui les avaient prodigués le sentiment de se heurter à une odieuse ingratitude, qui autorisait un recours à de la dureté... Les « grâces » pleuvaient sur les transfuges du protestantisme : n'était-ce donc pas par un « chemin semé de fleurs »[13] qu'on cherchait à les ramener « au gros de l'arbre » ?

D'Aguesseau, ce grand honnête homme aux sympathies jansénistes, Intendant du Bas-Languedoc (qui, parce qu'il n'approuvait pas qu'on dragonnât sa province, devait laisser son poste à Bâville en 1685) a bien exposé la politique royale initiale : il considère la R.P.R. « comme une citadelle qu'il faut bien se garder de vouloir prendre d'assaut, mais qu'on doit attaquer à la sape en gagnant tous les jours du terrain sur elle, jusqu'à ce qu'on l'eût réduite insensiblement à être si peu de chose qu'elle tombât enfin comme d'elle-même »[14].

C'est bien une guerre dont il s'agit, guerre froide, menée avec des armes juridiques, sournoise, mais « bienséante » — sinon « glorieuse ». Un revêtement maniaquement légaliste sauve les apparences, peut-être autant dans le dessein d'endormir l'ennemi ou de rassurer ce qu'on reconnaissait en France d'opinion internationale — le public anglais et les cours allemandes — que par un sursaut d'inconscient pharisaïsme chez bon nombre des fauteurs d'une telle politique. Mais à la longue, nous allons le voir, le roi s'impatienta et à la guerre froide juridique, succédèrent des agressions ouvertes...

Louis XIV allait finalement perdre sur les deux tableaux, en ce sens que la « bienséance » de la tactique de « douceur » ne fera guère illusion aux historiens ultérieurs ; quant aux brutalités de la « guerre chaude », menée par un roi contre de

---

[13] L'expression figure dans la *Harangue faite au roi à Versailles* le 21/7/1685, par Jacques-Nicolas COLBERT, au nom de l'Assemblée du clergé qui prenait congé de Louis XIV. Selon toutes probabilités, cette harangue avait été rédigée par Racine et elle figure dans ses *Œuvres*, éd. Paul Mesnard, V, pp. 356-364 ; cf. p. 361.

[14] Cf. in *Œuvres complètes du Chancelier d'Aguesseau*, éd. Pardessus, Paris, 1819, tome XV, p. 311, dans le « Discours sur la vie et la mort de M. d'Aguesseau, Conseiller d'État ».

petites gens, ses sujets, elles ne sembleront pas glorieuses et évoqueront plutôt les relents d'écurie qui régnaient sous les lambris dorés de Versailles. Cette postérité que Louis XIV avait tant à cœur d'éblouir estimera avec ensemble que la politique anti-protestante du Roi Soleil n'a brillé ni par l'habileté et le succès, ni par la grandeur d'âme et l'équité...

CHAPITRE VII

1661-1678 : LE RÈGNE PERSONNEL DE LOUIS XIV JUSQU'AUX TRAITÉS DE NIMÈGUE

LES COMMISSAIRES DE L'ÉDIT

Nous avions mentionné[1] la décision de principe, prise en 1656 sous le ministère de Mazarin, qui prévoyait la création de commissions chargées de contrôler sur place, dans toutes les provinces du royaume, l'exécution fidèle de l'Édit de Nantes. Les plaintes des Assemblées du Clergé, en effet, appelaient régulièrement l'attention des autorités sur les « attentats » et les « insolences » des huguenots, qui auraient souvent outrepassé les privilèges qui leur avaient été accordés.

Les commissions avaient pour charge de mettre fin aux abus qui auraient pu s'introduire ici ou là. Les concessions faites par l'Édit de Nantes n'étaient pas mises en cause : il s'agissait seulement de ne pas les voir dépassées... Sans prétendre identifier entièrement les E.R.F. à l'agneau de la fable et le clergé romain, au loup, il y avait tout de même un peu de cela, si l'on songe à la puissance numérique, économique et politique de l'Église de France face à la faiblesse des minoritaires.

Ce ne fut qu'en avril 1661 que les premiers commissaires furent désignés et le travail initialement prévu (ils allaient en

---

[1] Cf. *supra* I, p. 42.

effet devenir permanents) ne fut achevé que cinq ans plus tard. L'Édit de Nantes avait autorisé la présence d'un exercice réformé partout où l'existence en aurait été attestée dans la période 1596-1597, ce qui permettrait ultérieurment d'y construire un temple, s'il n'existait déjà.

Inversant le principe de droit selon lequel « possession vaut titre », les commissaires allaient requérir partout que leur fussent fournies des preuves écrites (exigence formalisée par un Arrêt du 7/8/1662) concernant le fonctionnement d'une église réformée dans la ville ou le bourg contrôlé, un peu plus de soixante ans auparavant. Les archives des consistoires n'avaient pas toujours été conservées avec soin s'agissant de documents dont on n'avait jamais prévu qu'un jour viendrait où il faudrait les exhiber et qui, du reste, étaient quelquefois demeurés aux mains des autorités auxquelles ils avaient été fournis, bien des années plus tôt, pour une raison ou une autre. Par ailleurs, les commissaires qui avaient travaillé sous Henri IV s'étaient parfois contentés de témoignages oraux concordants et de la présence effective d'une communauté réformée dans la localité pour autoriser l'exercice. De ce fait, dans certains cas, le contrôle opéré dans les premières années du règne personnel de Louis XIV se solda par l'interdiction de l'exercice, qui entraînait la démolition du temple « rez pied, rez terre ».

Les commissions étaient composées de deux juristes, l'un catholique (souvent l'Intendant ou son subdélégué), l'autre, réformé. Il semble bien que la Cour s'était ingéniée à choisir ce dernier en fonction de la timidité ou de l'incompétence qu'elle pouvait escompter chez lui — non sans rencontrer d'ailleurs des déceptions à cet égard. La Commission était accompagnée d'un représentant du clergé catholique, l'official ou le syndic du diocèse, qui jouait le rôle d'accusateur public et ne manquait pas de remettre sur le tapis les difficultés faites antérieurement, sans succès encore, à l'encontre des exercices dont on examinait la légitimité. Tout en étendant appréciablement les pouvoirs des commissaires et en rendant leur responsabilité permanente, un Arrêt du 24/4/1665 fit cesser la parité qui leur avait été initialement attribuée, car le commissaire catholique devint seul maître de l'instruction des dossiers.

Dans la majorité des cas, les exercices de la R.P.R. furent

126

confirmés. Dans un assez bon nombre, les commissaires furent d'avis partagé. Le cas était de mauvais présage pour le temple, mais la civilisation française du XVIIe siècle était fort procédurière : il s'ouvrait encore mille possibilités d'arguties, de requêtes, d'appels au conseil qui entraînaient une « surséance », ce qui veut dire que dans l'attente de la décision finale, l'exercice continuait à fonctionner. Les Provinces synodales déléguèrent presque toutes à Paris un représentant, avocat qui multipliait les démarches, sollicitait le Député général, plaidait les affaires en litige ou parfois, tout simplement, trouvait des chicanes pour éloigner encore une sentence qu'il craignait défavorable à sa cause. Il appartenait au Conseil privé de trancher en tout dernier ressort, ce qu'il ne fit, le plus souvent, qu'au bout d'une bonne dizaine d'années — après 1675 — et presque toujours d'une manière défavorable à la R.P.R. ; reste que les temples menacés avaient bénéficié de quelques années de sursis...

Dans le cas de beaucoup de villes, l'interdiction du temple ne concernait que le lieu précis de son érection. Il était démoli mais les réformés étaient autorisés à en reconstruire un autre, en général, hors les murs, dans les faubourgs, et, bien entendu, à leurs frais. Heureusement pour eux, les temples étaient le plus souvent des édifices d'une grande simplicité, assez comparables à des granges. On constate qu'ils pouvaient être abattus en quelques heures, mais inversement leur construction devait être assez peu coûteuse : murs en torchis, fenêtres garnies de papier huilé (les vitres étaient chères). On demeure cependant confondu si l'on tente d'évaluer l'effort financier qu'assumèrent un peu partout dans le royaume les communautés huguenotes pour tenter de subsister ! Les avocats envoyés à Paris par les Provinces synodales leur coûtaient cher et, en outre, les procès en eux-mêmes étaient dispendieux. Mais la complication des dédales juridiques, la lenteur des procédures et l'ingéniosité des robins réformés menèrent certains exercices presque jusqu'à la Révocation, alors que leur légitimité avait été contestée, initialement, parfois vingt ans plus tôt.

Quand les deux commissaires tombaient d'accord pour interdire un exercice, sa suppression ne tardait guère normalement, mais même en pareil cas il a pu arriver que l'issue finale ne fût pas immédiate. D'une manière générale, l'action des commissaires se solda par des résultats très différents selon les provinces. Le Poitou fut très durement touché et beaucoup de temples y furent rasés. Dans le Pays de Gex (annexé à la France en 1601) 23 des 25 lieux de culte réformé furent interdits : l'évêque de Genève (qui résidait à Annecy) était venu tout exprès à Paris pour solliciter dans ce sens, à savoir, étendre l'Édit de Nantes au bailliage de Gex et donc n'y autoriser que deux exercices ; c'était pour la couronne contrevenir au traité de Lyon, mais aussi mieux intégrer au royaume un territoire annexé depuis plus d'un demi-siècle : on conçoit que l'évêque d'Annécy ait rencontré des oreilles favorables au Conseil. Il obtint d'ailleurs aussi qu'il soit interdit aux pasteurs genevois, tout proches, d'aider leurs coreligionnaires voisins en venant prêcher chez eux (Arrêt du 16/1/1662).

Le coup porté par les commissaires aux E.R.F. fut d'abord quelque peu amorti — en Thiérache et au Poitou en particulier — par le recours aux exercices de fief, permis par l'Édit de Nantes : la noblesse réformée y était nombreuse et au lieu de se rendre au temple, maintenant démoli, les seigneurs accueillirent le culte réformé dans leurs châteaux ; le danger d'une telle solution était, bien entendu, que le pasteur du lieu tendît à faire figure de chapelain. Les autorités civiles firent tout leur possible pour réduire en effet les ministres de fief à ce statut de « domestique » (au sens du XVIIe siècle) : un Arrêt du 9/2/1674 (répété le 15/4/1676) exclut les ministres de fief des synodes provinciaux (en même temps qu'il en exclut les députés des Académies réformées) tandis qu'un Arrêt du 27/12/1675 ôta au Synode le droit de les désigner, si le poste était créé.

Il y avait dans tout cela de sérieuses atteintes à la Discipline des E.R.F. : le ministre de fief, par ailleurs étroitement lié au seigneur qui l'employait, devenait un ministre de seconde catégorie, puisqu'exclu du Synode. Le point était si névralgique qu'il n'y eut pas de réunion des Synodes provinciaux en 1676, en protestation : le 23/7/1677 le Conseil accordait un Arrêt de surséance en la matière et les Synodes provinciaux recommencèrent. Il faut donc noter, car le point est souvent trop négligé, que la démarche de la Cour était sinueuse et que les replis partiels — ou tactiques ? — n'en étaient pas absents.

Toutefois, divers Arrêts nominaux prohibèrent ici ou là l'exercice de fief chez tel ou tel seigneur et peu avant la Révocation ce palliatif avait perdu beaucoup de son efficacité à cause des conditions de plus en plus restrictives auxquelles furent soumis les exercices de fief : Arrêt du 13/7/1682 exigeant la résidence effective du sieur de la Mezangère dans son château pour que le culte pût être célébré chez lui, qui créait une jurisprudence ; Arrêt du 4/9/1684, supprimant l'exercice dans les fiefs érigés après 1598 ; Arrêt du 5/2/1685, interdisant la présence aux exercices de fief de ceux qui ne résideraient pas depuis un an au moins dans leur étendue — autrement dit, des huguenots du voisinage non immédiat.

LA DOCUMENTATION ANTI-PROTESTANTE

Outre les suggestions de l'official du diocèse, les commissaires catholiques pouvaient se guider par diverses publications passionnément hostiles à la R.P.R. et fort inventives quant aux biais à trouver pour rendre contestable un droit d'exercice. Nous avons déjà mentionné le principe de base de cette tactique, selon lequel tout ce qui n'était pas explicitement permis aux réformés par l'Édit de Nantes pouvait légitimement leur être interdit, puisqu'il s'agissait alors de « grâces » qui ne dépendaient que du bon plaisir royal.

C'était traiter l'Édit de Nantes de manière casuistique — au pire sens du terme — et sans aucune considération, ni pour l'esprit qui avait inspiré le texte de 1598, ni pour les conséquences logiques de ses dispositions générales. Il y a là un parallèle intéressant avec les méthodes de controverse préconisées, dans la première moitié du siècle, par le jésuite François Véron[2] et qui consistaient à sommer les protestants de montrer leurs dogmes en propres termes dans la Bible, sans leur recon-

---

[2] Curé de Charenton en 1638, bien que jésuite, VÉRON (1575-1649) fut un controversiste combatif et ergoteur, qui composa une multitude de traités anti-protestants et exerça une influence sensible sur ses émules.

naître le droit de les déduire, si peu que ce fût, du passage de l'Écriture qu'ils invoquaient pour les justifier.

Le jésuite Bernard Meynier — un languedocien combatif — fit paraître en 1662 *De l'exécution de l'Édit de Nantes et le moyen de terminer dans chaque province le grand différend et ses principales suittes,* un in-4° de 380 pages qui présentait le principe général. Deux ans plus tard, un opuscule — *De l'exécution de l'Édit de Nantes dans le Dauphiné* — contribuait à l'abolition, dans cette province, de près de la moitié des exercices. En 1665, Meynier poursuivait par *De l'exécution de l'Édit de Nantes en Guienne et en Poitou,* suivi l'année même par une seconde édition, enrichie des mêmes précisions concrètes concernant de plus la Saintonge, l'Angoumois et l'Aunis... Creusant toujours un même sillon, singulièrement fécond, Meynier publia en 1670 *De l'Édit de Nantes exécuté selon les intentions de Henry le Grand en ce qui concerne l'establissement d'exercice public de la religion prétendue réformée,* dont on est en droit de penser qu'il travestit singulièrement les visées du Vert-Galant.

Les jésuites n'étaient pas les seuls à apporter des munitions à ce qu'ils jugeaient une sainte cause. Un conseiller au Présidial de Béziers, Pierre Bernard — de nouveau, un languedocien ! — publia à Paris en 1666 *L'explication de l'Édict de Nantes par les autres edicts de pacification, Déclarations et arrests de règlement,* un in-4° de 525 pages pour lequel il avait obtenu un Privilège dès 1661, qui est un prodigieux arsenal de chicanes et d'interprétations sophistiques *a minima;* l'ouvrage fut réédité en 1683, avec des compléments, par un prêtre, Pierre Soulier, lui-même historien des Édits (1682) et, en 1686, du calvinisme en France[3].

Par ailleurs, un avocat poitevin, naguère membre de la Compagnie du Saint-Sacrement, Jean Filleau, sgr de la Boucherie, s'était mis de la partie en 1668 avec un gros in-folio de plus de 900 pages intitulé *Décisions catholiques ou recueil général des arrests rendus en toutes les cours souveraines de France en exécution ou interprétation des édits qui concernent l'exercice de la religion prétendue réformée.* Dédiée au futur chancelier Le Tel-

---

[3] *Histoire du calvinisme, contenant sa naissance, son progrès, sa décadence et sa fin en France.*

lier, cette énorme machine de guerre — 142 « décisions », flanquées des Arrêts qui en découlaient — ne laissait perdre aucun des détours ingénieux inventés ici ou là depuis soixante-dix ans, ce qui en facilitait singulièrement la répétition imitative ailleurs et la généralisation à tout le royaume.

On ne saurait sous-estimer le rôle de toutes ces publications, si utiles pour les adversaires de principe de la R.P.R. dont, pour ainsi dire, elles éclairaient et armaient la volonté de nuire. Notons que le poids énorme reconnu aux « précédents » dans la culture du temps et plus encore, l'autorité de juristes professionnels, étaient bien faits pour lever tout scrupule à qui, tout en haïssant la R.P.R., pouvait fort bien être un homme probe, incapable de prononcer à bon escient une sentence inique. Les auteurs dont nous venons de citer les ouvrages prédisposaient leur lecteurs à commettre, en toute bonne conscience, les pires passe-droit en les autorisant de ces arguties sophistiques qu'on leur proposait comme des modèles...

LES INTENTIONS DE LA COUR

Il faut essayer de comprendre le but que se proposait la Cour en cherchant si assidûment à réduire l'implantation géographique des E.R.F. Elle suivait évidemment les suggestions des Assemblées du clergé ; celle de 1651 n'avait-elle pas demandé au roi qu'il « bannisse à présent de son royaume cette malheureuse liberté de conscience qui destruit la liberté des enfans de Dieu » et qu'à défaut de pouvoir étouffer le mal d'un seul coup, il « le rendist languissant et le fist périr peu à peu par le retranchement et la diminution de ses forces »[4]. En quoi la suppression de nombreux exercices allait-elle vers le dépérissement de la R.P.R. ? évidemment, parce qu'on en attendait un laminage démographique des minoritaires. Certes, en soi un temple était un spectacle « offensant » pour un catholique dévot et sa seule existence

---

[4] Cf. Gilbert CHOISEUL du Plessis-Praslin, évêque de Comminges, *Remonstrance du clergé de France*, Paris, 1651, p. 8-9.

constituait une « cause prochaine » de péché, mais de telles considérations restaient bien théoriques.

En revanche, il était de fait que tous les huguenots n'étaient pas des marcheurs émérites et qu'en tout cas, vieillards, femmes et enfants en bas âge ne pouvaient pas fréquenter le temple chaque dimanche dès lors qu'il se trouvait, maintenant, à bonne distance de chez eux. D'autre part, quand la communauté huguenote sur laquelle rayonnait un pasteur et un consistoire était distendue et dispersée, son encadrement se trouvait nécessairement plus lâche ; le seul pasteur et le seul consistoire restés en place dans tout un terroir n'étaient plus familiers qu'à une partie de leurs coreligionnaires. Il est clair que la disparition des temples entraînait un relâchement visible de la pratique, qui a pu cependant être plus apparent que réel.

On peut penser qu'en haut lieu on conçut l'espérance qu'à défaut de pouvoir assister facilement à un culte réformé une partie des fidèles qui fréquentaient autrefois un des temples abattus se résigneraient à aller à la Messe tout près de chez eux. La célébration dominicale était si profondément ancrée dans les mœurs et la nécessité de participer à une cérémonie religieuse collective représentait un impératif social si catégorique qu'on peut supposer que les autorités ont donné un crédit excessif au proverbe « faute de grives, on prend des merles » et escompté que peu à peu les paysans du Dauphiné, du Pays de Gex ou du Poitou se résoudraient à rejoindre le dimanche, à l'église, leurs compatriotes catholiques...

Si tel a été le calcul de la Cour, il reposait sur une tragique erreur d'analyse. Les premières brimades dont le clergé romain était si ouvertement l'instigateur — rappelons que l'official jouait auprès des commissaires un rôle d'accusateur public et de plaignant — ont créé un ressentiment si amer chez leurs victimes qu'à leurs yeux le catholicisme apparut de moins en moins souvent comme une forme « inférieure » de christianisme et de plus en plus, renouant avec le XVIᵉ siècle, comme « la grande prostituée de Babylone » : l'adversaire des « saints », la servante de l'Antéchrist papal, superstitieuse, idolâtre, prête à utiliser les procédés les plus perfides ou les plus cruels pour assurer sa domination, en un mot, satanique ! Les jugements les plus péjoratifs à son égard cessaient d'être suspects de manquer de charité ou de simple équité : ils devenaient l'expression légitime et sainte d'une condamnation sans appel, à la fois théologique et morale, des abominations de l'« antichristianisme ». Comment escompter des abjurations résignées de la part de gens de plus en plus pénétrés de tels sentiments !

Un document ultérieur permet d'illustrer ce que nous venons de dire. Arrêté en 1683 (à la suite de la tentative de résistance non violente animée par Brousson[5]) et menacé d'être exécuté, Jean Cluzel, jeune pasteur du Cheylar consentit à abjurer. Remis en liberté il réussit à s'enfuir et fit paraître « au Désert » (sans doute, en Suisse) en date du 1er mars 1684, une *Lettre écrite aux fideles de l'Église reformée du Cheylar en Vivarez, par Jean Cluzel, cy-devant leur ministre, qui pour eviter la mort avoit abjuré sa Religion*, brûlante de repentance éperdue. (Deux ans plus tard, on lui permit de redevenir pasteur, en Suisse). Cluzel cherche à comprendre, rétrospectivement, ce qui l'avait rendu indigne que Dieu lui fît la grâce de servir, par sa mort, de témoin à la vérité et il avance diverses conjectures ; l'une est doctrinale, il avait en effet commis l'erreur effroyable de penser qu'on pouvait être sauvé dans le catholicisme romain « quoy qu'avec plus de difficulté » que dans l'église réformée ; et dans sa conduite, ne méritait-il pas d'être châtié « de la familiarité » qu'il avait eue « avec les ennemis de la vérité », lui qui s'entretenait « civilement avec ces gens-là », alors qu'il aurait dû les traiter en « pestiferez ». Ce document atteste à la fois la coexistence pacifique que le régime normal de l'Édit de Nantes avait instaurée entre protestants et catholiques[6] et le retournement complet de situation qu'ont entraîné les brimades et les persécutions, du moins, dans les milieux réformés, car du côté des laïcs catholiques qui furent plus d'une fois secourables envers leurs voisins huguenots en difficulté, bien des indices laissent soupçonner que la propagande anti-huguenote forcenée déployée vers l'époque de la Révocation n'a pas convaincu tout le monde.

Quoi qu'il en soit, du côté réformé, la politique de la Cour

---

[5] Cf. *infra* VIII, pp. 184-188.
[6] Cf. *supra* IV, pp. 81-86.

portait ses fruits. Traditionnellement, dans le vocabulaire huguenot — le patois de Canaan[7] — le passage au catholicisme était appelé « révolte » — entendez, contre Dieu. Quitter la R.P.R. c'était renoncer au christianisme ! C'est une telle identification du protestantisme avec le christianisme — parce que le papisme était une idolâtrie — que son outrance même rendait inconcevable, inimaginable pour le pouvoir. Aussi, jusqu'au bout, les autorités ont-elles ignoré et dénié l'authenticité des scrupules qui écartaient les huguenots de l'abjuration et le caractère mensonger des « conversions » qu'elles avaient pu arracher par la contrainte ; la résistance des réformés était misérablement et invariablement interprétée comme une opiniâtreté vaniteuse...

En effet, le pouvoir dédaignait trop le protestantisme pour s'être soucié de le connaître. Aussi n'avait-il pu prévoir certaines des conséquences pratiques de l'autorité souveraine que les minoritaires reconnaissaient à la Bible, ni du thème du sacerdoce universel. Les tenants d'une confession qui met un abîme entre le prêtre et les laïcs escomptaient une désorientation totale dans les bourgs et les villages privés de pasteurs. Certes, il faut bien se garder de majorer à l'excès les ressources offertes par la *devotio privata* : chez les illettrés, si nombreux, le culte familial, s'il était célébré, se réduisait au chant de psaumes, peut-être à la récitation de quelques passages bibliques connus par cœur et au Notre Père. Nous aurons l'occasion de dire avec quelle persévérante obstination les réformés ont tenté de maintenir à tout prix ce culte public que requérait à leurs yeux « l'honneur de Dieu » et que l'article XXVI de leur Confession de foi exigeait si impérativement[8]. Cependant, le culte de famille émoussait quelque peu la cruelle privation causée par la démolition du temple et le départ du pasteur pour des gens qui, par exemple, ne pouvaient se rendre au temple, encore debout, le moins éloigné de leur voisinage, que de temps à autre — à l'occasion des services de sainte cène ou pour un baptême ou un mariage —

---

[7] L'expression inspirée par les hébraïsmes, tirés de l'Ancien Testament, fréquents dans la bouche des réformés, est fondée sur Esaïe, 19, 18.

[8] Cf. : « ... tous ensemble doivent garder l'unité de l'Église... et ce en quelque lieu que ce soit où Dieu aura establi un vray ordre d'Église, encores que les Magistrats et leurs edicts y soient contraires. »

mais qui, dans l'intervalle, préservaient une certaine continuité par le culte privé. L'idée d'aller à la messe était bien la dernière qui leur serait venue...

LES ARRÊTS DU CONSEIL

Le mécanisme le plus fréquent dans la marée des Arrêts du Conseil privé qui commença à submerger la R.P.R. était qu'après une décision ponctuelle, portant sur un cas particulier, celle-ci fasse jurisprudence et soit généralisée, avec souvent une étape intermédiaire d'extension à toute une province avant le stade ultime où la mesure devenait applicable dans tout le royaume. Ainsi le moindre jugement de portée locale prononcé au détriment d'un huguenot ou d'une église réformée était-il gros de conséquences. Les syndics du clergé de chaque diocèse, très attentifs à tout ce qui concernait les minoritaires, ne manquaient jamais de faire écho aux sentences qui entravaient leurs activités, après quoi il ne restait plus qu'à solliciter les instances supérieures et finalement le Conseil du roi, de les confirmer en en élargissant le champ d'application.

Toutefois, il faut user ici de prudence : l'Ancien Régime légiférait et réglementait à perte de vue, mais ne disposait ni du personnel, ni des moyens techniques qui auraient été nécessaires, et pour que l'information circulât parfaitement, et, surtout, pour que les décisions prises en haut lieu fussent appliquées partout sur le terrain. Un grand nombre d'Arrêts restaient morts-nés, se perdaient dans les sables, tombaient tout de suite en désuétude ; ils correspondaient en somme à des déclarations d'intention, des vœux pieux ou des tentatives d'intimidation.

Les Arrêts de teneur très précise — concernant nominalement tel individu, interdisant tel exercice, obligeant tel temple à être reconstruit dans les faubourgs de la ville, fermant telle école, etc., — ont toutes chances d'avoir été exécutés, sinon toujours immédiatement, du moins, assez vite. Ils avaient été sollicités par des catholiques du lieu ou de la province qui allaient veiller à ce qu'ils passent dans les faits.

En revanche, il n'en va pas de même pour les Arrêts de

teneur très générale : il est patent que beaucoup d'entre eux ont été sans conséquences (au moins, immédiates) en bien des lieux, d'autant que souvent ils ne prévoyaient pas la pénalité à infliger au contrevenant (que de toutes façons il appartenait au juge de fixer en fonction du niveau social et des ressources du délinquant, mais dont la sévérité lui était approximativement indiquée si l'Arrêt mentionnait une sanction type). Beaucoup de ces Arrêts ont dû rester inconnus, paraître inapplicables ou demeurer sciemment inappliqués là où les autorités locales étaient négligentes ou, simplement, peu enclines à créer des difficultés à leurs justiciables.

On comprend que les controversistes huguenots, un peu plus tard, au Refuge, se soient complus à stigmatiser certains Arrêts, iniques ou grotesques, sans se mettre en peine de leur portée effective, mais les historiens ultérieurs leur ont peut-être un peu trop volontiers emboîté le pas pour décrire les empêchements, dignes de l'imagination d'un Kafka, que les réformés français finirent par rencontrer dans toutes leurs activités et tous les moments de leur existence. Dans la période que nous considérons maintenant, il est certain que beaucoup d'Arrêts à teneur générale ont été très sporadiquement appliqués, si même ils l'ont été. Reste que leur seule existence enveloppait les réformés d'une atmosphère d'insécurité croissante et les rendait tous suspects de se trouver en infraction.

Venons-en à quelques exemples. La question des temples annexes était d'une grande importance pour les E.R.F. : grâce à un cheval, un seul ministre pouvait desservir deux communautés relativement distantes l'une de l'autre dont l'une, au moins, n'avait plus les moyens de subvenir au traitement d'un pasteur qui lui fût propre, comme elle avait tenté de le faire au début du siècle. L'Édit de Nantes n'avait pas prévu un tel expédient qui découle d'ailleurs largement du fait que les sommes considérables promises annuellement aux E.R.F. ne leur étaient plus versées depuis des décennies. Les adversaires de la R.P.R. exploitèrent impitoyablement cette situation : ils ne contestaient pas l'exercice, mais lui refusaient le statut, jugé illicite, d'annexe : c'était tout ou rien et ainsi les communautés économiquement et démographiquement faibles se voyaient condamnées à disparaître.

Première mesure, sans doute largement inappliquée, la

Déclaration du 16/12/1656 interdit aux ministres de prêcher ailleurs que dans le lieu de leur résidence. Parmi d'autres prohibitions, un Arrêt du 11/1/1657 précise qu'il leur est défendu de « prêcher dans les annexes » ou en plein air. Le Conseil revint à la charge le 17/3/1661 en ce sens qu'il interdit aux pasteurs de prêcher ailleurs que dans un temple (mesure étendue au Béarn le 6/2/1662, et réitérée, non seulement le 4/5, mais le 23/10/1663). Les différents Arrêts que nous venons de citer s'efforçaient d'abolir la célébration du culte réformé dans les villages situés à l'écart du bourg principal ou dans les hameaux non pourvus de temple. Le 22/2/1664, un nouvel Arrêt défend aux pasteurs de prêcher « en divers lieux », sous peine d'une énorme amende de 500 livres et de punition corporelle ! Le 30/10/1664, un autre Arrêt, certainement appliqué, lui, intime une telle interdiction à trois ministres de Picardie, nommément désignés. La Déclaration générale du 1/2/1669, bien qu'elle ait atténué ou annulé plusieurs textes antérieurs, persiste à frapper les annexes, puisqu'elle interdit aux pasteurs de prêcher hors du lieu de leur résidence — prohibition à laquelle on tenait en haut lieu, puisqu'un nouvel Arrêt la réitère encore le 6/11/1674.

Il est bien clair que de telles répétitions manifestent l'impuissance du Conseil à se faire obéir ; non certes que ses injonctions aient rencontré une opposition active, mais à cause de l'inertie d'une désobéissance passive de fait, dans laquelle jouaient nonchalance et répugnance routinière à innover chez les petits magistrats catholiques. Ces Arrêts de teneur générale, cependant, avaient assurément un effet d'intimidation sur les pasteurs avertis de leur existence, mais on peut douter qu'ils aient porté à court terme un coup bien sensible au fonctionnement des temples annexes, ni changé grand-chose à la nécessité où se voyaient certains ministres de célébrer le culte « en divers lieux » s'ils voulaient atteindre la totalité de leurs fidèles[9].

---

[9] Le dernier Synode national, tenu à Loudun (1659-1660) avaient enjoint aux pasteurs de s'en tenir aux dispositions de l'Édit de Nantes en dépit des éventuelles restrictions que pourraient leur apporter les Arrêts du conseil. Cf. Art. XXVIII des Matières générales. Une telle ligne de défense — qui ne fut probablement pas adoptée par tous les ministres — se révéla assez vite intenable.

Il semble en aller de même pour les multiples Arrêts qui s'évertuèrent à détourner les huguenots de chanter des psaumes, ce qu'ils faisaient si volontiers, on le sait, même dans la vie courante, quand ils marchaient ou exécutaient des travaux qui le permettaient — sans parler, bien entendu, des cultes de famille, s'ils les pratiquaient. Dans ce cas aussi les Arrêts se suivent et se répètent à satiété. Le premier, du 6/5/1659 defendit de chanter des psaumes, même chez soi, si l'on pouvait être entendu de la rue. Le 17/3/1661, leur chant est prohibé en dehors des temples et le 16/12/1661, l'interdiction est réitérée sous peine de 500 livres d'amende. N'empêche que le 24/3/1662, un nouvel Arrêt défend de chanter des psaumes dans la rue, et il faut le répéter le 4/5/1663 ! L'année suivante, le 17/6/1664, le chant des psaumes est interdit, même dans le temple, en cas de procession catholique à proximité — ce qui laisse soupçonner qu'en de telles occasions les huguenots étaient enclins à chanter plus spécialement à pleins poumons... La mesure est reprise dans la Déclaration du 1/2/1669, parmi d'autres prohibitions.

N'est-il pas clair que l'interdiction initiale n'a guère pu avoir d'effet que si un curé combatif ou un magistrat local bigot guettait les infracteurs ? Dans l'ensemble, il y a tout lieu de croire que les efforts obstinés du Conseil ont été des coups d'épée dans l'eau et n'ont pu déraciner une habitude huguenote invétérée, qu'il y avait au reste quelque chose de singulier à vouloir pénaliser de la part d'un prince supposé « très chrétien », si ce n'est que ces psaumes offensants sont définis comme œuvre de Bèze et de Marot...

On peut se demander aussi si les Arrêts au sujet des enterrements ont été partout strictement appliqués. Le 16/1/1662 un premier Arrêt, qui concerne seulement le Pays de Gex, interdit aux réformés les convois et les enterrements de jour ; le 7/8/1662 c'est à Clermont-Lodève qu'un autre Arrêt n'autorise plus les obsèques des huguenots à se faire, sinon au lever du jour et à la nuit tombante. Selon la progression que nous avions signalée, un nouvel Arrêt, le 13/11/1662 étend ces prescriptions à toutes les villes, puis un autre Arrêt, le 19/3/1663, à tout le royaume, texte aggravé le 4 mai par l'interdiction que l'assistance à des enterrements de réformés dépasse trente personnes, ce nombre étant ramené à dix par un Arrêt du 19/9/1664. La Déclaration du 1/2/1669 maintient les restrictions précédentes quant à l'horaire des obsèques réformées, mais ne limite plus le nombre des gens qui peuvent y assister.

On le sait, au XVIIᵉ siècle, il n'y avait pas de service funèbre au temple, mais l'usage fréquent était que le ministre accompagne le convoi et prononce une courte allocution et une prière au cimetière. Cantonner les ensevelissements protestants à des heures inaccoutumées et chercher à limiter le nombre des assistants, c'était frapper une forme de sociabilité importante et parfois inter-confessionnelle : il s'agissait d'empêcher que voisins, amis ou parents catholiques du défunt entendent parler le pasteur, en soient peut-être édifiés ou témoignent de la solidarité à une famille huguenote dans l'épreuve.

Là où régnait une certaine coexistence pacifique entre les deux confessions et où, localement, on manquait d'un curé ou d'un petit juge boutefeu, on peut douter que tous les réformés aient été enterrés dans les conditions précises définies par les Arrêts car les rites sociaux de passage ont la vie dure. On peut dire la même chose de l'Arrêt du 9/11/1670 limitant à douze le nombre des assistants autorisé à des mariages et des baptêmes réformés. Sans entrer dans les détails, nous noterons seulement que plusieurs Arrêts se sont attaqués aussi aux cimetières de « ceux de la R.P.R. », en obligeant à les déplacer — ce qui, une fois de plus, entraînait pour les communautés huguenotes les frais afférents à l'achat d'un nouveau terrain, pour ne rien dire de tous les douloureux problèmes humains créés par la nouvelle réglementation.

Enfin, on peut plus légitimement encore s'interroger sur les suites effectives d'une autre série de mesures : un Arrêt du 4/5/1663 *permet* aux curés, assistés d'un juge, de se présenter auprès des protestants gravement malades pour solliciter leur abjuration *in extremis:* il fut aggravé, deux ans plus tard par l'Arrêt du 12/5/1665, qui *requiert* des curés une telle démarche. Quelques prêtres fanatiques ont fait état de ces textes, mais, à pareille date à tout le moins, tous les curés étaient loin d'être aussi agressifs.

Est-il nécessaire de souligner les implications virtuelles de ces Arrêts ? Si la famille du mourant refusait au prêtre l'entrée de sa chambre, elle se mettait en contravention ; d'autre part, on conçoit l'ambiguïté des signes d'acquiescement ou de refus que pouvait donner un moribond, pour peu qu'il n'ait plus eu l'usage de la parole ou la tête claire...

Inspirés ouvertement par une bigoterie consternante, ces Arrêts montrent comment le souci maniaque d'une finalité, prétendue sainte, en arrivait à faire entièrement oublier les moyens employés. Au niveau du législateur, leur cruauté n'était plus un obstacle, mais on peut espérer qu'elle le demeura largement dans la pratique. D'ailleurs, sournoisement, de tels Arrêts visaient évidemment à multiplier les occasions qui pouvaient permettre de placer des huguenots en infraction et d'intenter des poursuites à leur encontre.

LES INSTITUTIONS RÉFORMÉES FRAPPÉES

Si les Arrêts que nous venons de citer ne pouvaient passer dans les faits, sur le terrain, que par la participation active des catholiques — et, en particulier, des curés —, à laquelle les autorités pouvaient inciter de leur mieux, sans être en état de l'assurer, d'autres mesures étaient plus faciles à exécuter, qui prohibaient la concertation entre les pasteurs ou la solidarité entre les communautés réformées.

Ainsi un Arrêt du 26/7/1657 interdit la tenue des colloques, échelon de l'administration des E.R.F. intermédiaire entre le Synode provincial et l'église locale, qui réunissait quelques pasteurs voisins ; or ces petites assemblées permettaient de résoudre une foule de problèmes mineurs, atténuaient l'isolement des pasteurs et les engageaient à se rendre mille services réciproques. La réunion des colloques devint seulement annuelle et dut se faire juste après la tenue du Synode provincial, ce qui étiola nécessairement une institution dont l'intérêt premier était la facilité et la relative fréquence de la concertation qu'elle permettait entre les pasteurs les plus voisins.

Un Arrêt du 15/9/1660 interdit aux Synodes provinciaux de délibérer en l'absence d'un commissaire royal — personnage jusque-là propre seulement aux Synodes nationaux. Certes on peut supposer que les discussions les plus délicates s'opéraient plutôt « dans les couloirs » — hors de portée des oreilles, et du commissaire, et de collègues tenus pour timorés, indiscrets ou même suspects de double jeu —, mais une atteinte sérieuse avait été portée au libre déroulement d'un synode. Un Arrêt du 5/10/1663 interdit toute correspondance entre des églises de provinces différentes et un autre Arrêt du 6/11/1665 interdit aux huguenots de subvenir à l'entretien d'un ministre étranger à leur localité.

La tactique est patente : il s'agissait d'affaiblir la solidarité huguenote et d'émietter les E.R.F. en isolant au maximum les communautés les unes par rapport aux autres. Bien sûr, la prohibition pouvait être tournée par le biais de lettres personnelles de pasteur à pasteur, mais, dans une civilisation aussi formaliste, ces expédients à la sauvette étaient péniblement humiliants, comme le fut assurément aussi la série de mesures qui priva les réformés de toute préséance ou signes honorifiques (dans les églises : Déclaration du 16/12/1656 ; au présidial de Nîmes : Arrêt du 10/9/1660 ; dans les exercices de fief : 24/3/1661 ; entre officiers : Arrêt du 25/2/1664 ; etc.). Il ne s'agissait pas seulement de couper les relations horizontales entre communautés réformées mais d'essayer de les décapiter, en faisant payer cher aux nobles et aux petits magistrats leur particularisme religieux[10].

A quoi il faut ajouter les multiples mesures à portée économique prises à l'encontre des réformés, quand dans diverses localités d'abord, puis peu à peu, partout dans le royaume l'exercice de certains métiers ou de certaines professions fut progressivement réservé à des catholiques. Par exemple, le 5/10/1663 deux procureurs nîmois, nominalement désignés, durent vendre leur charge ; le 24/10/1664 un Arrêt du Conseil décréta qu'il ne pourrait y avoir que deux monnayeurs huguenots à Rouen ; dans la même ville, le 3/12/1664 le Parlement

---

[10] Dans la civilisation du XVIIᵉ siècle, tout le monde accordait aux marques honorifiques et aux préséances une importance vitale ; les querelles entre fidèles réformés pour des questions de bancs sont fréquentes et les Anciens devaient veiller à empêcher une bousculade vers la table de communion lors des services de Sainte Cène, car plusieurs avaient souci de passer avant d'autres... La disparition de marque distinctive (bancs spéciaux, coussins fleurdelisés, blason, etc.) pour les magistrats et les gentilshommes dans les temples, ce qui les confondait avec le tout-venant, a été très péniblement ressentie par les privilégiés — au point qu'il n'est pas à exclure qu'elle ait encouragé certaines abjurations.

limite à dix le nombre des avocats réformés, puis, le 13/7/1665 décrète qu'on ne pourra recevoir de maître orfèvre réformé avant que le nombre en soit réduit à la quinzième partie du total des orfèvres rouennais (or il s'agissait d'un métier où les huguenots étaient nombreux).

Le Conseil privé n'était pas en reste : le 21/7/1664 il avait annulé rétrospectivement toutes les Lettres de maîtrise dans lesquelles aurait été omise la clause « religion catholique, apostolique et romaine », omission qui avait permis de recevoir des huguenots à la maîtrise dans beaucoup de corporations. Et le 21/8/1665, confirmant un Arrêt du Parlement de Paris, le Conseil exclut de la maîtrise les lingères huguenotes. La question des professions interdites a été bien étudiée et la liste en est fort longue[11].

On a commencé par restreindre le nombre des huguenots autorisés à exercer telle ou telle activité en même temps que, s'agissant de métiers, on les a exclus de l'échelon supérieur, la maîtrise. Puis, à la longue, ce fut toute une série d'occupations qu'il leur devint impossible (ou, du moins, illicite) d'exercer, et cela dans toute l'étendue du royaume. On peut compter sur les compétiteurs ou concurrents catholiques, qui avaient sollicité de tels Arrêts, pour avoir su veiller à leur exécution, quand leur teneur en précisait la portée au plan local.

Il en fut certainement de même pour les Arrêts qui accordaient un moratoire de trois ans pour le remboursement du capital des dettes des « nouveaux catholiques » (c'est-à-dire des huguenots qui venaient d'abjurer), mesure qui ne s'appliqua d'abord qu'au Pays de Gex (25/1/1662), puis fut étendue au Languedoc (16/8/1666) et à la Guyenne (21/1/1668). En période de récession économique, c'était offrir un répit aux commerçants huguenots acculés à la faillite, s'ils abjuraient ; on s'orientait donc déjà vers cet achat des consciences qui sera mis systématiquement en œuvre plus tard, avec la Caisse des Economats[12].

Il est établi aussi que les Arrêts concernant les écoles réformées ne sont pas demeurés souvent lettre morte. Ils débutent

---

[11] Cf. A. Th van DEURSEN, *Professions et métiers interdits : un aspect de l'histoire de la Révocation de l'Édit de Nantes*, Groningue, 1960. Cf. aussi *infra* IX, note 12, p. 209.

[12] Cf. *infra,* pp. 159-163.

le 16/1/1662 par l'interdiction du collège réformé de Pont-de-Veyle, la diminution très sensible du nombre des écoles élémentaires qui fonctionnaient jusque-là dans les lieux d'exercice du Pays de Gex et l'obligation imposée d'y limiter l'instruction dispensée aux rudiments. Le 4/5/1663, en vertu du même principe, à un Arrêt qui interdit plusieurs exercices en Provence s'ajoute en corollaire la fermeture des écoles qui en dépendaient.

Le 5/10/1663, c'est à tous les établissements réformés élémentaires qu'il est interdit d'enseigner plus que les premiers rudiments (et le 4/12/1671, il leur est défendu d'employer plus d'un seul maître)[13]. Les 17 et 28 novembre 1664, respectivement, les collèges réformés de Castres et de Nîmes sont autoritairement partagés avec les jésuites : les Pères fourniront le Principal et la moitié ou le tiers des régents. La Compagnie veilla, on s'en doute, à l'exécution d'Arrêts dont elle avait été l'inspiratrice et qui promettaient à plus ou moins long terme l'éviction future des enseignants réformés, selon le mécanisme des œufs de coucou pondus dans un nid de mésanges...

Notons que la parfaite uniformité des programmes de tous les collèges, non seulement en France, mais dans toute l'Europe occidentale, rendait facile, quant à l'organisation de la scolarité, des partages, ô combien épineux, sur le plan humain. Il est clair que les autorités se désintéressaient de l'enseignement élémentaire et n'hésitaient pas à abolir ce qui en existait, sans le remplacer ; en revanche, les jésuites disposaient d'un réservoir inépuisable d'enseignants et souhaitaient mettre le pied dans les collèges protestants, avec l'espoir raisonnable de s'en emparer totalement assez vite.

Il nous faut encore citer une Déclaration d'avril 1663, concernant les relaps, précisée par celle du 20/6/1665 ; elles prévoyaient pour qui abandonnerait le catholicisme après s'y être converti, une peine de bannissement, étendue aussi aux religieux et aux prêtres qui passeraient à la Réforme.

Nous arrêterons là une litanie qu'il serait facile de pour-

---

[13] Cependant — bel exemple d'inapplication des Arrêts entre mille autres — on voit en 1676 les protestants de Gap embaucher en toute innocence un maître de Latin. Très majoritaires dans la ville, les catholiques, sans doute, tout aussi peu informés, ne s'y opposent en rien et le maître restera en place jusqu'en 1684. Cf. *op. cit.*, (*supra* IV, note 6), p. 149.

suivre longuement car nous n'avons mentionné qu'une petite partie des mesures qui s'abattirent sur la R.P.R. entre 1661 et 1669. Même si nombre d'entre elles ne furent que peu ou pas mises à exécution, celles qui passèrent vite dans les faits restent abondantes : outre un certain nombre de spoliations pures et simples, elles apportèrent des entraves préjudiciables aussi bien, déjà, aux activités professionnelles des huguenots qu'à leur pratique religieuse, à bien des égards, et même à leur vie familiale. Dès 1670, l'Édit de Nantes n'a plus été appliqué que si partiellement — et avec tant de précarité — qu'on n'est pas loin de pouvoir le considérer comme pratiquement « révoqué ». Reste que, formellement, il n'était toujours pas mis en cause.

LES DÉCLARATIONS CONTRADICTOIRES de 1666 ET 1669

Il faut distinguer des sentences des Parlements et des Arrêts du Conseil privé, qui tranchent des litiges et portent sur des points limités, les Édits, qui légifèrent et les Déclarations royales, en plusieurs articles souvent, qui interprètent des textes antérieurs et semblent avoir été largement diffusées. La reine-mère, Anne d'Autriche, qui mourut le 20/1/1666, était devenue fort dévote sur ses vieux jours et à son lit de mort, elle supplia son royal fils de satisfaire à toutes les demandes présentées l'année précédente par l'Assemblée du Clergé. Nous l'avions dit[14], ces Assemblées quinquennales, qui accordaient à la couronne un « don gratuit » très substantiel et que la Cour s'efforçait à la fois de manipuler et de ménager, présentaient leurs doléances au roi et se plaignaient douloureusement auprès de ce redresseur de torts par excellence, d'être les perpétuelles victimes des usurpations et des insolences huguenotes — tactique bien plus indiquée qu'une attaque frontale contre l'Édit de Nantes, qui aurait empiété sur les prérogatives du monarque.

Habituellement, des suppliques de l'Assemblée du Clergé (qui demandaient le plus pour avoir le moins et dont

---

[14] Cf. *supra* III, p. 62.

l'outrance maximaliste n'échappait à personne), une partie seulement était satisfaite par le Conseil, mais — Louis XIV était lié par la promesse faite à sa mère mourante — le 2/4/1666, une Déclaration royale insolite donna satisfaction à toutes les requêtes présentées par l'Assemblée du Clergé, en même temps qu'elle réitéra ou aggrava une quantité d'Arrêts antérieurement pris. Il y avait là un avertissement atterrant pour la R.P.R. : le roi avait abandonné toute apparence d'être un arbitre et prenait sans réserve aucune le parti des ennemis les plus acharnés des réformés ! Pourtant, il allait encore s'écouler près de vingt ans avant que l'Édit de Nantes soit formellement révoqué.

En effet, le jeune monarque assoiffé de gloire, l'attendait surtout de sa politique étrangère ambitieuse et guerrière. Or, pour mener à bien celle-ci, il ne fallait pas trop effaroucher l'opinion anglaise (puisque Charles II n'avait pas les coudées aussi franches que son cousin de France les lui aurait souhaitées), mais surtout, les Princes allemands, pions essentiels de la politique étrangère française. Il est lourd de signification qu'en août 1666 le Grand Électeur de Brandebourg (rappelons que les Hohenzollern étaient calvinistes) ait écrit à Louis XIV pour plaider la cause de ses coreligionnaires de France — reprenant un peu le rôle joué naguère par Cromwell — et surtout, que la réponse qui lui fût faite, ait été conciliante et rassurante[15]. Cet incident, parmi d'autres, contribua assurément à ralentir la politique anti-huguenote de la Cour de France, ou, du moins, à écarter quelque peu les autorités des méthodes à couleur juridique avec lesquelles elle avait surtout été menée.

Le 1/2/1669, une nouvelle Déclaration « portant règlement des choses qui doivent être gardées et observées par ceux qui font profession de la R.P.R. », en 49 articles, annulait plusieurs des mesures antérieurement prises et semblait si bien promettre du répit aux réformés qu'on y a vu parfois un « second » Édit de Nantes ; il était très en retrait sur les concessions faites aux protestants par le premier, mais au moins paraissait-il leur garantir un minimum de stabilité — et donc

---

[15] Cf. un extrait de sa teneur dans Élie BENOIST, *Histoire de l'Édit de Nantes*, III (3), pièce annexe V, 2, p. 7. Pour plus de détails sur la divulgation de cette lettre, cf. Pierre BAYLE, *Ce que c'est que la France toute catholique...*, rééd. de 1973, p. 113-114, note 92.

de sécurité — et mettre fin à cette avalanche d'Arrêts du Conseil qui les avait secoués depuis dix ans.

Quand elle se réunit, en 1670, l'Assemblée du Clergé se plaignit amèrement du changement de cap apparent de la Cour. Il s'explique parce que, comme sous le règne de Louis XIII — et comme cela restera encore vrai au XVIIIe siècle — en période de guerre, les problèmes de politique intérieure passaient au second plan. Or, rappelons-le, en 1667, c'est la Guerre de Dévolution et très vite après cela, Louis XIV envisagea d'attaquer les Provinces-Unies, ce qu'il fit au printemps 1672.

En août 1669, un Édit d'allure générale mérite l'attention ; même s'il concerne en principe tous les sujets du roi, à qui celui-ci interdit formellement de quitter la France sans autorisation, il n'est pas douteux qu'il vise avant tout les réformés. En effet les brimades de la décennie précédente en avaient déjà incité quelques-uns à émigrer dans des pays protestants, ce qui ne faisait pas l'affaire des autorités ; elles souhaitaient purger le royaume des réformés, mais en les catholicisant, non en leur permettant de s'exiler. Le souvenir des pertes encourues par l'Espagne quand elle avait mis en demeure les Juifs qui ne voudraient pas abjurer de quitter la Péninsule était présent à l'esprit des autorités françaises...

Comme tant d'autres, l'Édit qui prohibait l'émigration n'était que dissuasif : même quinze ans plus tard et en dépit d'un considérable effort pour fermer hermétiquement les frontières, les huguenots réussirent à fuir la France par dizaines et dizaines de milliers[16]. L'Édit de 1669 — dont nous verrons[17] qu'il fut repris par plusieurs Déclarations en 1681, 1685 et 1686 — n'en est pas moins significatif et il est assez probable

---

[16] Le 13/9/1681, de Paris qu'il s'apprête à quitter pour Rotterdam, Pierre BAYLE informe son frère aîné, le pasteur Jacob Bayle, de ce qu'on sait de la situation aux frontières car leur frère cadet, proposant, devait partir pour Genève : « on n'arrête point les gens de son âge. Quand on voit un père qui se retire avec toute sa famille et surtout, avec de petits enfants, on les arrête ; mais on ne défend pas d'envoyer hors du royaume des enfants qui ont seize ans passés » (Œuvres Diverses², I B, p. 127 b-128 a). Le renseignement était exact et aussi bien Pierre (près de ses 34 ans) que Joseph, qui avait neuf ans de moins, purent quitter la France sans encombre.

[17] Cf. *infra,* p. 157, VIII, p. 189 et IX, p. 207.

que parmi les multiples motifs de la Déclaration antérieure, du 1/2/1669, qui fixait apparemment un statut restrictif, mais stable, à la R.P.R. dans le royaume, ait joué celui de rassurer ceux des huguenots que les tracasseries multiples qui les assaillaient poussaient à songer à s'expatrier.

LES RÉACTIONS HUGUENOTES

On conçoit en effet le malaise — inquiétude et ressentiment — qui gagnait les réformés français. On retrouve parmi eux les anciennes lignes de fracture entre le Nord de la Loire et le Midi. Ainsi Jean Bruguier, pasteur de Nîmes, osa y publier en 1663 un *Discours sur le chant de pseaumes,* qui, bien entendu, contestait l'interdiction faite aux huguenots de s'y livrer en dehors des temples. L'évêque de Nîmes entreprit des poursuites et l'opuscule fut condamné au feu (et réédité presque aussitôt à Genève), tandis que le pasteur se voyait sanctionné par un bannissement d'un an hors de la Province, assorti d'une suspension du ministère pour la même durée.

Au nord, on était plus réaliste et plus diplomate : dans un sermon prêché à l'occasion d'un Synode provincial, à Quévilly (Rouen), le 10/6/1663 par Pierre Du Bosc, intitulé « Les estoiles du ciel de l'Église » (sur Apoc. 1, 16), l'éloquent pasteur de Caen incite en conclusion son auditoire à prendre une part active aux réjouissances publiques qui célébraient une guérison récente de Louis XIV après une sérieuse maladie. A en croire l'orateur « si quelques-uns nous travaillent et rendent notre condition amère, c'est contre l'intention de cet équitable et généreux Prince... ». Les réformés ne peuvent exprimer leur joie de son rétablissement par « des *Te Deum* magnifiques », mais il faut que leurs actions de grâces éclatent dans les temples... Prêché durant un Synode par un des pasteurs les plus prestigieux de Normandie, cette partie du sermon a tout l'air de donner délicatement certains conseils à son auditoire. On ne saurait exclure qu'il y ait eu des huguenots pour qui l'issue fatale de la maladie d'un roi qui laissait molester si constamment la R.P.R. depuis des années ou même qui inspirait une telle politique n'aurait pas semblé une catastrophe — et qui pouvaient être assez maladroits pour laisser transparaître leurs sentiments intimes...

Face aux coups qui leur étaient portés, les réformés ne pouvaient que multiplier les combats juridiques d'arrière-garde, les placets et les suppliques, mais les procédures engagées, si elles aboutissaient souvent à des surséances — à la suspension temporaire de la mesure qui les frappait jusqu'à une future sentence en appel — ne s'achevaient que bien rarement en victoire pour leur cause.

Par ailleurs, les dures brimades des années 1661-1669 ne réduisirent pas seulement de l'extérieur le nombre et les privilèges des communautés huguenotes ; elles eurent aussi des conséquences internes dommageables. Leur situation de plus en plus délicate poussait inévitablement les réformés à un repliement frileux sur soi, assorti d'une vigilance soupçonneuse envers d'éventuels faux frères. La sévérité des sanctions prises à Saumur à l'encontre d'Isaac d'Huisseau — un pasteur intempestivement irénique, mais innocent de toute connivence politique suspecte — est un des premiers signes d'une sorte de durcissement intégriste stérilisant au sein de l'Académie et des E.R.F. en général[18]. Accablées d'épreuves, elles se crispaient sur une rigidité théologique grandissante, ennemie de toute recherche innovatrice comme celle qu'avait inspirée à d'Huisseau l'influence du cartésianisme. Les réformés français commençaient à asphyxier, et pour une part, non parce qu'on les étouffait, mais parce qu'ils n'osaient plus respirer.

Jean Claude, le brillant pasteur de Charenton, avait vaillamment pris la plume pour défendre la Réforme[19] contre les meilleurs controversistes catholiques du siècle, Arnauld et Nicole, à qui la Paix de l'Église, qui assoupit pour quelques années le conflit janséniste, avait laissé un répit qu'ils employèrent à attaquer le protestantisme.

Jusqu'à son dernier souffle, Claude allait être le plus grand champion des réformés français et pourtant, ce partisan d'Amyraut, en vieillissant, n'hésita pas à devenir quelque peu

---

[18] Cf. Richard Stauffer, *L'affaire d'Huisseau,* Paris, 1969.

[19] Cf. *Défense de la Réformation, contre le livre intitulé « Préjugez légitimes contre les calvinistes »,* Quévilly (Rouen), 1673. Claude y réfutait la méthode de « prescription » imaginée par Pierre NICOLE pour combattre les réformés dans un livre paru en 1671.

inquisiteur au sein de sa propre confession. Les menaces dramatiques qui, du dehors, se dessinaient contre les E.R.F. créaient, par contre-coup, la nécessité tactique de reconnaître au pasteur de Charenton une autorité de fait (on le surnomma « l'empereur Claude ») qui le porta à canoniser ses propres positions théologiques, celles de tout novateur devenant suspectes de trahison virtuelle. Et comme il n'y avait plus de Synodes nationaux et que l'heure était grave, Claude participa à des manœuvres, pour le moins, déplaisantes, afin de manipuler l'opinion de divers Synodes provinciaux. Quand le malheureux Pajon, pasteur d'Orléans, vit ses thèses théologiques condamnées par trois d'entre eux, presque simultanément, en 1677, a-t-il su que tout avait été manigancé entre Claude, Du Bosc et Jurieu, qui s'étaient rencontrés secrètement pour harmoniser leurs violons[20] ?

Ces intrigues douteuses était la lourde rançon qu'entraînaient les entraves mises par les autorités civiles au libre et loyal fonctionnement des institutions réformées. Obligés d'agir dans la pénombre, les pasteurs français les plus engagés dans la défense des E.R.F. ont aisément confondu à leur insu leurs propres préjugés avec les intérêts vitaux de la R.P.R. Il était tentant de penser que si la Providence divine permettait que le protestantisme français fût si durement éprouvé, c'était le signe qu'il avait été trop laxiste dans sa théologie. Mais, après trois siècles, il semble bien que la condamnation des thèses spéculatives de Pajon n'avait guère à voir avec la sauvegarde des E.R.F...

Simplement, recroquevillées sous les coups qu'elles recevaient, elles se cramponnèrent à une orthodoxie rigide et chatouilleuse, qui devait régner encore plusieurs années au Refuge, avant que la théologie réformée de langue française ne finisse par retrouver la souplesse de la vie et par accompagner l'évolution de la culture séculière, sans plus se fossiliser.

---

[20] Cf. op. cit. (*supra* III, note 12), p. 155, note 94.

LA GUERRE DE HOLLANDE ET LE RALENTISSEMENT DES AGRESSIONS FRONTALES CONTRE LES E.R.F.

En mai 1672, les armées françaises passèrent le Rhin et envahirent les Provinces-Unies. Dans les premières semaines de cette guerre d'agression, elles arrivèrent aux portes d'Amsterdam. On peut légitimement douter qu'au fond d'eux-mêmes les huguenots les mieux informés aient partagé sans réserve l'enthousiasme guerrier vicariant de leurs compatriotes catholiques : Louis XIV en effet s'attaquait — avec, il est vrai, la protestante Angleterre pour alliée — à l'un des bastions les plus sûrs de la Réforme en Europe.

Si passionnément monarchistes, si naïvement proto-nationalistes, si bellicistes qu'aient été les Français du XVIIᵉ siècle, une partie des élites huguenotes n'en avait pas moins, nous l'avions dit, un sens assez aigu des intérêts de « l'internationale calviniste »... Tout en célébrant comme tout le monde en France, les victoires du Roi Soleil, plus d'un réformé a dû discerner le doigt de la Providence dans le redressement spectaculaire de la situation de la Hollande après août 1672 !

La guerre allait devenir européenne, coûteuse et durer jusqu'en 1678 et aux traités signés à Nimègue. A certains égards, elle confirma le répit que la Déclaration du 1/2/1669 avait apporté aux protestants français. La pluie des Arrêts du Conseil s'interrompit presque totalement. Signalons toutefois celui du 20/1/1673 qui assimila aux E.R.F. les églises réformées de la Principauté de Sedan — annexée bien après l'Édit de Nantes — ce qui, comme ç'avait été le cas autrefois de celles du Béarn et, plus récemment, de celles du Pays de Gex, leur ôtait un statut particulier qui leur était bien plus favorable que les termes de l'Édit de Nantes — ou de ce qui en restait en vigueur.

Notons aussi celui du 11/9/1677, concernant le pasteur de Soubize, aussitôt (23/9/1677) étendu par l'Intendant d'Aunis à tous les ministres de son ressort, qui assujettissait ceux-ci au paiement de la taille pour certains de leurs biens. Vétille minime, certes, comme aussi l'interdiction faite aux réformés de prendre la qualité de « fidèles », mais qui montre que le Conseil se gardait de désavouer un Intendant agressif et bigot.

Toutefois, nous allons le voir, l'oppression du protestantisme français pouvait se poursuivre par d'autres voies que celle d'un juridisme maniaque.

Un premier exemple va nous aider à apprécier la réalité d'un certain ralentissement des agressions frontales. En mai 1671, au Synode provincial de Basse-Guyenne, tenu à Nérac, fut discuté le cas de plusieurs exercices de la province, frappés d'interdit et dont les temples étaient fermés ou démolis. Le pasteur de Bergerac, Joseph Asimont (ou Azimont, 1618-1688) proposa de continuer les cultes dominicaux en prêchant en plein air, sur les « masures » (ruines) des temples abattus ou à côté de l'édifice fermé par les autorités ; son éloquence entraîna « un torrent de jeunes ministres » à opiner dans un sens que semblait en effet commander l'article XXVI de la Confession de foi[21].

Le commissaire royal, Jacques de Bénac, s'indigna et la délibération ci-dessus ne fut pas inscrite sur le registre des Actes du Synode ; elle devenait donc en principe nulle et non avenue. Le modérateur du Synode, Alexandre Brissac, ministre de Nérac, interrogé ultérieurement par l'Intendant d'Aguesseau, nia avoir dit au cours de la discussion que le salut et conservation des églises ne dépendaient que « de leur vigueur et fermeté » et assura avoir seulement affirmé que ce salut dépendait « de leurs prières et de leur patience » — une formule à laquelle l'Intendant n'avait rien à reprocher, mais on peut suspecter la mémoire du pasteur de n'avoir pas été parfaitement fidèle. Il est assez possible qu'en dépit de la présence du commissaire royal, les orateurs aient été imprudents.

La suggestion faite par Asimont fut adoptée par trois jeunes pasteurs pleins de zèle, bien qu'elle ne figurât plus dans les Actes du Synode : Pierre Royère, à Issigeac, Simon Canolle, à Gours et Isaac-Louis Malide à La Bastide d'Armagnac eurent l'audace de prêcher en plein air à côté, ou des ruines du temple, ou de l'édifice encore debout, mais fermé. L'Intendant intenta contre eux des poursuites (et contre un de leurs collègues, Jean Bailin, ministre de Lanquais, finalement relaxé), sous l'inculpation d'assemblées illicites. Ils furent

---

[21] Cf. *supra* note 8, p. 134.

emprisonnés ainsi que les principaux des fidèles qui les avaient suivis.

En juin 1672, le verdict de d'Aguesseau les frappa tous de lourdes peines : les trois pasteurs étaient bannis à perpétuité du royaume, leurs biens étaient confisqués et ils devaient faire amende honorable... En marge du texte de cette condamnation[22] des annotations de l'Intendant cherchent à justifier la sévérité du jugement : « ... ceux de la R.P.R. n'ont esté receus dans le royaume et l'exercice de leur religion permis, qu'à condition d'y estre soumis aux ordres du Roy et d'observer ce qui leur sera prescript par les Édits, et ainsy, lorsqu'ils y contreviennent en un point si essentiel, ils se rendent indignes et doivent être privés de la grâce que S.M. leur fait de les tolérer dans son royaume ».

On ne peut mieux décrire la précarité absolue de la condition des sujets huguenots du Roi Soleil aux yeux des agents de la couronne : il n'y a plus traces de droits acquis par leur naissance ou des privilèges « perpétuels » garantis par l'Édit de Nantes ; ils ne peuvent attendre qu'une tolérance de fait résultant du bon plaisir d'un monarque qui peut à son gré en rétrécir la portée ou même y renoncer.

D'Aguesseau par ailleurs justifie la peine de bannissement perpétuel qu'il avait prononcée contre les trois ministres par l'Ordonnance de Roussillon — Édit de réforme de la justice — de 1564 ; s'il y a ajouté l'amende honorable, c'est explique-t-il « pour rendre la condamnation plus éclatante et imprimer plus de terreur dans l'esprit des autres ministres », car il observe que « d'ailleurs le bannissement seul n'eust pas esté une grande peine pour eux, parce qu'ils seront reçus à Genève comme des martyrs de leur religion ». Au surplus, la préméditation que d'Aguesseau appelle « deliberration » — et la concertation dans « la desobeyssance au Roy » appelaient, à en croire l'Intendant, une telle aggravation de la sanction.

D'Aguesseau d'autre part se défend d'avoir songé à trancher par son verdict « la question du temple d'Issigeac, qui ne peut être décidée qu'au conseil », devant lequel elle avait été portée antérieurement. Il est visible que les avocats huguenots avaient tenté de mettre l'Intendant en difficulté en l'accusant

_____

[22] A.N. TT 245, xi.

d'avoir outrepassé ses pouvoirs et empiété sur les prérogatives du Conseil ! D'Aguesseau fournit une précision, à savoir, que le temple d'Issigeac ayant été fermé à deux reprises, « ceux de la R.P.R. » l'avaient rouvert par deux fois, ce qui lui paraissait justifier que l'édifice fût rasé « de la même manière qu'on démolit des murailles des villes rebelles », sans que cette sanction préjuge de l'avenir de l'exercice, qu'il appartient au seul Conseil de fixer. Au passage, l'Intendant ajoute des détails suggestifs : « Une autre raison encore obligeait à faire raser le temple, c'est que quoique le ministre d'Issigeac et plusieurs principaux habitans soient prisonniers et quoyque la compagnie des gardes de M. le Maréchal d'Albret y soit en garnison depuis longtemps, néanmoins ceux qui y restent ont eu jusqu'à présent ceste opiniastreté de ne vouloir pas déclarer, comme ont fait ceux d'Aymet et de Montpazier, que quand ladite compagnie sera retirée, ils cesseront l'exercice public de leur religion. »

Nous trouvons donc ici une dragonnade, pour ainsi dire, à l'état naissant : logement de troupes chez les réformés, dont ceux-ci savent qu'ils ne seront délivrés que par la promesse de renoncer à l'exercice public de la R.P.R. dans leur bourgade, même quand la présence des soldats n'y apporterait plus d'empêchement. Comme on le sait, plus tard, la condition du départ des dragons sera plus dure encore : l'abjuration.

Il est instructif d'apprendre que les réformés d'Aymet et de Montpazier, moins têtus que ceux d'Issigeac, ont cédé et promis à l'Intendant de s'incliner devant le verdict qui interdisait l'exercice de la R.P.R. dans leur village, une fois que seraient parties les troupes qui *manu militari* en assuraient jusque-là l'exécution. Il est clair que si, partout, les réformés avaient refusé de collaborer avec les autorités par des engagements, celles-ci auraient été embarrassées, car elles ne disposaient pas de forces de police suffisantes pour occuper à la fois tous les villages aux exercices interdits ; nous verrons[23] Claude Brousson, en 1683, chercher à profiter de cette leçon.

Mais, en fait (et qui aurait l'outrecuidance de le leur reprocher ?), les huguenots n'imitèrent guère la forme de résistance non violente de ceux d'Issigeac en 1672, qui leur deman-

---

[23] Cf. *infra* VIII, pp. 184-188.

dait non seulement de surmonter la peur de la ruine (on sait ce que coûtait à leurs hôtes l'hébergement des soldats), mais encore leur sentiment que désobéir à un représentant du roi était criminel...

Nous venons de voir le verdict de l'Intendant, mais rien n'illustre mieux la complexité des choses que d'indiquer que le Conseil du roi, devant lequel il avait été interjeté appel de cette sentence, allait l'adoucir très sensiblement ; les trois pasteurs, en effet, ne furent bannis que de la Province et pour cinq ans seulement : en 1677, on les y retrouve ministres, Royère à Coutras, Canolle à Gontaud et Malide, à Casteljaloux... Il ne fut plus question d'amende honorable ni de confiscation de biens et il est archi-probable que les énormes pénalités financières, également édictées par d'Aguesseau (et qui paraissent singulières s'ajoutant à la confiscation des biens...) ont été fort allégées, sinon supprimées. Dans cet exemple, l'appel au Conseil s'est donc soldé par une considérable atténuation des sanctions.

Faut-il soupçonner une sorte de répartition des rôles, les Intendants se livrant, en première instance, à des jugements féroces que le Conseil se réservait de tempérer en appel, la clémence apparaissant comme une prérogative du roi ? Quoi qu'il en soit, cet épisode montre qu'il faut se garder de simplifier à l'excès en déniant toute base réelle aux espoirs tenaces que les huguenots conservèrent si longtemps dans leurs appels au Conseil.

Il nous faut encore rapporter quelques incidents ultérieurs, qui, eux aussi, invitent à nuancer l'analyse. Joseph Asimont était très bien vu à la Cour à cause de son loyalisme déclaré durant la Fronde : il avait même reçu, à l'époque, une lettre du roi, datée du 21/4/1654, qui l'en remerciait[24] et il était en bons termes avec le Maréchal d'Albret, gouverneur de la Province.

Son discours enflammé au Synode de Nérac lui valut cependant des ennuis, mais ce fut de la part de ses collègues ! Au Synode de 1673, on remit sur le tapis une accusation ancienne touchant ses mœurs qui avait été écartée près de vingt ans plus tôt et à celui d'octobre 1675, tenu à Sainte-Foy-

---

[24] Cf. *B.S.H.P.F.*, II (1853), pp. 50-51.

la-Grande, il fut bel et bien suspendu. En fait, il y a tout lieu de le penser, ses collègues lui gardaient rancune du danger qu'il avait fait courir aux jeunes pasteurs qui l'avaient suivi, alors que ses bons rapports avec les autorités le mettaient lui-même à l'abri.

Mais cette condamnation d'Asimont n'avait pu être acquise que dans des conditions irrégulière, en l'absence de Vigier, le commissaire royal — qui était probablement sorti quand il avait vu qu'il ne pourrait l'empêcher. Aussi le 20/12/1675 un Arrêt du Conseil[25] cassa-t-il les délibérations synodales qui avaient abouti à la suspension d'Asimont et interdit-il aux pasteurs Henri Latané et Alexandre Descayrac, principaux animateurs des « brigues et caballes » dirigées contre le ministre de Bergerac, de siéger au Synode suivant. Celui-ci ne s'assembla qu'en 1677 et se contenta de réduire la suspension d'Asimont aux limites de la Province, ce qu'il osa sans doute parce que, le Maréchal d'Albret étant mort entre temps, la protection dont avait joui jusque-là l'ancien pasteur de Bergerac avait disparu. Quasi-sexagénaire, pauvre et chargé de famille, celui-ci avait passé dans l'enseignement ; ce fut seulement une fois arrivé au Refuge qu'il retrouva un ministère pastoral en Hollande.

Mais n'est-il pas suggestif de voir un pasteur qui n'abjurera pas à la Révocation faire encore jouer, dix ans plus tôt, le Conseil du roi à l'encontre d'une décision synodale ? car il n'est pas douteux qu'Asimont est au moins pour quelque chose dans la réaction des autorités, même si leur vigueur a certainement dépassé ce qu'il souhaitait : le secrétaire du Synode sanctionné, en effet, Ducros, fut un temps emprisonné à Agen et les députés que le Synode avait malencontreusement envoyés à Bordeaux, pour demander la modification de l'Arrêt du Conseil, y furent incarcérés pour une courte période au Château-Trompette.

De cet épisode il apparaît que bien longtemps les réformés n'ont pas envisagé la couronne comme leur adversaire et ont continué à voir dans le roi un arbitre et un redresseur de torts. Rétrospectivement nous percevons tout ce qu'une telle image du Prince a comporté d'illusoire mais il faut se garder d'aller

---

[25] A.N. E 1781, 261.

jusqu'à nier qu'elle ait eu quelque fondement. Le Conseil est longtemps demeuré un recours — de plus en plus aléatoire cependant — contre les décisions des Parlements ou des Intendants.

LES ABJURATIONS INDIVIDUELLES

Pendant la Guerre de Hollande le nombre des contestations nouvelles d'exercices réformés diminua vertigineusement. Les Commissions avaient fait le plein de cas douteux et les appels interjetés par les protestants en cas de partage (à savoir, quand les deux commissaires étaient en désaccord) occupèrent le Conseil pendant des années et se soldèrent le plus souvent par l'interdiction.

Par ailleurs, toujours aussi désireuse de réduire la R.P.R., la Cour s'attachait à susciter des abjurations individuelles de notables. Celle de Turenne, en 1668, enleva aux E.R.F. le plus prestigieux de leurs fidèles ; habilement ménagée par Bossuet et assurément authentique et sincère, elle doit beaucoup à l'absolutisme de l'homme de guerre que la Révolution anglaise avait horrifié[26]. Beaucoup d'autres la suivirent dans les milieux qui touchaient de près ou de loin à la Cour.

Les autorités se préoccupaient de progresser dans cette voie et de laminer la mince couche des notables huguenots — ce qui, quand il s'agissait d'un seigneur haut-justicier, supprimait automatiquement l'exercice de fief de son château. Or les privilégiés étaient singulièrement vulnérables. Le fidèle huguenot

---

[26] Pour huguenots qu'ils fussent, les grands seigneurs étaient toujours des monarchistes passionnés. En 1621, ROHAN, furieux devant la résistance opposée par certains pasteurs à une paix avec la Cour leur avait crié « Vous n'êtes que des républicains ! », insulte suprême (cf. BATIFFOL, art. cité *supra* V, note 5, p. 560). A un plus haut degré encore, c'était vrai de Turenne qui dans une lettre à sa femme du 6/4/1660 lui relate que selon l'Intendant Bezons parmi les réformés méridionaux « il y a des esprits qui sont pleins des guerres de M. de Rohan et dans des maximes qui ne compatissent pas avec la tranquillité d'un État formé comme celui-ci » — à savoir, d'une monarchie. Cf. *Collection des Lettres et Mémoires... de* TURENNE, éd. Grimoard, Paris, 1782, in-fol, I, p. 329. La conversion ultérieure (1668) de Turenne au catholicisme sera largement commandée par l'horreur que lui inspiraient les « maximes » politiques de certains protestants anglais, ce qui le conduisit à douter du bien fondé de leur théologie.

de base était un être anonyme, mais les élites sociales réformées étaient partout repérées et même pour ainsi dire répertoriées.

Jusqu'en plein XVIIIᵉ siècle, elles allaient continuer à être les victimes d'élection d'un des procédés les plus cruels mis en œuvre : les enlèvements d'enfants, opérés par lettres de cachet, le roi confiant les mineurs ôtés à leurs progéniteurs à des éducateurs catholiques, tantôt des membres de leur parenté, tantôt des religieux (couvents pour les filles, collèges jésuites pour les garçons). Comme c'étaient les parents qui devaient assurer une pension pour l'éducation des enfants qu'on leur arrachait, le peuple échappait à une forme de persécution qui, si elle entraîna bien des abjurations, incita par ailleurs puissamment beaucoup de notables à envoyer leurs fils, souvent encore très jeunes, étudier à l'étranger (Genève, Hollande, etc.) et, plus tard, à quitter eux-mêmes la France. Ce fut assez tard, le 17/6/1681 seulement, qu'une Déclaration interdit formellement aux sujets du roi de faire quitter la France à de très jeunes garçons dans l'intention de les faire étudier dans des collèges réformés hors du royaume.

De toutes façons, la Cour disposait de multiples moyens pour faire pression sur un notable huguenot. En voici un exemple. Les Aliès étaient une famille connue et cossue de Montauban, dont plusieurs membres avaient occupé ou occupaient des charges de finance et de magistrature dans la province. Antoine d'Aliès, devenu baron de Caussade, se retrouvera plus tard au Refuge avec six de ses sept enfants ; le dernier avait été confié à son oncle, Samuel, qui avait abjuré en 1675 dans un contexte bien particulier, nous allons le voir.

Il était connu de Colbert car ce brasseur d'affaires était, en 1672, fournisseur de la Marine. Il était simultanément propriétaire de l'office des tailles de l'Élection de Montauban, mais « étant de la R.P.R. », il ne lui fut plus permis d'y exercer les fonctions de receveur[27]. Il s'occupait aussi alors d'une fonderie en Bourgogne dans laquelle il se trouvait associé à un ingénieur néerlandais dont la défection, à la suite de la Guerre de Hollande, plaça d'Aliès dans une situation économique et juridique difficile. Colbert favorisait les entrepreneurs, mais il

---

[27] *B.S.H.P.F.* LXXXV (1936), p. 475-476.

savait aussi faire sa cour au roi en encourageant des abjurations. Le ministre mit d'Aliès au pied du mur et signala ce cas prometteur au cardinal Le Camus ; très actif en la matière, l'évêque de Grenoble s'efforça d'arracher d'Aliès à la religion de son enfance. Modestement, quand il peut annoncer à Colbert avoir réussi[28] le cardinal reconnaît poliment « cette conversion est un effet de vos soins ».

Ce qui est certain, c'est qu'elle arrangea radicalement les affaires du Montalbanais et en assura la fortune ultérieure : on le trouve un peu plus tard « directeur des fonderies de Bourgogne et de Lorraine », « maître de la Chambre des deniers du roi », puis « Trésorier général du Dauphiné » et, nous allons le voir bientôt, il joignit à toutes ces activités celle de collaborateur de Pellisson dans l'administration de la Caisse des Economats.

Du côté réformé, on avait vite redouté que la situation précaire des affaires de d'Aliès ne l'incite à abjurer. Monsieur Claude lui-même correspondit avec lui de novembre 1674 à février 1675 pour tenter de le retenir dans la confession de sa naissance[29] : ce fut peine perdue. Il serait imprudent, toutefois, d'expliquer la défection de Samuel d'Aliès par de purs intérêts mondains : il est significatif qu'elle ait demandé de longs mois. Le Camus se donna du mal pour attirer d'Aliès au catholicisme et composa même à son intention un petit *Traité de l'eucharistie* dont on trouve le texte — entrecoupé par les réponses faites aux arguments du prélat par le pasteur de Charenton — au début des *Œuvres posthumes* de Jean Claude, publiées à Amsterdam en 1688.

Samuel d'Aliès balança pendant des semaines, mais, comme tant d'autres dans le même cas que lui, après avoir abjuré, il devint bigot et s'évertua tout spécialement à obtenir la conversion de ses anciens coreligionnaires. Il finit d'ailleurs par entrer dans les Ordres où ses sympathies jansénistes nuisi-

---

[28] Cf. lettres du 21 et du 27 août 1675, in *Lettres inédites*, de Le Camus, éd. par Claude FABRE, 1933, p. 105-107.
[29] cf. *Œuvres posthumes de M. CLAUDE*, Amsterdam, 1688, I, p. 147-166, lettres à M. D[Aliez] d[e] l[a] T[our]. Le *Traité de l'eucharistie* précède, pp. 1-136.

rent à sa carrière[30]. En 1701, à Montauban, où il était revenu passer ses vieux jours, il publia une *Conférence sur l'eucharistie* — opuscule rarissime dont on peut présumer qu'il a largement démarqué l'ancien petit traité de Le Camus.

L'histoire personnelle du Montalbanais récuse, comme nombre d'autres, une interprétation simpliste et polémique ; dans le cas de Samuel d'Aliès et de beaucoup de ses émules, le passage au catholicisme a toutes chances de n'avoir été, initialement, ni un geste purement vénal, ni une décision exclusivement déterminée par des arguments théologiques : les deux ordres de considérations se sont renforcés, l'un l'autre, on peut le penser, mais il serait bien présomptueux de prétendre savoir lequel, au plan conscient, a été décisif. Et il est patent qu'à la longue, la crise a attisé la dévotion. Il y avait une part considérable de vérité pyschologique dans la thèse des convertisseurs quand ils soutenaient que même les conversions dont la sincérité restait douteuse ne préjugeaient pas de l'avenir et que la pratique régulière du catholicisme finissait souvent par porter ses fruits.

LA CAISSE DES ÉCONOMATS

Cependant, toutes les abjurations de huguenots de ces années-là n'ont pas couronné de longues semaines d'hésitation, mobilisé un cardinal et un pasteur de Charenton, ni assuré une belle carrière ultérieure au transfuge ! A l'égard des humbles, à qui on n'attribuait pas un exigeant point d'honneur, capable de requérir qu'une conversion demandât des délais afin d'avoir toutes les apparences (et bien souvent sans doute la réalité) de la sincérité, les méthodes étaient plus expéditives.

Ce furent, ces années-là, celles de la tristement célèbre Caisse des Économats — « des conversions » disaient à bon droit les huguenots — dans l'administration de laquelle, justement Samuel d'Aliès de la Tour seconda un autre transfuge du protestantisme, Paul Pellisson-Fontanier. Depuis 1615

---

[30] Cf. Jean ORCIBAL, *Louis XIV et les protestants*, Paris, 1951, p. 47, note 28.

déjà, le Clergé de France consacrait annuellement 30 000 livres à assurer des pensions aux convertis de marque — initialement, surtout d'anciens pasteurs. L'idée de départ était assez légitime puisqu'un ministre qui abjurait perdait de ce fait son gagne-pain ; ce n'était que s'il était célibataire ou veuf qu'il pouvait se faire d'Église et si l'usage était de lui ouvrir automatiquement et sans frais la profession d'avocat ou de médecin, son succès dans sa nouvelle carrière restait aléatoire, de sorte que la perspective d'une pension pouvait l'encourager à sauter le pas[31].

D'autre part, dans les régions à forte densité huguenote, on avait pu observer que les « nouveaux catholiques » subissaient un ostracisme social sévère de la part de leur communauté d'origine, susceptible d'avoir pour eux de désastreuses conséquences financières. Il n'est pas à exclure, enfin, que des gens qu'on pressait d'abjurer et qui n'osaient s'y refuser trop carrément, aient invoqué les difficultés qui les attendraient s'ils abandonnaient la R.P.R., pour colorer leur négative. L'octroi d'une pension prétendait lever de tels obstacles, tandis qu'un Arrêt du Parlement de Paris, du 13/6/1663, qui faisait jurisprudence jusqu'à un certain point, avait rendu impossible à des parents huguenots de déshériter tel de leurs enfants passé au catholicisme.

La Compagnie du Saint-Sacrement, les États de Languedoc puis, sur le tard (il mourut en 1675) un legs de Turenne étaient venus s'ajouter aux fonds dispensés par l'Assemblée du Clergé, mais les sommes qu'on pouvait distribuer restaient insuffisantes, d'autant qu'une indemnité unique, versée lors d'une abjuration, s'avérait peu efficace, car beaucoup de ceux qui en avaient bénéficié retournaient assez vite à leur confession d'antan, autrement dit, devenaient relaps. Pour retenir les gens dans le catholicisme, le plus sûr était de leur servir une pension : rappelons qu'on était en période de récession économique aggravée par les lourds impôts entraînés par la guerre.

Sur ces entrefaites, dans les années 1676-77, à la suite de l'affaire de la Régale, Louis XIV se trouva disposer de grosses sommes qu'il était bienséant, vu qu'elles provenaient de biens d'Église, de consacrer à des œuvres pies ; là-dessus deux très

---

[31] Cf. *supra* III, p. 65.

riches abbayes (Cluny et St-Germain-des-Prés) devinrent vacantes ; le roi n'y nomma personne et décida d'en affecter les revenus à la conversion des huguenots.

Dans son diocèse de Grenoble, le cardinal Le Camus avait obtenu des résultats spectaculaires par la distribution d'aumônes aux Vaudois misérables venus du Piémont ou habitant la vallée de Pragelas, s'ils acceptaient de se faire catholiques. La Cour décida de généraliser la méthode et l'administration de ces fonds considérables et d'origines diverses fut confiée à Paul Pellisson-Fontanier, ex-huguenot, bel esprit mais aussi ancien collaborateur de Fouquet et compétent en matière financière. Pellisson avait été embastillé de 1661 à 1665, puis revenu en grâce auprès de Colbert et du roi, il avait passé au catholicisme en 1670. On a mis en doute la sincérité de sa conversion parce qu'à sa mort, survenue à Versailles en 1693, il ne reçut pas les sacrements de l'Église (ce qui fit beaucoup jaser au Refuge où l'on s'imagina que le renégat, bourrelé de remords, était revenu *in extremis* à la foi de son enfance, et qui embarrassa la Cour), mais il est fort probable que la courte durée de l'agonie et la négligence de ses témoins sont seules en cause.

Il est indubitable que son passage au catholicisme a valu à Pellisson une belle carrière personnelle, mais il était revenu en grâce auparavant. Il semble qu'il a été un partisan si convaincu des méthodes « douces » de conversion, parce qu'elles avaient joué dans son propre cas ; il se fit le champion de l'idée qu'il convenait de rendre le catholicisme attrayant plutôt que de sanctionner la profession de la R.P.R. par une kyrielle de brimades.

L'idée avait fait du chemin et Bourdaloue, en 1685, dans un sermon, s'efforce d'inciter son auditoire de dames pieuses à multiplier les aumônes aux N.C. A en croire l'orateur jésuite « le temporel ouvre la voye au spirituel et c'est un des préparatifs les plus efficaces... Cela paroît intéressé ; mais Dieu, dont la providence est adorable, employe tout à la vocation et au salut de ses élus. Les riches et les pauvres se gagnent différemment... (à l'égard des pauvres) il est nécessaire... que l'évangile soit accompagné d'amples largesses et d'utiles secours[32] » — pour les notables, nous l'avons vu, une place ou une pension étaient indiquées...

_____

[32] Cf. Eugène GRISELLE S.J. *Bourdaloue, histoire critique de sa prédica-*

Lourde machine administrative couvrant tout le royaume et en rapports directs avec les évêques qui faisaient établir les listes de convertis et répartir les fonds, la Caisse des Économats n'obtint que des résultats assez médiocres — en quantité (environ 10 000 « âmes » en trois ans) et surtout, en qualité — sans compter les pseudo-réformés, escrocs ou aventuriers, qui ont su profiter de la manne, soit en s'affirmant à tort nés huguenots, soit en se « convertissant » à répétition, dans des diocèses différents... Outre la justification théorique que pouvait fournir la psychologie augustinienne de la conversion[33] (l'appât du gain faisant contrepoids à des motifs de fidélité à la Réforme, faits d'entêtement et d'orgueil, et tout aussi coupables), l'idée de base qui sous-tendait une telle méthode de prosélytisme était que si ceux qu'elle « convertissait » avaient bien des chances d'être des coquins, au moins pouvait-on escompter que leurs descendants devinssent à la longue des catholiques sincères. Reste que la méthode avait des rendements décroissants et que sans le vouloir, elle renforçait les communautés huguenotes en les débarrassant de leurs membres les moins fervents.

Pellisson eut le dépit qu'une de ses lettres — du 12/6/1677 — à Le Camus, qu'accompagnait un mémoire confidentiel à usage interne, soit tombée dans des mains hostiles ou scandalisées, de sorte qu'elle parvint à la connaissance des réformés. Jurieu la publia *in extenso* à la fin de *La politique du clergé de France* (ouvrage paru, anonyme bien entendu, à Amsterdam en 1680), mais bien avant cela, elle avait circulé sous le manteau, en copies manuscrites. Les recommandations que ce texte faisait aux convertisseurs d'obtenir des abjurations sans gaspillage et au plus bas prix possible en ajustant le tarif au statut social des prosélytes offrirent un thème fertile à l'indignation ou à l'ironie sanglante des controversistes huguenots (édités en Hollande) ; la « foire d'âmes »[34] ainsi révélée

tion, 1901, II, pp. 607 et 608, cité dans J. ORCIBAL, *Louis XIV et les protestants,* 1951, p. 50, note 44.

[33] Cf. *supra* V, pp. 103-104.

[34] Cf. Pierre BAYLE, *Ce que c'est que la France toute catholique...,* rééd. de 1973, p. 50.

n'accrût pas le lustre de l'Église de France et elle devait prendre fin sans gloire, mais non sans que les énormes sommes mises en jeu aient enrichi bien des intermédiaires — à défaut des « nouveaux catholiques » qu'on avait ralliés le plus chichement possible.

Comme la plupart des moyens de conversion utilisés à cette époque, la Caisse des Économats manifeste une incroyable distance entre la théorie et sa prétendue application concrète ; la théorie n'inspire pas la pratique, elle sert à l'occulter au moins autant qu'à l'excuser ! Les personnes à convertir ne sont jamais prises en compte qu'en tant que manipulables et un terrible mépris de l'homme pervertit les intentions « pieuses ».

A la condescendance si dédaigneuse des dirigeants envers le « peuple », les gens « de néant » — semblable à ce qu'a été au XIX\ :e\: siècle la pire arrogance du colonisateur vis-à-vis des « indigènes » et de leur culture — s'ajoute encore ici la méconnaissance outrageante des mobiles qui pouvaient inciter un huguenot à refuser d'abjurer, pour peu qu'il ne fût par un homme instruit, digne qu'on lui propose des arguments. Dans cette optique, ce qui peut attacher un protestant à la Réforme est nécessairement sordide et ignoble, ce qui innocente, en quelque sorte, aux yeux de leurs fauteurs, l'emploi de moyens nauséabonds pour l'affaiblir.

Les plus riches huguenots, de leur côté, multiplièrent leurs aumônes à leurs coreligionnaires les plus démunis, mais dans ce combat inégal et douteux, leur générosité ne pouvait équilibrer les ressources immenses dont disposait Pellisson, ni l'efficacité du réseau administratif par lequel, par évêques interposés, il agissait dans tout le royaume. Au surplus, les très grosses fortunes huguenotes — celles des grands négociants, des banquiers, des fermiers des impôts — se rencontraient avant tout à Paris et en Normandie, alors que les réformés indigents étaient surtout nombreux dans le Midi et que, par ailleurs, le démantèlement des institutions de la R.P.R. et tous les obstacles mis aux relations entre les E.R.F. de provinces différentes rendaient impossible une charité à longue distance. Parisiens ou Normands n'étaient pas en mesure de prêter secours à leurs coreligionnaires dauphinois ou languedociens.

On pourrait penser qu'une offensive aussi persévérante et aussi multiforme que celle que subissaient les E.R.F. laissait prévoir aux huguenots leur désastre immiment et la Révocation, mais pourtant hormis le nombre encore restreint de ceux qui émigrèrent (tout en espérant revenir en France quand la condition des réformés y serait redevenue vivable), dans l'ensemble, les protestants français conservèrent un fond d'optimisme qui peut paraître surprenant. Nous avons dit[35] ce qu'il devait à leur confiance dans la Providence divine ; elle les conduisait à juger que leurs malheurs n'avaient pas d'autre source que leur tiédeur et — pour reprendre les termes du Synode provincial de Basse-Guyenne de 1671[36] — « le luxe, la vanité, les haines, les divisions, les querelles publiques et particulières, l'envie, l'indévotion, le mépris de la parolle de Dieu, l'impiété, la luxure, et tous les autres vices et passions » que manifestaient la conduite des fidèles. Dieu châtiait « l'indigne abus de ses grâces et l'endurcissement » dont se rendait coupable son « petit troupeau » (cf. Luc, 12, 32) mais une « sérieuse repentance et... un prompt retour vers lui » ne manqueraient pas de redresser la situation.

Par ailleurs, des raisons moins doctrinales peuvent aussi expliquer ce singulier optimisme. En effet, personne ne lime longuement un morceau de bois avec l'intention de le jeter au feu, le travail fini ; paradoxalement, ce qui grignotait l'Édit de Nantes était en même temps une manière d'en attester la pérennité de principe. Payer des abjurations, c'était simultanément admettre la légitimité de la fidélité à la R.P.R. de ceux qui ne se laisseraient pas acheter. Si les convertisseurs professionnels, à la Pellisson, cherchaient tant à attirer les huguenots au catholicisme, n'était-ce pas parce qu'ils excluaient de les y pousser par pure contrainte ?

La patiente résignation des huguenots repose sur ce qui allait se révéler une illusion, à savoir, que le principe de leur présence légale en France n'était pas mis en cause, pour outra-

---

[35] Cf. *supra* II, p. 57.
[36] Cf. A.N. TT 257, Actes du Synode tenu à Nérac en septembre 1671, art. XXVIII, induisant un jeûne pour le 28/11/1671.

geusement réduites qu'en fussent devenues les conséquences pratiques. Mais pour une large part aussi, elle s'explique par une situation dans laquelle toute contre-offensive de leur part promettait d'empirer encore leur sort : à aucun prix il ne fallait donner prétexte aux persécuteurs d'aggraver encore leurs brimades...

On a souvent monté en épingle un sermon prêché à Caen, en 1674, par un pasteur que nous avons déjà rencontré, Pierre Du Bosc[37] ; il portait sur I Pierre, 2, 17 : « Craignez Dieu, honorez le Roi » et certains historiens y ont stigmatisé ce qu'ils jugeaient une obséquiosité impardonnable. « Dans la conjoncture présente », observe l'orateur, « nous devons faire de nouveaux et extraordinaires efforts pour témoigner à notre grand Roi le zèle que nous avons pour son service contre les ennemis de sa gloire et de son État » — à savoir, les Hollandais et leurs alliés. Un peu plus bas, Du Bosc s'exclame : « Dieu et le Roi !... les deux plus grands objets du monde... ces deux incomparables objets se touchent, se tiennent, se répondent si bien qu'on ne peut songer à l'un sans penser à l'autre. Car Dieu est Roi ; et le Roi est Dieu dans son genre et dans son espèce... le Roi est en quelque sorte le Dieu de la terre... Comme Dieu [un monarque] n'a ni supérieur, ni égal. » Enfin, dans un développement ultérieur concernant « notre incomparable monarque », Du Bosc observe que « la nature seule étoit trop foible pour un si grand et si merveilleux ouvrage. Vingt-deux années de stérilité qui avoient précédé sa conception ôtent évidemment à la nature la gloire de sa naissance. Une force au-dessus de toute les causes secondes a produit un Prince si extraordinaire ». Toutefois il faut se garder ici des pièges de l'anachronisme et tenir compte des louanges dithyrambiques, dont les prédicateurs romains couvraient Louis XIV : un réformé ne devait surtout pas demeurer en reste à cet égard ! Et surtout, il faut être attentif à quelques phrases placées au cœur du sermon, qui pourraient sembler aller de soi, et être banales, mais qui, à cette date, dans la bouche d'un pasteur, constituaient le message essentiel du prédicateur à son auditoire : « ... de deux Puissances,

---

[37] Cf. *Sermons sur divers textes de l'Écriture sainte*, Rotterdam, 1701, tome IV, p. 89-128.

l'une, souveraine, l'autre subalterne, la première doit toujours être préférée. Et la règle des Apôtres est infaillible, qu'*il faut plutôt obéir à Dieu qu'aux hommes*». Un tel rappel ne manquait pas d'audace et on s'explique qu'il ait été enveloppé des mille précautions du reste de la prédication, mais on peut gager qu'il n'a pas été perdu pour les réformés de Caen, qui auraient probablement été bien étonnés s'ils avaient pu prévoir qu'après deux siècles, il y aurait des lecteurs pour reprocher à Du Bosc une basse complaisance pour Louis XIV...

Lorsque les traités de Nimègue assurent la prépondérance française en Europe et installent Louis XIV au sommet de sa puissance, le bon plaisir du Roi Soleil semble devoir faire la loi partout. Et pourtant, l'irritant problème huguenot n'est toujours pas résolu ; certes, la R.P.R. a perdu beaucoup de terrain, mais elle a conservé pourtant le gros de ses fidèles et ses épreuves ont épuré leurs rangs des tièdes et des mondains : ceux qui s'obstinent toujours à la professer, en dépit des sacrifices déjà si lourds qui représente une telle fidélité, sont des gens qu'il faudra beaucoup pour faire céder. Les méthodes jusqu'ici mises en œuvre ne gagnent plus grand-chose sur eux et la patience huguenote défie discrètement les autorités.

Amenuisée, recroquevillée, la R.P.R. laisse passer la tourmente en espérant obstinément des jours meilleurs et sa résignation même nargue le pouvoir ; si Louis le Grand ne tranche pas ce nœud gordien, qui pourrait escompter que ses successeurs auraient meilleure chance d'en venir à bout ? La guerre d'usure s'avère impuissante à en finir une bonne fois pour toutes, les « grâces » les plus dispendieuses ne suffisent plus, la Cour ne pourra pas faire l'économie de persécutions ouvertes et finira par découvrir, à son grand dam, le caractère inexorable du proverbe « qui veut la fin, veut les moyens », mais sans jamais se l'avouer, et donc en laissant s'établir une brèche schizoïde entre son discours et ses pratiques.

CHAPITRE VIII

L'AGONIE DE LA R.P.R. : 1679-1685

LA REPRISE DES ATTAQUES JURIDIQUES

Assez vite après la signature des traités de paix, à Nimègue, recommence une nouvelle grêle d'Arrêts du Conseil, propres à achever de détruire le peu qui restait des institutions réformées ; beaucoup de ces textes sont en contradiction assez flagrante avec la lettre même de l'Édit de Nantes. Une Déclaration, le 13/3/1679, reprend et aggrave celle du 20/6/1665 contre les relaps, frappés non seulement de bannissement, mais d'amende honorable et de confiscation des biens. En juillet 1679, des Édits abolissent les dernières Chambres « mi-parties » et les incorporent aux Parlements de Toulouse, Bordeaux et Grenoble — comme l'avaient été dix ans plus tôt, celles de Paris et de Rouen (Édit de janvier 1669).

Enfin, et c'est la mesure la plus grave de toutes, une Déclaration du 10/10/1679 permet que le Commissaire royal qui surveillait les travaux des Synodes et que nommait la Cour, soit un catholique : on voit ce qui demeurait dès lors d'une institution fondamentale de l'organisation réformée ! Empêchés de communiquer avec d'autres Provinces synodales, entravés dans leurs délibérations par les interventions d'un Commissaire royal, les Synodes provinciaux doivent dorénavant accueillir en sa personne un ennemi juré de leur confession... Quant au rythme des condamnations d'exercices, il repartait de plus belle : en 1680, environ la moitié des temples existant en 1598 avaient été interdits.

Les mesures royales frappaient aussi bien les huguenots que leurs institutions. Une Déclaration du 20/2/1680 interdit aux réformées d'exercer la profession de sages-femmes ; l'idée qui l'avait inspirée était qu'au cas où l'accouchement serait difficile, il fallait que le nouveau-né puisse être ondoyé, afin de lui éviter les Limbes (ou l'Enfer selon certains théologiens romains) s'il périssait, et qu'on appelât un prêtre pour donner l'Extrême-Onction à la mère, si elle était catholique, d'où la nécessité que la sage-femme ne soit pas une hérétique, insensible à ces exigences de première importance. Mais concrètement, c'était obliger les huguenotes en mal d'enfant, si elles faisaient appel à une sage-femme, à courir le risque, pour peu que cette dernière juge leur nouveau-né en danger, qu'en ondoyant l'enfant, elle en fasse *ipso facto* un catholique, s'il survivait...

En juin 1680, un Édit prohiba à un catholique romain le passage au protestantisme — et de ce fait, aux pasteurs, de recevoir une abjuration (qui, à pareille date, ne pouvait être que sincère et même héroïque). C'était placer les ministres devant un terrible dilemme, car du point de vue religieux, ils étaient tenus d'accueillir qui voulait rejoindre la vraie foi, mais une telle fidélité à leur vocation devenait un crime au point de vue civil. L'ancienne Déclaration du 20/6/1665 n'avait interdit le passage au protestantisme qu'aux ecclésiastiques et aux moines, mais maintenant la prohibition était étendue à tous les catholiques français, « anciens » ou « nouveaux ». Une déclaration du 25/1/1683 allait, par la suite, interdire aux mahométans et aux idolâtres de passer au protestantisme — exemple typique d'un texte dont, en dépit des considérations qui le justifient, on peut douter qu'il ait rencontré une seule occasion de s'appliquer. En revanche, sans parler des relaps, si le nombre des catholiques français, ecclésiastiques ou laïcs, qui souhaitaient embrasser le protestantisme était alors minime, il ne devint jamais nul, y compris après la Révocation. Leur démarche entraînait depuis longtemps déjà, pour les ecclésiastiques romains, une émigration préalable qui devint maintenant nécessaire aussi pour les laïcs.

Le 11/6/1680, dans les Articles I et X d'un Règlement des

Fermes, il fut spécifié que les réformés devaient désormais en être exclus à tous les échelons, des adjudicataires au dernier commis. Chose singulière, il y eut des Fermiers[1] pour abandonner leur profession, si lucrative, plutôt que de renoncer à leur foi. Sans entrer dans un détail fastidieux et interminable, contentons-nous de dire, en gros, que dans ces années-là les huguenots achevèrent d'être exclus, en principe, de tous les postes administratifs et judiciaires, de tous les offices et de toutes les charges (notaires, procureurs, huissiers, sergents, etc.).

Il resta encore légalement des réformés dans la Marine et dans l'Armée, soumis à de fortes pressions, jusqu'à ce qu'ils en fussent finalement exclus, peu avant la Révocation. Ce qui n'est pas dire, pour qui connaît l'Ancien Régime, qu'une foule de huguenots ne poursuivaient pas des activités qui, en théorie, ne leur étaient par permises, et même n'occupaient pas, ici ou là, des offices mineurs divers (en particulier quand aucun catholique du lieu n'était capable de les exercer), mais leur condition était illicite et donc précaire. Les réformés étaient devenus sursitaires à presque tous les égards.

Le 18/9/1680, un Arrêt du Conseil étendit à tout le royaume une mesure prise antérieurement à l'égard du Languedoc, de la Guyenne et un peu plus tard du Dauphiné. Il était accordé un délai de trois ans aux débiteurs huguenots, pour régler le principal de leur dette, s'ils passaient au catholicisme. Il y a là une variante du principe de la Caisse des Économats, ingénieusement obtenue sans bourse délier, au détriment de créanciers, à coup sûr en majeure partie réformés[2].

Puis l'Arrêt du 12/5/1665 — qui avait été rapporté dans l'article XLI de la Déclaration du 1/2/1669 — fut rétabli, le 19/11/1680, en ce sens qu'une Déclaration enjoignit aux juges ordinaires de se présenter chez les huguenots gravement malades pour savoir d'eux s'ils voulaient mourir dans leur religion.

A la date où nous sommes arrivés, vue l'atmosphère de croisade anti-protestante qui régnait en France depuis des années, il fallait à un petit magistrat une bonne dose ou

---

[1] Tel Nicolas de Rambouillet, sieur de La Sablière.
[2] Cf. *supra* VII, p. 142.

d'incurie, ou de ce que Bayle appelait si joliment « débonnaireté chrétienne » pour ne pas obtempérer. Le 7/4/1681 une Déclaration prescrivit que là où il n'y aurait pas de juge, la tâche de se présenter chez les réformés mourants serait transférée aux marguilliers de la paroisse catholique, des laïcs, mais des laïcs de choc.

Comment ne pas s'interroger sur l'étrangeté d'une situation où, en fait, à la fin de l'hiver 1680-1681, il ne restait à peu près rien de l'Édit de Nantes ? Pourquoi sa révocation formelle a-t-elle encore tardé ? Le but poursuivi par la cour était bien évidemment l'extinction du protestantisme en France, mais il semble que la Révocation de l'Édit de Nantes n'était pas pour elle le moyen de l'atteindre, mais plutôt la conséquence à tirer une fois qu'on y serait parvenu.

Un pointilleux formalisme juridique et peut-être aussi le désir d'épargner au roi l'apparence d'un parjure (car Louis XIV avait confirmé l'Édit après avoir atteint sa majorité) sont peut-être à l'origine d'une tactique dans laquelle il pourrait avoir été injuste de dénoncer une insigne hypocrisie — en ce sens qu'une telle hypocrisie a sans doute été beaucoup plus inconsciente que calculée.

Il y a une similitude suggestive entre l'importance cardinale que les réformés attachaient au fait qu'en théorie l'Édit de Nantes fût toujours en vigueur et l'attitude si curieusement symétrique, d'autorités, qui, pour leur part, prétendirent si longtemps, contre l'évidence, qu'il subsistait en principe.

Et pourtant, dès avant les premières dragonnades, dans les premiers mois de 1681, le nombre des exercices supprimés ou en passe de l'être, la désagrégation infligée aux institutions fondamentales de la R.P.R. (synodes, établissements d'enseignement ou de charité, pour ne rien dire des exercices !), les poursuites intentées contre tant de pasteurs et de consistoires, les entraves apportées non seulement à la pratique religieuse des huguenots mais à leurs activités professionnelles et à leur vie quotidienne, étaient si sévères que les réformés n'étaient plus, en France, que des marginaux pourchassés, victimes de perpétuelles brimades.

Ils n'étaient plus tolérés — là où ils l'étaient encore quelque peu — que par accident : par négligence, par inapplication des textes qui les visaient et qui étaient loin d'être partout passés dans les mœurs. Le protestantisme était bel et bien agonisant, bien qu'il restât des huguenots et des lambeaux de leur organisation d'autrefois.

Néanmoins, la R.P.R. se révélait coriace : la multitude des textes officiels déjà promulgués, qui aurait dû en faire évanouir les fidèles, n'avait pas entraîné leur disparition, si elle en avait assurément diminué le nombre. La Cour se vit donc obligée de poursuivre ses efforts : les Arrêts du Conseil (tranchant un litige) se font un peu moins fréquents, mais par contre les Déclarations se succèdent à un rythme accéléré ; les autorités exaspèrent leur agressivité justement — ô paradoxe — parce qu'elles répugnent à une mesure franche et globale.

La Cour se cramponne obstinément à la fiction de la « douceur » — à la fois bienséante et glorieuse —, chimère qui a peut-être fait illusion à beaucoup, dans les cercles dirigeants, parce qu'elle les flattait, bien que, sur le terrain, les « convertisseurs » patentés n'en eussent cure et que, ici ou là, quelques catholiques « honnêtes gens » (comme les appelaient les huguenots) en fussent écœurés.

Le 11/4/1681, une Ordonnance exempta pour deux ans des logements de gens de guerre les huguenots ayant abjuré depuis le 1er janvier et ceux qui abjureraient ultérieurement. On sait combien l'hébergement des régiments en voyage étaient un impôt en nature écrasant pour les populations qui le subissaient, même quand il ne s'agissait en rien d'une sanction à leur encontre. Comme dans le cas des moratoires pour dettes, il faut voir dans cette Ordonnance une variante du principe de la Caisse des Économats, offrant des avantages économiques patents à ceux qui renonceraient à leur particularisme religieux.

Notons au passage que ceux qu'on commençait à appeler « anciens catholiques », pour les distinguer des N.C. — nouveaux convertis ou nouveaux catholiques — avaient tout lieu d'éprouver une certaine amertume devant les « grâces » qui pleuvaient sur ceux qui venaient de rallier l'Église romaine avec des mobiles pour le moins suspects.

Le 17/6/1681 une Déclaration (qui allait acquérir une fâcheuse notoriété) rectifiait celle du 24/10/1665 qui avait permis la conversion au catholicisme des fillettes huguenotes à partir de 12 ans et des garçons à partir de 14 : désormais c'était à 7 ans, quel que fût son sexe, qu'un enfant réformé pouvait renoncer à la foi de ses parents.

Cette étrange Déclaration a, en fait, représenté une faute de la part des autorités ; il ne fallait pas être grand clerc pour s'étonner qu'à un âge où les lois ne permettaient ni de tester, ni de signer un contrat, ni de prononcer des vœux (un Arrêt du 7/7/1682 allait prohiber l'entrée en religion avant l'âge de 16 ans), il devînt licite de se convertir ! Le texte scandalisa assez les juristes français, très attachés à la puissance paternelle, pour qu'on ne puisse citer un seul exemple de son application !

Cependant, à l'époque, on ne pouvait savoir qu'il resterait lettre morte et, depuis la Hollande, les controversistes réformés lui donnèrent une grande publicité dans toute l'Europe, où il déshonora Versailles. Et sans doute angoissa-t-il les parents réformés qui, s'il faut en croire Élie Benoist, se mirent à s'inquiéter dès qu'un catholique de leur entourage donnait des signes d'amitié à l'un de leurs jeunes enfants.

Les départs au Refuge en furent accélérés et, plus encore, les envois d'enfants et d'adolescents huguenots à l'étranger, en dépit de l'interdiction formelle qu'en comportait la Déclaration, car on s'était préoccupé de rendre illicite une issue que commençaient à adopter les familles réformées les plus riches et les plus cosmopolites.

En effet, le 9/7/1681, un Arrêt du Conseil supprima l'Académie de Sedan et donc un des rares collèges réformés qui subsistait encore dans le royaume. Nous l'avions dit[3], en dépit de la situation insupportable faite aux protestants français et de la diminution vertigineuse du nombre des exercices — et donc des postes de pasteur —, celui des proposants (étudiants en théologie) n'avait qu'assez peu fléchi et la Cour qui avait assurément escompté un tarissement sensible des vocations pastorales se vit condamnée à les contrecarrer par voie directe. Die allait être supprimée par un Arrêt du 11/9/1684 ; Saumur, le 8/1/1685 et Puylaurens (ex-Montauban) le 5/3/1685. Ce n'était plus seulement le dépérissement accéléré de la R.P.R., c'était son extinction totale qui était annoncée sans plus d'ambages.

---

[3] Cf. *supra* II, p. 47.

Cependant, un changement décisif intervenait entre mai et août 1681 au Poitou, à savoir les premières dragonnades, fruits du zèle et du souci de carrière de l'intendant Marillac, qui eut la brillante idée d'utiliser des logements de troupes sélectifs pour inciter les huguenots poitevins à l'abjuration. D'ailleurs, l'Ordonnance du 11/4/1681, qui dispensait pendant deux ans du logement de gens de guerre les huguenots convertis depuis le 1er janvier ou qui se convertiraient ci-après semblait suggérer ce procédé en pointillé.

L'hébergement des troupes avait déjà parfois été utilisé à titre de sanction des populations, ainsi, en Bretagne, en 1675, pour châtier une révolte fiscale et, en 1680, à Pamiers, contre les partisans de l'évêque Caulet pour qui s'opposer à l'extension de la Régale avait été une question de conscience. Même passagers, de tels logements représentaient un lourd impôt en nature (il fallait nourrir les soldats qu'on hébergeait), sans parler du comportement de soudards des officiers et des hommes, même à l'égard de populations « amies ». Le procédé conçu par Marillac se présentait moins comme une sanction infligée aux minoritaires (les seuls chez qui logeaient les dragons) que comme une forme de chantage — voire, de torture — destinée à leur arracher une abjuration, seule manière d'obtenir le départ des soldats.

Pour couronner l'efficacité de l'expédient, le nombre d'hommes que chaque maisonnée huguenote devait loger et nourrir était disproportionné à ses ressources et, pire encore, les dragons étaient encouragés à se livrer à toutes les exactions et mauvais traitements qu'ils imagineraient (assassinat et viol, en principe, exclus) pour faire céder leurs hôtes. Leur présence tant soit peu prolongée entraînait la ruine de la famille, dont ils consommaient toutes les provisions, décimaient les basses-cours, brisaient les meubles, mais il ne manque pas d'exemple de tortures proprement dites par la privation de sommeil, les bourreaux se succédant pour l'empêcher ; par la station debout interminablement prolongée ; par un roulement de tambour incessant et un envahissement abolissant toute trace de vie privée ; par cent autres brimades cruelles que purent imaginer les soldats[4].

L'intendant Marillac put vite envoyer à la Cour de longues listes de « convertis », dont l'Édit de juin 1680 sur les relaps garantissait qu'ils ne pourraient se déjuger après le départ des dragons.

Toutefois le ministre de la Guerre, Louvois, qui avait autorisé l'opération, finit par s'inquiéter du fléchissement de la discipline militaire entraîné par l'encouragement ouvert donné aux soldats de maltraiter leurs hôtes — à quoi ils étaient déjà si enclins même quand les officiers ne leur donnaient pas carte blanche. Il faut bien voir que dans la société française du XVIIe siècle, les soldats, très marginalisés par rapport aux civils, leur rendaient bien leur hostilité, probablement, de part et d'autre, mêlée d'une obscure envie. Les dragons disaient naïvement aux huguenots poitevins pour les inciter à l'abjuration : « Le roi le veut », formule enfin véridique et dépouillée de tout l'apparat rhétorique écœurant par quoi elle se déguisait dans la bouche de « convertisseurs » d'une condition plus relevée.

Le XXe siècle a fait tellement mieux dans le genre qu'il pourrait paraître abusif d'avoir parlé ici de torture, et pourtant, il s'agissait bien de maltraiter des gens, dans leur personne et dans celle de leurs proches, afin de les faire parler contre leur gré et trahir ceux dont ils se sentaient solidaires : en effet, tout huguenot poitevin qui abjurait surchargeait *ipso facto* ses coreligionnaires voisins, plus entêtés que lui, d'un logement de dragons encore accru ; et quand un village entier avait cédé, les troupes partaient un peu plus loin poursuivre la même besogne.

Les résultats ne se firent pas attendre : 30 000 abjurations en quelques semaines... mais aussi un nombre appréciable de fuites à l'étranger, par les ports de la côte Atlantique... Deux gentilshommes huguenots furent dépêchés à la Cour par leurs coreligionnaires pour y faire état de violences et des exactions

---

[4] Il existe une multitude de témoignages à cet égard. Citons seulement ici à titre d'exemple le *Journal* de Jean MIGAULT et *La persécution de l'Église de Metz...* de Jean OLRY. Cf. aussi la collection du *B.S.H.P.F.* (consulter la table à la rubrique « Dragonnade ») et les monographies consacrées à l'histoire de l'Église réformée de beaucoup de localités.

dont ils avaient été témoins. Ils ne purent voir que Louvois, une audience royale leur ayant été refusée, et ils reçurent vite l'ordre de se retirer avec la mortification d'être accusés d'avoir fait état de « faits supposés ».

Les historiens modernes se sont souvent demandé jusqu'à quel point Louvois avait laissé savoir à Louis XIV par quels moyens infâmes tant d'abjurations avaient été obtenues. La question pourrait bien être oiseuse : le Roi Soleil ne pouvait sans doute pas plus se représenter la condition d'un paysan poitevin qu'un tsar du XIXe siècle celle d'un moujik, et moins encore imaginer les indignités infligées en son nom par les dragons à leurs victimes, ni l'abominable dilemme qu'elles devaient affronter.

Mais à l'étranger, où arrivaient les premiers fugitifs avec de terribles récits des brutalités qu'ils avaient vues ou subies, et où la France était plus redoutée qu'aimée, commencèrent à s'élever des protestations horrifiées. Le Grand Électeur convoqua Rébenac, ambassadeur de France à sa Cour, pour lui faire part de sa préoccupation. Le roi d'Angleterre, Charles II, dès la fin de juillet 1681, le roi de Danemark, Christian II, en août et la ville d'Amsterdam, en septembre firent officiellement des offres d'accueil et de secours aux huguenots qui voudraient se réfugier sur leur territoire — ce qui était une manière quelque peu insolente d'attester, et que la prohibition formelle qui leur était faite de quitter le royaume de France n'arrêtait pas les persécutés, et qu'elle ne comptait pour rien aux yeux de leurs coreligionnaires étrangers.

A la longue, les autorités françaises se décidèrent à réagir. Les troupes quittèrent le Poitou en novembre et, en février 1682, Marillac fut rappelé et reprit son siège au Conseil d'État — disgrâce purement apparente et de courte durée. Beaucoup de huguenots poitevins à qui les dragons avaient arraché une abjuration, crurent pouvoir revenir en arrière, mais l'Arrêt concernant les relaps rendait illicite ce revirement : les premiers qui le tentèrent furent emprisonnés. De ce fait les départs clandestins, facilités par la proximité de l'Océan, se poursuivirent même après le départ des dragons.

Par ailleurs, les interdictions d'exercices allaient toujours bon train dans tout le royaume. On ne pouvait plus guère en trouver dont les droits originaux ne fussent très incontestables, mais l'Édit de juin 1680, sur les relaps, ouvrait d'amples possibilités, surtout dans les villes populeuses. La seule présence d'un catholique (ancien ou nouveau) dans un temple en faisait, par présomption, un relaps et une fois prouvée, elle déclenchait une procédure qui s'achevait immanquablement par l'interdiction de l'exercice. Or il n'était pas difficile de susciter des agents provocateurs : la disparition des temples de Bergerac et de Montpellier, villes où les huguenots étaient nombreux de sorte que le pasteur et les Anciens ne pouvaient guère identifier tous les membres de l'assistance, releva de cette technique.

D'autre part, dans cette période, continuèrent les Arrêts qui fermaient un nombre toujours accru de professions aux réformés. Ce genre de texte n'excluait pas toujours de leur métier ceux qui l'exerçaient déjà, mais interdisait tout nouveau recrutement (ainsi, le fils ne pouvait succéder à son père), ou bien instaurait une préférence automatique pour le concurrent catholique, comme dans l'Arrêt du 9/3/1682 qui statue que dans la location de chevaux de louage pour le service public « les catholiques... seront préférés à ceux de la R.P.R. ». On n'hésitait pas à contredire telle disposition expresse de l'Édit de Nantes, ainsi le 29/6/1682 Dijon vint s'ajouter à la liste des villes[5] où il était interdit à un huguenot de résider : un délai de six mois était accordé aux minoritaires pour quitter la capitale de la Bourgogne.

Le 14/7/1682, une Déclaration annulait rétroactivement tous les contrats de vente conclus par des huguenots sortis du royaume durant toute l'année qui avait précédé leur fuite ; il fallut la modifier par la suite tant elle entraînait de chaos économique préjudiciable aux anciens catholiques, acheteurs des biens des fugitifs. Il est clair qu'à Versailles on commençait à s'inquiéter sérieusement du nombre croissant de ceux qui s'enfuyaient de France après avoir tant bien que mal réalisé leur patrimoine. A défaut de pouvoir matériellement empêcher leur départ, car il était impossible de rendre les frontières vraiment étanches, au moins essayait-on de leur rendre difficile de

---

[5] Privas (29/1/1679) ; Chalon-sur-Saône (21/4/1681) ; Autun (24/5/1681).

réaliser ce qu'ils possédaient, mais ces efforts officiels furent assez vains : les ventes de terres à vil prix profitaient à leurs acheteurs[6] et ce genre d'opérations bénéficiait donc d'une complicité générale.

Si les dragonnades au Poitou s'étaient révélées quelque peu embarrassantes, elles apparaissaient pourtant comme la méthode la plus satisfaisante pour répondre aux désirs de la Cour. Les Déclarations et les Arrêts pouvaient bien abolir des exercices réformés et entraver les activités et l'existence quotidienne des huguenots, ils n'en faisaient pas pour autant, des catholiques, comme l'aurait voulu Versailles.

Sur ces entrefaites, on se mit à y fonder de grands espoirs sur un nouvel expédient et il est possible qu'ils aient contribué à l'arrêt des dragonnades, dont on put espérer, en quelque sorte, faire l'économie, en utilisant un autre moyen pour atteindre le même objectif : non pas l'éradication de la R.P.R. seulement, mais le passage effectif des huguenots au catholicisme. Pour tambour battant qu'elle fût menée, l'abolition des exercices réformés n'était en rien une fin en soi, le but étant d'arracher les minoritaires à leur particularisme et de les obliger à une pratique religieuse catholique.

LE MONITOIRE OU AVERTISSEMENT PASTORAL DU CLERGÉ DE FRANCE

L'assemblée extraordinaire du clergé réunie en 1682 est surtout connue par les fameux Quatre Articles gallicans qu'elle adopta pour complaire à la Cour et qui étaient un défi à l'égard du Vatican, mais, juste avant de se séparer, elle élabora *in extremis*, au cours de sa dernière session, le 1/7/1682, un Monitoire adressé aux protestants français. A la fois onctueux et menaçant — s'adressant aux réformés les evêques français leur font attendre « des malheurs incomparablement plus épouvantables et plus funestes que tous ceux que vous ont attirez jusqu'à présent votre révolte et votre schisme » — le texte appelle à grand renfort de promesses charitables les

---

[6] Cf. *supra* VI, p. 115.

brebis égarées à revenir sous la houlette de leurs authentiques pasteurs, le clergé catholique...

Comme l'avait résumé Harlay de Champvallon, fort peu édifiant archevêque de Paris et cheville ouvrière du Conseil de conscience, « coupez le schisme, et l'hérésie séchera »[7]. Il n'est en rien question des doctrines propres au calvinisme, mais seulement d'une séparation que le silence sur les dogmes permet de décrire comme sans objet. Alors que la Caisse des Économats avait cherché à rallier à la religion du roi les huguenots miséreux, l'Avertissement — méthode de « douceur » lui aussi — visait les communautés constituées — celles qui demeuraient encore — pour les adjurer de « se réunir ».

On ne se contenta pas de publier le texte dans ses nobles périodes latines originales et dans une traduction officielle en français (dont les huguenots contestèrent l'exactitude sur des points de détail), on décida de le signifier officiellement aux consistoires (quand l'exercice n'avait pas commencé à être attaqué, car Bossuet prit soin[8] de recommander qu'on se gardât de le signifier à des exercices en litige, ce qui aurait été leur accorder une sorte de reconnaissance capable de rendre plus malaisée leur condamnation future).

Cette signification aux consistoires se fit avec toute la solennité à laquelle la société du XVIIe siècle était si encline, par l'action conjointe de l'Intendant de la province et de l'évêque du diocèse (ou de représentants de ces personnages prestigieux dans les petites localités). La démarche était habile, sinon machiavélique, car les réformés ne pouvaient récuser l'autorité de l'Intendant et risquaient, ce faisant, de passer pour en reconnaître aussi une à leur égard à l'évêque qui l'accompagnait : le pas était glissant !

Heureusement pour eux, le Monitoire fut signifié en premier lieu, avec toute la pompe requise, à Charenton, le 20 septembre 1682, ce qui se révéla une aubaine pour les réformés car le consistoire de l'église de Paris, qui comptait parmi ses membres plus d'un robin, avait soigneusement pesé sa réponse : pleine de soumission envers le représentant du

---

[7] Cf. DURANTHON, éd. *Collection des Procès-Verbaux des Assemblées du Clergé*, V, 428 b.

[8] Cf. la lettre de Bossuet à Chateauneuf, du 28/12/1682, *Correspondance* de Bossuet, éd. Urbain-Levesque, II, p. 344.

roi, elle contestait cependant d'une manière expresse, mais naturellement avec toute la courtoisie voulue, cette juridiction spirituelle à laquelle prétendaient les évêques sur les réformés, leurs ouailles égarées à en croire les prélats.

La réponse élaborée à Charenton circula très vite (dès avant d'être imprimée) parmi les consistoires du royaume qui ne manquèrent pas d'en reprendre tous approximativement le canevas. Pendant de longs mois, jusqu'à la fin de 1683, dans tout le pays, les uns après les autres, les consistoires encore en fonction durent recevoir avec une respectueuse déférence la visite à la fois dangereuse et vexante de représentants du pouvoir civil et du pouvoir religieux, qui se voulaient intimement solidaires.

Dans plusieurs cas, les discours échangés furent imprimés (car les autorités jugeaient avantageux de répandre les allocutions de leurs représentants, sans concevoir que la réponse dilatoire du pasteur pût édifier des lecteurs huguenots) et par ailleurs les Archives en conservent aussi bon nombre en manuscrit : c'est ainsi qu'on peut s'assurer de la similitude éclatante de toutes les réponses apportées par les ministres au nom de leur consistoire.

Après plus d'un an d'efforts laborieux, la Cour dut se convaincre qu'elle perdait son temps et que cette tentative de ralliement par la « douceur » se révélait une impasse. Les réformés s'étaient exprimés en partisans éperdus du Droit Divin des rois et en sujets irréprochables. Nul Intendant ne pouvait les accuser de la moindre insolence ou insubordination à son égard, mais avec toutes les formes d'une politesse appuyée, les huguenots revendiquaient, pour ainsi dire, leur « hérésie » — leur particularisme religieux et leurs dogmes propres — et déniaient aux évêques le droit de s'occuper de leur salut et de les tenir pour leurs fidèles, malencontreusement fourvoyés dans un schisme. La lourde opération se soldait par un échec flagrant.

D'autant plus que pendant ce temps paraissaient — anonymes et en Hollande — toute une série de répliques qui portaient sur le fonds du débat, œuvres généralement de pasteurs soucieux d'encourager la résistance huguenote à la conversion[9]. L'inconvénient majeur de cette impression à l'étranger

---

[9] Cf. *Annuaire de l'École pratique des Hautes Études,* IVe Section, pour les années 1974-5 et 1975-6, p. 753-761 et 755-764 respectivement.

était naturellement la difficulté que présentait l'entrée de ces opuscules en France, illicite et donc nécessairement clandestine et restreinte. Mais grâce aux presses étrangères la R.P.R. retrouve un début de liberté d'expression : toutefois joue chez ces auteurs le souci de ne pas susciter, par des insolences ou des hardiesses, des représailles dont les réformés de France feraient les frais ; on peut aussi déceler encore chez eux des traces de l'auto-censure débilitante qui était le lot des auteurs protestants français depuis des années.

Hormis Claude et Jurieu (car l'érudition ultérieure a souvent pu identifier les auteurs de ces textes), aucun ne peut être tenu pour un bon écrivain ; pourtant, la conviction et le désespoir leur arrachent ici ou là des cris déchirants, des formules percutantes ou même des pensées profondes. Leurs opuscules obscurs représentent une timide « littérature d'opposition » dans cette période du règne de Louis XIV et leurs gémissements plaintifs atteignaient aisément toute l'Europe à partir des Provinces-Unies et y éveillaient beaucoup d'échos, soit au premier degré, chez des protestants qui compatissaient aux souffrances de leurs coreligionnaires, soit au second degré, chez des lecteurs catholiques, politiquement hostiles au roi de France et qui voyaient dans ces petits livres un moyen de ternir son prestige en Europe et d'attiser la crainte et la détestation à son égard.

De ces diverses réponses opposées au Monitoire, une des plus connues est l'œuvre de Claude : *Considérations sur les lettres circulaires de l'Assemblée de clergé de France de l'année 1682,* parue — anonyme, bien sûr ! — à La Haye en 1683, et qui étoffait un texte antérieur, beaucoup plus court, intitulé *Réflexions solides sur le Monitoire de l'Assemblée du clergé,* prétendument imprimé à Paris en 1682, mais dont la typographie semble trahir l'origine néerlandaise.

Comme ses émules, le pasteur de Charenton y proclame son attachement à l'absolutisme de Droit Divin. Il est clair que toute autre attitude aurait été préjudiciable à la cause de la R.P.R. mais il y a tout lieu de croire ces auteurs sincères et fidèles ici au calvinisme classique. Ce n'est pas dire qu'*in petto* ils ne considéraient pas comme iniques beaucoup des mesures anti-protestantes de la Cour, mais, dans une perspective absolutiste, à elle seule la source d'un texte législatif en

180

fonde la légitimité et l'autorité, sans référence à son contenu. (Autrement dit, il ne peut y avoir de « lois scélérates »). A ce qui émane du Prince, le sujet ne peut opposer que des plaintes et des larmes en suppliant le monarque de se raviser...

Le seul adversaire des réformés français qu'identifient et désignent les controversistes huguenots de cette époque et qu'ils attaquent — mais dans les formes —, c'est le clergé catholique, tenu pour le responsable premier de tous les malheurs de la R.P.R. ; la discussion reste essentiellement théologique et doctrinale. Claude conteste hautement cet argument d'autorité qui était l'âme du Monitoire et des méthodes de « conversion » qu'il préconisait : « l'examen », écrit-il, est pour les réformés moins « un droit que la Nature et la Grâce leur ont acquis » qu'« un devoir que Dieu lui-même leur a imposé ». Le pasteur de Charenton le proclame : « la religion et la conscience ne relèvent que de Dieu, immédiatement ; luy seul est notre Maître commun et notre Juge ». Le navire de la R.P.R. sombrait, mais pavillon haut et avec le capitaine sur la passerelle...

LES PASTORALES HUGUENOTES

Les publications dont nous venons de parler étaient expressément destinées à réfuter les méthodes de controverse antiprotestante — assez bâclées et quelque peu éculées — proposées par le clergé gallican conjointement avec son Monitoire. Les auteurs réformés leur opposaient désespérément l'affirmation que, par rapport au catholicisme, la R.P.R. n'était un schisme que parce qu'elle était, *d'abord,* une hérésie. Vers la même époque commencèrent à paraître, toujours en Hollande, de petits textes, le plus souvent très courts (afin de pouvoir être envoyés en France par la poste) qu'on peut assez justement considérer comme autant de « lettres pastorales », à savoir, composées par un pasteur à l'intention de l'ensemble de ses fidèles d'antan, dont il se trouvait séparé par des circonstances adverses[10].

---

[10] Cf. *La controverse religieuse,* Actes du Ier Colloque Jean BOISSET, Université Paul-Valéry, Montpellier, II, p. 11-17 : E. LABROUSSE, « La controverse religieuse en France vers 1680 ».

Ces opuscules provenaient de ministres dont les exercices avaient été supprimés et qu'un Arrêt du Conseil du 17/5/1683 avait obligés à éloigner leur résidence de six lieues au moins de la localité où ils avaient été ministres. Quelques-uns de ces pasteurs déplacés avaient déjà gagné les Provinces-Unies et un bon nombre, venus à Paris aux nouvelles, pouvaient donc aisément faire parvenir en Hollande leurs exhortations à leur ancien troupeau.

Cette littérature est avant tout dévote et elle appelle simultanément à la pénitence et à la résistance vis-à-vis des convertisseurs. Toutefois d'une manière suggestive y figurent de plus en plus souvent des affirmations catégoriques concernant l'autorité souveraine de la conscience individuelle. Telle était en effet la réponse protestante la plus décisive à cet appel éperdu au pur argument d'autorité que constituait l'affirmation catholique de l'infaillibilité supposée propre à l'Église romaine. Il y aura ainsi une grande continuité entre la littérature huguenote des années immédiatement antérieures à la Révocation et celle qui l'a suivie. Les textes dont nous parlons, bien que leur circulation en France ait assurément été réduite, ont fort bien mis en lumière les enjeux du conflit : le dernier bastion de la résistance huguenote, ce n'était plus des institutions démantelées ou des élites sociales qui pouvaient le représenter — consistoires et pasteurs —, c'était la conscience individuelle[11], le for intérieur de chaque réformé.

Au reste les textes en question demeurent encore tout à fait dans la ligne du calvinisme du XVIIe siècle en matière politique et professent donc un absolutisme de Droit Divin impeccable. Sous la plume du pasteur Merlat, il connut son expression la plus extrême dans le *Traité du pouvoir absolu des souverains, pour servir d'instruction, de consolation et d'apologie aux églises réformées de France qui sont affligées,* d'autant plus significative, pour nous, que l'auteur du *Traité,* paru anonyme, avait été emprisonné, soumis à l'amende honorable et banni du royaume en 1679, sous des prétextes singulièrement légers — formellement parce qu'il s'était qualifié de « ministre » (sans le complément « de la R.P.R. ») dans un ouvrage de controverse publié à Saumur en 1676 — mais pro-

---

11 Cf. *infra* IX, note 18, p. 221.

bablement surtout parce que ce pasteur de Saintes polémiquait vigoureusement — et donc, avec « irrévérence » — contre les dogmes romains, dans ses prédications.

Ceci dit, depuis Lausanne et en sécurité, Merlat ne propose aux huguenots comme programme que le martyre, toute concession aux erreurs papistes étant à exclure en même temps que toute ombre de résistance aux injonctions royales ! Le modèle de la conduite à suivre est offert par celle des Premiers Chrétiens face aux persécutions des empereurs romains ou celle des premiers évangéliques sous François Ier et Henri II... Il serait probablement injuste de déceler ici du pharisaïsme, mais au moins peut-on y signaler un sens déficient de la praxis, du concret et du quotidien. Merlat représente sous une forme extrême une attitude dont la plupart des pasteurs montrent au moins des traces, enlisés qu'ils sont dans la théorie et l'abstraction.

Les Arrêts n'avaient pas cessé et, en 1683, il ne restait plus que moins du tiers des exercices autorisés en 1598. Un Arrêt du 4/3/1683 ordonna à tous les officiers réformés de la Maison du roi et des Princes de se démettre de leur charge. En fait le Grand Condé — curieux exemple de traditions familiales plus fortes que le catholicisme sincère du prince à cette date — fit la sourde oreille et ne fut contraint de l'appliquer que juste avant la Révocation.

Une Déclaration du 22/5/1683, obligeant les temples à avoir « un lieu marqué » où pourraient se mettre les catholiques, se souciait de préciser le sens à donner à l'Édit de Mars précédent qui prévoyait amende honorable et bannissement perpétuel des ministres qui auraient souffert la présence d'un catholique, ancien ou nouveau, au culte réformé. Il est expliqué que les catholiques « savants » (entendez, sans doute, les ecclésiastiques romains) peuvent et doivent assister au prêche, bien en vue, car par leur présence ils empêcheront le prédicateur d'attaquer impunément la religion romaine et qu'ils pourront réfuter ses éventuelles affirmations inexactes !

Situation pour le moins étrange que celle d'un service religieux susceptible d'être interrompu à tout moment par des controversistes adverses, mais surtout danger perpétuel pour le pasteur de voir ce qu'il aurait prêché déformé par des témoins hostiles. Or déjà un Arrêt du 11/1/1657 et surtout la Déclaration du 1/2/1669, interdisant l'emploi de termes injurieux ou simplement irrévérents à l'égard du catholicisme, avaient rendu les prédicateurs réformés très vulnérables, puisque les sermons comportaient presque toujours un développement de controverse dont un auditeur malveillant pouvait facilement leur faire un crime. En fait, à la date où nous sommes arrivés, les pasteurs ne pouvaient aborder la dogmatique dans leurs sermons que très précautionneusement, et cela au moment même où il eût été indiqué d'armer théologiquement les fidèles...

LA TENTATIVE DE RÉSISTANCE NON VIOLENTE

Un fervent huguenot nîmois, avocat au Parlement de Toulouse après l'avoir été d'abord devant la Chambre de l'Édit de Castres, Claude Brousson, qui plaidait souvent pour des consistoires, s'aperçut que les exercices contestés finissaient toujours par perdre leur procès. Il prit l'initiative de proposer à ceux des consistoires du Midi encore en fonction de s'engager à récuser d'emblée ce tribunal quand on leur chercherait noise et à faire aussitôt appel au Conseil du roi.

C'était préconiser une résistance concertée et non violente, mais hautement significative dans une civilisation où les autorités judiciaires jouissaient d'un incomparable prestige. En proclamant par leur attitude de non-coopération qu'ils avaient cessé de rien espérer de la justice du Parlement de Toulouse, les consistoires auraient montré de l'audace, sans compter que leur concertation à cet égard aurait eu des allures de complot ! Le respect pour le roi était si ancré chez les pasteurs français et la répugnance à apparaître tant soit peu factieux si forte, que la proposition de Brousson parut à beaucoup quasiment séditieuse[12] et qu'elle rallia trop peu de gens pour pouvoir être adoptée, car elle n'aurait eu de portée que si elle était collectivement suivie. Un certain manque de réalisme et le désir apeuré de se tenir coi minait la solidarité des églises et les

---

[12] Ainsi Jacob BAYLE, pasteur au Carla, qui avait été contacté, la repoussa, Cf. *op. cit.* (*supra* III, note 12), p. 58-59.

exercices contestés continuèrent à se ruiner en frais de justice avant de se trouver, l'un après l'autre, condamnés.

Mais rien ne pouvait décourager Brousson. Il n'ignorait pas les tentatives faites douze ans plus tôt, en Guyenne, pour célébrer le culte sur la masure du temple détruit ou en plein air, afin de ne pas se soumettre, sans rien tenter, à la disparition de ce culte public qui était une exigence de Dieu[13]. L'avocat conçut donc un projet de désobéissance civile qui prévoyait qu'à partir du dernier dimanche de juin 1683, simultanément, dans tous les lieux où l'exercice réformé avait été aboli, le culte serait célébré de nouveau, en plein air. C'était là envisager une résistance non violente — presque trois siècles avant Gandhi ! — car il était soigneusement précisé que les assistants devaient bien se garder de venir armés.

Un des atouts du projet dépendait de sa mise en application, le même dimanche, en Languedoc et en Dauphiné — les deux seules provinces synodales où Brousson avait trouvé des partisans ; en effet, les Intendants ne disposaient pas de maréchaussée assez nombreuse pour contrôler beaucoup de localités à la fois. Au reste, Brousson avait le but politique explicite de manifester à la Cour (supposée mal informée) l'attachement à leur foi de dizaines de milliers de huguenots en même temps que leur volonté de s'interdire toute violence.

La tentative échoua pour diverses raisons ; dans les villes importantes, personne n'osa défier les lois, d'autant qu'il y existait des forces de police. Ce ne fut donc que dans de petits bourgs et des villages qu'on trouva des volontaires pour tenter l'expérience, soit les anciens pasteurs du cru revenus pour la circonstance, soit des pasteurs de villes voisines. Du côté des fidèles, moins avertis que les ministres des dangers affrontés, la participation fut enthousiaste. Malheureusement, l'extrême difficulté de la concertation empêcha qu'elle fût parfaite : la date initiale avait été repoussée au 18 juillet, mais tout le monde ne fut pas averti à temps du changement de calendrier, ce qui amoindrit un des aspects les plus spectaculaires de l'entreprise. Enfin, en plus d'un lieu, et, particulièrement, en Dauphiné, sans attendre la réaction des autorités, les catholiques du voisinage tentèrent d'empêcher par la force la célébra-

---

[13] Cf. *supra* VII, p. 134.

tion du culte réformé. Les huguenots, on le conçoit, même si par là ils abandonnaient l'idée centrale de Brousson, en vinrent vite à s'armer pour repousser leurs assaillants, les échauffourées se multiplièrent, les dragons finirent par arriver et en quelques semaines l'expérience avortait dans le sang.

Les autorités avaient réagi avec la dernière vigueur, car il est clair que la concertation dont témoignaient les événements (même si elle n'avait pas été parfaite) leur sembla révéler un complot — ce qu'elles redoutaient par-dessus tout. La répression fut terrible en Vivarais et dans les Cévennes. La plupart des pasteurs condamnés à mort le furent par contumace, car ils avaient pu se cacher avant de s'enfuir du royaume, ce qui fut aussi le cas de Brousson, mais le 27/10/1683 le très vieux pasteur Homel et le jeune Chamier furent roués à Tournon.

Pour ramener un certain calme, les autorités proclamèrent une amnistie et ceux des huguenots qui avaient pris les armes et le maquis se soumirent, mais, sournoisement, l'amnistie avait excepté ceux qu'on jugeait les meneurs. En outre, beaucoup d'exercices cévenols, épargnés jusque-là et qui, de ce fait, n'avaient pas eu à prendre part à l'entreprise, furent supprimés. Les Cévennes subirent une dure occupation militaire.

Le comble de l'amertume, assurément, pour Brousson et ses amis, leur vint de l'attitude adoptée à leur égard par le Député général et les pasteurs de Charenton, qui s'empressèrent de désavouer hautement une tentative dont ils ont méconnu l'originalité et la qualité spirituelle, et où ils n'ont su voir que de l'imprudence, sans en saisir le bien fondé, eux, dont les fidèles étaient majoritairement des notables, ou, du moins, des gens alphabétisés pour qui le culte de famille représentait réellement une position de repli.

Un texte anonyme d'un dauphinois, partisan de Brousson, imprimé en Hollande en 1684 — l'*Avertissement aux protestants des Provinces qui ont fait prescher sur les masures de leurs temples non obstant les Deffences de Sa Majesté*[14] — est plus explicite à ce sujet que les opuscules de Brousson lui-même, eux aussi publiés assez vite dans les Provinces-Unies.

---

[14] Une réédition annotée doit en paraître ultérieurement dans un des cahiers édités par la *Revue d'histoire et de philosophie religieuses* aux Presses Universitaires de France.

Ce petit ouvrage atteste à quel point Nord et Sud de la Loire étaient déphasés l'un par rapport à l'autre et combien différaient ces « Messieurs les protestants des grandes villes » (dont beaucoup préparaient leur départ de France) de leurs coreligionnaires méridionaux, si tragiquement frustrés de célébrations communautaires. L'*Avertissement aux protestans des Provinces* est bien entendu l'œuvre d'un notable, et probablement, d'un pasteur, mais d'un homme au contact des ruraux et passionnément sensible à leurs souffrances. L'opuscule — ce qui, à pareille date, est exceptionnel — atteste un début, encore timide, d'hostilité à l'encontre de la couronne (et pas seulement à l'égard des ecclésiastiques romains). Le petit livre a probablement passé largement inaperçu à l'époque, alors que les textes de Brousson, à la longue et après que l'avocat fût devenu pasteur au Désert et soit mort martyr de sa foi en 1698, furent réédités et connurent donc un certain écho[15].

Mais l'opuscule dauphinois a pour nous, qui connaissons la suite des événements, des accents étrangement prémonitoires : il semble présager la résistance huguenote et le rôle essentiel qu'y joueront les paysans. Par ailleurs, le mépris et même, l'horreur viscérable dont il témoigne à l'égard du catholicisme persécuteur — revers de sa brûlante ferveur religieuse réformée — permet de bien mesurer l'ineptie d'autorités qui tenaient pour aisée la transmutation d'un huguenot en catholique par l'usage de la contrainte. Leurs malheurs pourraient conduire ses victimes au désespoir, à l'illuminisme ou à l'exil, parfois aussi à l'impiété cynique, mais toujours subsisteraient haine et dédain du papisme, stupidement alimentés jusqu'à l'incandescence par les mauvais traitements à quoi se complaisaient les « convertisseurs » patentés.

On décèle une telle incompatibilité entre la fin officiellement poursuivie par la Cour et les moyens mis en œuvre prétendument pour l'atteindre que tant d'aveuglement ne semble avoir été possible que par un mépris insondable à l'égard de ces « indigènes » qu'étaient les ruraux aux yeux des milieux dirigeants — « animaux », pour parler comme La Bruyère, qui appelaient dressage et domptage, auxquels on ne songeait pas à faire l'honneur d'attribuer une dignité ou une cons-

---

[15] Cf. *Lettres et opuscules de feu M. Brousson...* Utrecht, 1701.

cience. On ne « travaillait » que la conversion des notables :
la « populace » ne méritait que la manière forte.

CHEMINEMENT TORTUEUX VERS LA RÉVOCATION

Pendant l'année 1684, les Arrêts du Conseil ne s'arrêtèrent
pas : à la fin de l'année, plus des trois-quarts des exercices
réformés avaient disparu du royaume et les spoliations s'achevaient. Une Déclaration du 21/8/1684 transféra aux hôpitaux
les biens de tous les consistoires, tandis que le 4/9/1684, un
Arrêt du Conseil interdisait aux réformés de donner asile chez
eux à des coreligionnaires pauvres et malades, parce qu'on
soupçonnait en haut lieu, que ce geste charitable était financé
en sous-main par les consistoires ; les hôpitaux en effet étaient
tous aux mains d'ordres religieux et convertisseurs et conver-
tisseuses s'acharnaient sur les huguenots qui pouvaient s'y
trouver.

En août, un Édit statua que les pasteurs encore en fonction ne pourraient exercer leur ministère que trois ans dans la
même localité (disposition étendue aux exercices de fief le
26/7/1685) ; il s'agissait d'éviter qu'une résidence un peu prolongée tisse des liens d'affection et de confiance trop solides
entre un pasteur et ses fidèles. Toutefois, les choses allèrent si
vite que l'Édit n'eut pas l'occasion d'être appliqué.

Le 26/12/1684, une Déclaration abolissait l'exercice public
là où résidaient moins de dix familles huguenotes ; or, partout, les quelques temples encore debout desservaient tous les
alentours où des églises plus populeuses — et donc, plus en
vue — avaient été interdites naguère.

Un Arrêt du 30/4/1685 est intéressant, qui défend aux
ministres et aux proposants de faire l'exercice « dans les lieux
où les temples auront été démolis ». Le texte montre que, sur
le terrain, les huguenots trouvaient des expédients (d'ailleurs
illicites, bien avant l'Arrêt en question), moins semble-t-il
pour célébrer « furtivement », comme dit l'Arrêt, le culte,
après la disparition du temple, que pour le continuer quand
un jugement définitif concernant l'exercice n'était pas encore
intervenu et qu'il était interrompu parce que le pasteur local
était en prison. Les procès intentés aux ministres, aussitôt

« pris de corps » étaient en effet souvent ce qui déclenchait les poursuites qui aboutissaient finalement à l'interdiction du temple. Au surplus, de petites assemblées de réformés, les uns chez les autres, autour d'un pasteur ou d'un proposant (qui ne pouvait pas encore administrer les sacrements, mais qui pouvait célébrer la liturgie et prêcher) étaient évidemment très difficiles à empêcher pour les autorités.

Le 31/5/1685, une Déclaration substitua à la peine de mort celle des galères à perpétuité à l'encontre des Français surpris alors qu'ils tentaient de fuir le royaume. L'Édit d'août 1669, en fait, n'avait édicté la peine capitale, en pareil cas, que pour les gens de mer — pilotes, calfateurs, matelots et constructeurs de navires — à qui il était plus facile qu'à d'autres de s'établir à l'étranger et dont les compétences particulières étaient indispensables à la marine royale, que sa rivalité avec les flottes étrangères engageait à tout faire pour que des Français ne viennent pas accroître leur personnel.

D'une manière générale, l'intention de l'Édit de 1669 était essentiellement dissuasive. L'on avait escompté que les lourdes pénalités prévues (confiscation de corps et de biens s'il ne s'agissait pas de gens de mer) arrêteraient les départs. Constatant qu'il n'en avait rien été, et qu'ils se multipliaient, il était sensé d'assurer des rameurs aux flottes de la Méditerranée plutôt que de maintenir une peine de mort, sans grand effet sur les gens de mer et une confiscation de biens qui n'apportait pas grand'chose à l'État.

Cette Déclaration ne représente donc en rien un pas en arrière, au contraire : mais elle montre les autorités inquiètes du nombre croissant des fugitifs. Ce dont témoigne aussi la Déclaration du 20/8/1685, offrant la moitié des biens des huguenots en fuite à ceux qui les dénonceraient à temps ; elle ne semble pas avoir porté grand fruit : les solidarités communautaires étaient les plus fortes et plus d'un voisin catholique a pris des risques pour aider des huguenots qui cherchaient à partir, qui ont ainsi bénéficié souvent, soit d'une aide active, soit au moins d'une complicité passive, de la part des catholiques de même niveau social.

On était près d'avoir vu disparaître tous les temples du royaume ; on avait sévèrement limité les gagne-pain ouverts aux réformés, en frappant aussi bien la bourgeoisie (en la per-

189

sonne des gens de robe, des médecins, des apothicaires, des libraires, etc.) que bien des formes de l'artisanat, où toute maîtrise était réservée aux catholiques. Tout huguenot était un Français de seconde catégorie, à qui nul office, nulle charge municipale, nul honneur quelconque n'était accessible et qui, juridiquement, faisait figure d'homme traqué — même si, concrètement, beaucoup des empêchements qui le frappaient restaient virtuels.

Quant aux plus fragiles (par exemple, les veuves d'officiers de la Maison du roi et des Princes, qui perdaient leur pension si elles n'abjuraient pas : Arrêt du 13/7/1685), femmes seules, vieillards, malades, indigents, il devenait presque impossible à leurs coreligionnaires de prendre soin d'eux comme autrefois, puisque toutes les institutions charitables ou hospitalières réformées avaient été confisquées. Dans le cas de ces faibles, les incitations à l'abjuration, qui revêtaient toutes les formes à la fois, ont dû représenter d'irrésistibles tentations. Le gouvernement ne pouvait guère faire plus !

Cependant, apparemment, des centaines de milliers de sujets du roi de France avaient cessé de vivre en chrétiens : ils chômaient le dimanche, mais à la belle saison on les voyait parfois en « promenades, parties de chasse, débauches[16], et jeux illicites », relate un témoin — mais non pas à la Messe... On avait rasé les temples, chassé les pasteurs de la province ou en tout cas de la localité où ils avaient exercé leur ministère, fermé les écoles et les Académies, qu'allait devenir tout ce peuple privé d'encadrement religieux — et par conséquent, sous l'Ancien Régime, d'état-civil ?

Le 15/9/1685, un tardif Arrêt (qui s'inspirait partiellement de la Déclaration antérieure du 16/6/1685, qui avait interdit aux sujets du roi de se marier à l'étranger) enjoignit aux Intendants de désigner des ministres itinérants, chargés de baptiser les nouveaux-nés réformés et de marier les couples huguenots — ce qui était, bien sûr, ignorer hautement la Discipline des E.R.F. qui associait ces actes à un culte public. Mais c'est qu'une Déclaration du 25/7/1685 avait interdit aux huguenots de fréquenter un temple situé hors du bailliage de leur domicile, ce qui, jusque-là, avait représenté l'ultime res-

---

16 Entendez « oisiveté »; la citation est tirée de l'*Avertissement...* mentionné *supra,* p. 186 ; cf. p. 54.

source des plus fervents : parcourir, de temps à autre, la distance, souvent considérable, qui les séparait du dernier exercice réformé encore licite dans leur région, pour y participer à la Sainte Cène, y faire baptiser leurs enfants et y faire bénir leurs unions. De tels voyages étaient le dernier lien qui rattachait encore les individus huguenots aux E.R.F., et voilà qu'on les leur interdisait. Les autorités avaient marginalisé et coincé toute une population et s'avisaient sur le tard des inconvénients majeurs qui en résultaient pour une bonne administration du royaume !

Certes, la R.P.R. était devenue presque invisible, mais les huguenots étaient toujours là, masse de gens au statut aléatoire, soumis aux empêchements les plus divers, mais qui n'en continuaient pas moins à naître, à se marier, à mourir, sans que de tels événements soient dûment enregistrés. Le 9/7/1685, un Arrêt avait interdit aux réformés de conserver un cimetière là où l'exercice avait été aboli — autrement dit, à pareille date, presque partout ; la coutume d'enterrer les morts huguenots dans les champs trouve là sans doute une de ses origines.

Même s'il avait eu le temps d'être appliqué, on peut douter que l'Arrêt du 15/9/1685 ait pu résoudre les problèmes de l'état-civil réformé : comment des ministres désignés et rétribués par les Intendants, et réduits au pur rôle d'officiers d'état-civil auraient-ils pu apparaître autrement que suspects, sinon renégats, aux yeux des fidèles huguenots ? Quoi qu'il en soit, ce qui est significatif, c'est que la Cour ait cherché à pallier les inconvénients étranges qu'avaient entraînés ses décisions antérieures, par lesquelles les grands rites sociaux de passage — baptêmes, mariage, sépultures — avaient été rendus impossibles à tout un secteur de la population française !

Il est patent que la situation qu'avaient instaurée tant de décisions royales ne pouvait pas se prolonger : il fallait, ou bien rétablir pasteurs et temples, afin de restaurer l'encadrement d'autrefois, ou bien pousser les choses à bout et arracher ces abjurations qui redonneraient aux populations concernées un état-civil et surtout, qui les soumettraient au quadrillage paroissial, c'est-à-dire, à un contrôle minimal par des élites sociales.

La situation bizarre qu'elles avaient créée était d'ailleurs plus désastreuse aux yeux des autorités qu'elle n'était fâcheuse pour les réformés ; à leurs yeux, on le sait, le baptême n'est pas de nécessité absolue pour assurer le salut éternel d'un petit enfant mort sans avoir pu le recevoir et le mariage n'est pas un sacrement, tandis qu'il n'en existe pas qui soit propre aux mourants. Il faudrait encore des recherches pour savoir si le concubinat ouvert — béni par les parents du jeune couple et de ce fait, socialement admis, même par le voisinage catholique, si bien attesté chez les réformés du XVIIIᵉ siècle[17] — existe déjà dans les mois qui ont précédé la Révocation. Quant à cette absence de toute pratique religieuse, qui atterrait les autorités, ce n'était qu'une illusion qu'elles s'étaient forgée en obligeant les réformés à se cacher pour chanter des psaumes et prier Dieu. Toutefois, la manière forte allait fournir une issue à Versailles.

En effet, en mai 1685, au Béarn, l'Intendant Foucault avait lancé une dragonnade, que ses bons résultats engagèrent à faire poursuivre ailleurs. Durant l'été, elle s'étendit à tout le Languedoc, pour remonter, en septembre, d'un côté la vallée du Rhône, et, de l'autre, vers l'Aunis et la Saintonge. La Trêve de Ratisbonne (été 1684) avait rendu disponible la forte armée qui avait été auparavant rassemblée près de la frontière espagnole ce qui permit ces dragonnades d'énorme envergure. Leurs résultats furent brillants : à la fin de l'été on comptait officiellement 300 ou 400 000 abjurations et il y a évidemment là un facteur décisif de l'Édit de Révocation qui allait en tirer la conséquence.

Cette dragonnade gigantesque s'était abattue sur des gens dont les églises depuis vingt-cinq ans n'avaient subi que des revers, dont les institutions religieuses avaient été démantelées et l'existence quotidienne rendue précaire et hasardeuse. Démoralisés, terrorisés, les huguenots furent aisément victimes de la panique. Quand les soldats arrivaient, quelques notables épouvantés se hâtaient d'abjurer au nom de leurs coreligionnaires, dont certains se cachaient dans les bois et dont d'autres, s'ils avaient été individuellement sollicités, n'auraient peut-être pas tous signé. La contagion de l'effroi faisait tomber de plus en plus vite villes et villages les uns après les

---

[17] Cf. *infra* IX, p. 202.

autres : la seule annonce de l'arrivée imminente des soldats finissait par suffire.

Ces mesures de force n'eurent rien d'occasionnel et furent voulues par la Cour : preuve en est que l'Intendant d'Aguesseau, à qui répugnaient des abjurations acquises à ce prix, fut remplacé par Bâville, à Montpellier, durant l'été. On n'avait sans doute pas escompté à Versailles que les choses prennent un rythme si accéléré, mais on sentait bien qu'il était impératif d'en finir avec le désastreux état de fait créé par la discordance entre la quasi-disparition des institutions réformées et la persistance de populations huguenotes.

A la fin de l'été, la brèche peut passer pour à peu près colmatée dans le Midi ; la Cour peut abandonner la stratégie du grignotement juridique (qu'elle avait poursuivie, nous l'avons vu, encore tout le long de l'été) et en finir d'un seul coup en révoquant l'Édit de Nantes, sous le spécieux prétexte qu'il était devenu caduc puisqu'il n'y avait plus guère de huguenots en France. Au Nord de la Loire, les dragonnades eurent lieu après la Révocation (en Normandie en particulier) pour en finir avec les derniers îlots du territoire où subsistaient des huguenots. La Cour pouvait se flatter d'en être venue à ses fins « en douceur » et que l'Édit de Fontainebleau ne faisait que sanctionner un état de fait — la disparition des réformés — préalablement atteint.

Au reste, bien des considérations conseillaient d'en finir avec une situation boîteuse et riche en inconvénients. Les moratoires pour dettes et les dispenses temporaires de la taille, consentis aux N.C., avaient non seulement diminué les rentrées des impôts dans le Midi, mais entraîné de proche en proche une déplorable anarchie économique. Maintenant que tout le monde était officiellement catholique, tout rentrerait peu à peu dans l'ordre ; le 12/1/1686, un Arrêt annula le moratoire pour dettes dont bénéficiaient les N.C. : les lois seraient enfin les mêmes pour tous.

Nous verrons que ce fut loin d'être le cas, mais on n'avait assurément pas prévu à Versailles que le tenace particularisme huguenot obligerait à conserver non plus la distinction entre réformés et catholiques, mais, sa suite, la différence de traitement à appliquer aux anciens catholiques et aux nouveaux convertis...

Une série de contingences de politique étrangère, au surplus, semblait singulièrement favoriser l'initiative de la Cour et conseiller la Révocation. La Trêve de Ratisbonne promettait, apparemment, une période de paix qui lui laissait les mains libres en politique intérieure ; la montée sur le trône d'Angleterre, en mars 1685, d'un roi ouvertement catholique, Jacques II, et sa victoire rapide sur Monmouth, semblaient attester un recul général du protestantisme. (Notons au reste que la fuite de Jacques II, trois ans et demi plus tard, devra quelque chose à la Révocation, qui avait contribué appréciablement à encourager l'opinion britannique à une défense active de son protestantisme.)

D'un autre côté, accessoirement, la Révocation représentait une bonne carte pour la Cour de France dans ses relations, alors si orageuses, avec le Vatican : le pape Innocent XI ne pouvait que l'en remercier (bien contre son gré, car il tenait l'Église de France pour quasi schismatique depuis la promulgation des Quatre Articles gallicans par l'Assemblée extraordinaire du clergé de 1682), quoiqu'il condamnât toujours l'extension de la Régale à tout le royaume. Innocent XI savait ce qu'étaient les dragonnades, car on en avait exercées à l'encontre des anti-régaliens du diocèse de Pamiers que soutenait Rome. Le pape s'était inquiété de leur emploi à l'égard des huguenots, ce qui donna à Pellisson l'occasion de lui adresser des lettres doucereuses (dont la troisième ne fut jamais envoyée), qui n'ont assurément pas suffi à tranquilliser le Saint-Père ; celui-ci réprouvait par ailleurs certains formulaires d'abjuration, par trop imprécis, que d'ingénieux convertisseurs avaient conçus pour se faciliter la tâche.

Toutefois, le Pape ne put se dispenser d'envoyer à Louis XIV un bref, en date du 16/11/1685, qui congratulait le Très-Chrétien, sans enthousiasme excessif, d'être venu à bout de l'hérésie sur ses terres[18]. Un tel document redorait quelque peu le blason catholique de la Cour de France, sensiblement terni, non seulement par ses vifs démêlés avec Rome, mais par l'attitude d'expectative qu'elle avait adoptée au moment du

---

[18] Mais ce ne fut qu'au printemps 1686 que le pape se décida à faire chanter un *Te Deum* pour célébrer la Révocation, avec un retard significatif. Cf. Jean ORCIBAL, *Louis XIV contre Innocent XI,* Paris, 1949, p. 9, note 35.

siège de Vienne par les armées turques, dans l'été 1683 : escomptant la défaite de l'Empereur, Louis XIV s'était réservé d'agir ensuite et d'apparaître au dernier moment en sauveur de la Chrétienté, mais le secours apporté par Sobieski et le revers militaire des musulmans avaient déjoué les calculs de Versailles. La Révocation lui permettait de se présenter de nouveau à l'opinion européenne comme champion par excellence du catholicisme...

L'Édit de Révocation fut signé à Fontainebleau le 17 octobre 1685 ; l'enregistrement au Parlement est du 22. La date précise où il intervint répond à la conjugaison d'une foule de considérations et d'événements de nature très diverse. Une telle décision était inéluctable, dès lors qu'un retour en arrière aurait démenti un principe cardinal de gouvernement, qui incitait Louis XIV à ne jamais se déjuger. Assurément, les données de politique intérieure ont été déterminantes — et la « divine surprise » des résultats prodigieux de la grande dragonnade en Languedoc. La bigoterie y a aidé ; rappelons la joie folle du vieux chancelier Le Tellier, si heureux de parapher de sa main mourante un Édit qu'il avait si longtemps désiré. L'opportunité créée par différentes circonstances de politique étrangère a pu sembler providentielle.

La Cour — et l'opinion — crurent qu'on avait apporté une solution définitive à un problème épineux depuis plus d'un siècle et demi ; en fait, elle allait en faire naître et en aggraver quantité d'autres... Le « clan Colbert » — Seignelay, Croissy, le Dauphin qui, au Conseil, avait opiné contre la Révocation, ne les avait que très partiellement entrevues. En effet, il n'aurait pas suffi de ne pas révoquer, il aurait fallu revenir en arrière et redonner un minimum de contenu à cet Édit de Nantes, qui n'était plus qu'une coquille vide.

CHAPITRE IX

LES SUITES IMMÉDIATES DE L'ÉDIT DE FONTAINEBLEAU

LE JUS EMIGRANDI *DES PASTEURS*

Si, dans son principe, depuis quelques années l'Édit de Fontainebleau ne pouvait rien avoir d'absolument inattendu pour les réformés français, même les moins avertis, en revanche, certains articles du texte constituèrent, à quelques égards, une heureuse (si l'on peut dire !) surprise et apportèrent une ombre de soulagement, qui ne fut, nous allons le voir, que passager. En effet certains des principes de la Paix de Westphalie semblaient avoir laissé quelques traces. Le *jus emigrandi* était reconnu aux pasteurs (mais non aux proposants), qui pouvaient choisir entre l'abjuration et un bannissement, assorti de clauses draconiennes : non seulement il n'était accordé aux ministres que quinze jours pour prendre une décision, mais encore, ils ne pouvaient réaliser leurs biens et, surtout, ils devaient abandonner derrière eux leurs enfants de plus de sept ans et leurs ascendants, même si ces derniers étaient jusque-là à leur charge.

Monsieur Claude fut distingué de ses collègues, car il ne lui fut concédé que vingt-quatre heures pour quitter Paris. Il avait en effet déjoué un piège qui avait consisté à autoriser un dernier culte à Charenton le dimanche 21 octobre (l'Édit avait été signé le 17, mais n'allait être enregistré par le Parlement de Paris que le 22). Les autorités avaient prévu de cerner le temple de Charenton d'archers et espéraient que leur irruption soudaine et les cris de « réunion, réunion » affoleraient assez la communauté pour qu'elle cédât en bloc, comme tant d'autres auparavant. Claude, soupçonneux, eut vent du projet et renonça à célébrer un dernier culte, d'où la hargne des autorités à son encontre. Le vieux pasteur gagna la Hollande à grandes étapes, accompagné d'un exempt jusqu'à la frontière, et quand il passa à Cambrai — épisode qui illustre admirablement la civilisation du XVIIᵉ siècle — il fut invité au collège jésuite de la ville où lui furent offerts des rafraîchissements, belle occasion pour un échange de courtoises allocutions ; la solidarité entre citoyens de la République des Lettres et la politesse des manières restaient à l'ordre du jour en toutes circonstances[1]...

Il s'est trouvé des historiens protestants pour se scandaliser ou se désoler qu'un cinquième environ des pasteurs encore en France en octobre 1685 aient opté pour l'abjuration[2]. Appréciation qui paraît injuste pour le courage manifesté par les quatre-cinquièmes qui ont choisi l'exil, dans les conditions si dures qui l'assortissaient. Au surplus, à cette date, un nombre appréciable de pasteurs français dont l'exercice avait été supprimé depuis quelque temps ou qui avaient été bannis du royaume, se trouvaient déjà à l'étranger, ce qui diminue la proportion des renégats sur le total des ministres. Il apparaît d'ailleurs que deux ou trois des pasteurs qui ont abjuré l'ont fait dans un esprit de nicodémisme et avec l'intention de poursuivre furtivement un ministère clandestin auprès des anciens huguenots, projet qui se révéla encore plus aléatoire qu'ils ne l'avaient escompté[3]. Mais dans l'ensemble, la quasi-totalité des pasteurs qui ont abjuré semblent l'avoir fait sans arrière-pensée et être devenus des catholiques assez bon teint, voire

---

[1] Cf. Abel ROTOLP de La Devèze. *Abrégé de la vie de M. Claude*, Amsterdam, 1687, p. 101.

[2] Cf. S. MOURS : « Les pasteurs à la Révocation de l'Édit de Nantes », in *B.S.H.P.F. CXIV* (1968), p. 67-105 ; 292-316 et 521-524. On notera que c'est dans le Midi — Béarn et Cévennes en particulier — qu'on rencontre la plus forte proportion de pasteurs ayant abjuré — probablement parce que dans ces régions à forte densité protestante, la vocation pastorale correspondait plus souvent qu'ailleurs à des ambitions surtout temporelles.

[3] Cf. E. LABROUSSE : « Le débat sur l'exil des pasteurs français en 1685 », in *Études théologiques et religieuses* (Montpellier), 1985/2.

même, parfois, dévots et enclins à s'évertuer à convertir réellement au catholicisme leurs anciens fidèles, attitude qui, psychologiquement, s'explique très bien car elle sanctionnait le bien-fondé de leur propre défection[4].

Le Conseil du roi avait hésité sur les mesures à prendre à l'égard des pasteurs, mais, nous l'avions vu, la Cour se complaisait à ne voir dans la résistance huguenote que le résultat de l'action de quelques meneurs, têtus ou intéressés, dévoyant des masses ignorantes et aisées à manipuler. Il parut donc finalement opportun d'en débarrasser le royaume, d'autant que ce régime « de faveur » concédé aux ministres était bien fait pour aliéner le peuple huguenot de conducteurs qu'on prit soin de lui dépeindre comme de mauvais bergers, abandonnant leurs troupeaux. Toutefois, il n'est que juste de rappeler que la démoralisation était si totale parmi les réformés français, en octobre 1685, qu'il était impossible à un pasteur qui aurait voulu rester clandestinement en France de trouver des fidèles disposés à l'héberger et à le cacher.

Nous verrons que peu de mois suffirent pour que les huguenots se reprennent : dès le printemps 1686 ils écrivaient pour demander le retour de quelques ministres, mais les pasteurs étaient alors hors du royaume et fort peu enclins à revenir se mettre dans la gueule du loup[5]...

S'il s'était trouvé, ici ou là, exceptionnellement, des agents d'exécution assez humains pour ne pas contrôler de trop près l'âge exact des enfants qu'un couple pastoral prétendait emmener en exil, dans l'ensemble, le bannissement des ministres fut férocement soumis aux règles édictées. Ainsi Pineton de Chambrun immobilisé par une jambe cassée, bien qu'il ait manifesté l'intention de partir, ne fut pas autorisé à la mettre à exécution, parce que le délai de quinze jours s'était écoulé avant qu'il fût en état de voyager. Le pauvre homme finit par abjurer (comme tant d'autres, pour qui ce geste n'était qu'une feinte rendant moins ardue une fuite ultérieure), mais il put ensuite gagner le Refuge et il a laissé un témoignage de sa

---

[4] Cf. la théorie de la dissonance cognitive du psychologue social nord-américain Festinger ; voir l'article de Joseph NUTTIN in *Introduction à la psychologie sociale*, sous la direction de Serge Moscovici, Paris, 1972, 2 vol. I, p. 13-58.

[5] Cf. *op. cit. supra* note 3.

repentance navrée[6]. Quant à ceux de ses collègues — par exemple Jean Tirel ou Jacob Bayle[7] — qui se trouvaient en prison en octobre 1685, il ne fut pas question de les faire bénéficier du choix offert aux autres ; tous deux devaient mourir en confesseurs, sans avoir abjuré, entre les quatre murs d'un cachot, et ils ne furent probablement pas les seuls dans ce cas.

LA DUPERIE DE LA DEVOTIO PRIVATA

Le dernier article de l'Édit de Fontainebleau statuait : « ... pourront lesdits de la R.P.R., en attendant qu'il plaise à Dieu les éclairer comme les autres, demeurer dans les villes et lieux de notre royaume, pais et terre de notre obéissance et y continuer leur commerce et jouir de leurs biens sans pouvoir être troublez ni empêchez sous prétexte de ladite R.P.R., à condition... de ne point faire d'exercice ni de s'assembler sous prétexte de prières ou de culte de ladite Religion ». C'était laisser croire que pourrait subsister en France la *devotio privata* telle que l'avaient définie les Traités de Westphalie, mais il n'en fut rien.

Il est possible que cet article n'ait été destiné qu'à jeter de la poudre aux yeux des puissances protestantes et à modérer l'indignation que leur inspirait la Révocation. Il se pourrait aussi que les autorités n'aient pas prévu le nombre de ceux qui, sur la foi de ce texte, se refuseraient à abjurer : on pouvait laisser mourir dans la religion de leur enfance quelques vieillards intransigeants tels le vieux juristes respecté qu'était Benjamin Basnage, ainsi que son épouse[8] — mais pareils cas devaient rester l'exception.

---

[6] Cf. *Les larmes de J. Pineton de Chambrun, qui contiennent les persécutions arrivées aux églises de la Principauté d'Orange, depuis l'an 1660 ; la chute et le relèvement de l'auteur, avec le rétablissement de S. Pierre en son apostolat ou sermon sur Jean, 21, 15* La Haye, 1688.

[7] Sur Jean TIREL, voir l'Introduction d'Eva Avigdor à son édition des *Lettres fraternelles d'un prisonnier à ses frères fugitifs et dispersez...* opuscule composé en prison par ce pasteur (qui y mourut en 1692 ou 1693), Paris, Nizet 1984. Sur Jacob BAYLE, *op. cit.* (*supra* III, note 12), p. 197-199.

[8] Cf. Henri BASNAGE DE BEAUVAL, *Tolérance des religions*, réédition photostatique de l'éd. de Rotterdam, 1684, New York, Johnson reprint, 1970 (avec une Introduction d'E. Labrousse), p. 46

Aussi l'Édit de Fontainebleau ne mit-il pas fin aux dragonnades ; le 30 octobre arrivent à Rouen douze compagnies de cuirassiers, tandis que d'autres troupes sévissent, vers la même date, sur les communautés réformées, jusque-là épargnées, du pourtour septentrional du Massif Central, de l'Anjou et de la Touraine. La Champagne, la Picardie, les Ardennes virent arriver les soldats un peu plus tard et la dernière dragonnade se déchaîna à Metz, en août 1686, au mépris de l'ancien traité d'annexion qui garantissait la libre profession du protestantisme dans la ville et son territoire. Les soldats ne pouvaient cantonner à Paris, où d'ailleurs résidaient les ambassadeurs étrangers à qui l'on s'évertuait à dissimuler les violences, mais les pressions exercées sur les notables de la capitale furent énormes et les plus coriaces furent emprisonnés[9].

Le cas de l'Alsace est particulier : les Luthériens y étaient nombreux, que ne concernait pas la Révocation, et, dans cette marche frontière, récemment annexée et à laquelle les Princes allemands étaient très attentifs, il fallait user d'un certain doigté. Ce qui n'est pas dire que les calvinistes alsaciens ne subirent pas de pressantes incitations à l'abjuration et, pour certains d'entre eux, de lourdes sanctions, mais leur sort fut cependant moins dur qu'ailleurs et assez vite ils furent laissés tranquilles.

Du point de vue des autorités, l'ancienne population huguenote se divisait en deux secteurs. De beaucoup le plus étendu regroupait des gens qui avaient abjuré — personnellement ou indirectement, quand un consistoire l'avait fait au nom de la communauté. Les Arrêts du Conseil sanctionnant les relaps donnaient des armes juridiques pour exiger de ces masses la profession du catholicisme.

Quant au secteur restreint de ceux à qui la contrainte des dragonnades, antérieures ou postérieures à la Révocation, n'avait pas arraché d'abjuration, formellement, le dernier article de l'Édit de Fontainebleau, cité plus haut, rendait en principe licite leur obstination. Il n'arrêta pas les autorités,

---

9 Cf. O. DOUEN, *La Révocation de l'Édit de Nantes à Paris*, Paris, 1894, 3 vol. 4°, *passim*.

qui firent l'impossible pour venir à bout des opiniâtres. En janvier 1686, en Édit, si extravagant qu'il ne fut jamais appliqué, ôta aux parents encore réformés leurs enfants entre cinq et seize ans. Ces mineurs devaient être confiés à des membres catholiques de leur famille, ou bien placés dans des couvents ou des collèges, selon leur sexe, ou encore, si les parents n'avaient pas les moyens d'assurer le versement d'un prix de pension, ces enfants devaient être placés dans les Hôpitaux généraux (au taux de mortalité très élevé)... Une telle menace a pu déterminer des abjurations aussi efficacement que les dragonnades qui se poursuivaient ou que l'emprisonnement indéfini d'un chef de famille, qui laissait les siens dans le besoin. Car, partout, les huguenots opiniâtres étaient incarcérés quand on les avait identifiés.

Ceux des notables qu'un emprisonnement prolongé n'avait pas fait céder et qui se trouvaient encore en vie (on mourait vite dans les geôles du XVIIᵉ siècle) furent expulsés du royaume, démunis de tout, vers l'Angleterre, en 1686 et 1687. Quant aux humbles et aux obscurs, on les déporta aux Antilles, perspective terrifiante pour ces simples ; la traversée se fit dans des conditions abominables, qui en firent périr en grand nombre. Toutefois, issue imprévue, ceux et celles qui avaient survécu connurent, à cause de la couleur de leur peau, assez de liberté de mouvements pour pouvoir, dans certains cas, regagner l'Europe, s'échapper vers les colonies anglaises ou hollandaises d'Amérique ou encore retrouver, sur place, un mode d'existence tant soit peu normal : l'ardeur religieuse catholique ne sévissait guère aux Antilles[10]...

Comment comprendre que le dernier article de l'Édit de Fontainebleau soit à ce point demeuré lettre morte ? C'est sans doute que les autorités s'aperçurent vite quel déplorable exemple était pour ceux à qui l'on avait pu arracher une abjuration la résistance des opiniâtres ; il était donc nécessaire de rappeler aux renégats involontaires que leur sort était enviable, comparé à celui de leurs coreligionnaires plus persévérants — ou, initialement, plus chanceux, dans la mesure où ç'avait été

---

[10] Cf. PETITJEAN-ROGET « Les protestants à la Martinique sous l'Ancien Régime » in *Revue française d'Histoire d'Outre-Mer*, XLII (1955), p. 220-265.

plus d'une fois un pur hasard qui leur avait permis d'esquiver l'abjuration.

LES NOUVEAUX CONVERTIS

La quasi-totalité des protestants français était devenue N.C. — nouveaux convertis ou nouveaux catholiques — et les Arrêts condamnant les relaps devaient suffire, espérait-on, à les river peu à peu à leur nouvelle confession. Mais l'on se faisait si peu d'illusions sur l'insincérité de leur « conversion » que les autorités les traitèrent en suspects ; on contrôla leur présence à la Messe, le dimanche, alors que rien de tel ne se faisait à l'égard des « anciens catholiques », et une foule de discriminations continuèrent à entraver leurs activités ou leurs carrières. Charges municipales ou judiciaires leur demeuraient fermées à moins qu'ils ne puissent produire un certificat de catholicité, signé du curé de leur paroisse — qui attestait non seulement leur assiduité à l'église, mais surtout leur pratique des sacrements romains.

Or, si l'on se place au point de vue des N.C., il y avait un abîme entre un nicodémisme passif (on allait à la Messe parce que le roi l'ordonnait) et le recours aux sacrements de pénitence, d'extrême-onction et, par-dessus tout, de l'eucharistie. Le baptême des nouveaux-nés posait moins de problèmes : le sacrement romain était reconnu comme valable par les théologiens réformés, et vice-versa ; quant au mariage, l'officiant n'y figurait que comme témoin et les N.C. pouvaient s'y prêter (sans le tenir pour un sacrement et en considérant le prêtre comme un officier d'état-civil), pour peu qu'on n'exigeât pas d'eux une communion préalable.

Quand, au XVIIIe siècle, une telle exigence se répandit on vit se multiplier parmi les N.C. les couples concubinaires — aux yeux de la loi, mais non à celui des populations, y compris des voisins anciens catholiques, parce qu'un contrat notarié en bonne et due forme, avec promesse de mariage, l'accord des ascendants et la non-dissimulation de la vie commune donnaient un cachet de légitimité à ces sortes d'unions.

Les dernières illusions qu'ont pu encore abriter les autorités concernant la sincérité des abjurations arrachées de force, elles les perdirent à Pâques 1686. Dès le début mars, bien renseigné, Bossuet avait composé une *Lettre Pastorale* pour inciter les N.C. de son diocèse — et par-delà, de toute la France — à « faire leurs Pâques ». Il y déployait tous ses talents de persuasion en y popularisant les thèmes de son *Exposition de la doctrine de l'Église catholique* de 1671 et en s'évertuant, accessoirement, à dénigrer les pasteurs bannis comme des déserteurs de leurs ouailles et à célébrer, par contraste, la paternelle bienveillance du clergé gallican envers les anciens huguenots ; ceux des N.C. qui avaient eu l'occasion de constater de près le rôle de délateur si souvent joué par des curés, savaient mieux à quoi s'en tenir. En tous cas, l'évêque de Meaux perdit ses peines. Dans tout le royaume, les N.C. se gardèrent bien de « communier à la papauté » à l'occasion des fêtes de Pâques.

La sphère de liberté et de spontanéité qui leur était laissée était minime,mais ce qu'on ne les contraindrait pas de faire, il était patent qu'ils s'en abstiendraient. L'Église de France ne s'était accrue que de catholiques de pure façade, qui se hâtaient, dès que s'en offrait l'occasion, de démentir une étiquette qu'ils exécraient et qui les bourrelait de remords. Les concessions nicodémites ou marranes qu'on avait obtenues d'eux, en alimentant leur repentir, annulaient très vite les effets qu'en avaient attendus les persécuteurs. Plus encore, elles suscitaient chez les plus fervents un besoin de rétractation qui les rendaient avides d'effacer leur faute dans les assemblées religieuses clandestines — au Désert — qui débutèrent dans divers lieux écartés au printemps 1686.

C'est un mécanisme constant des oppressions que d'ancrer dans leur déviance ceux que la violence avait prétendu en détacher. Les Assemblées annonçaient à leurs participants que Dieu leur pardonnait leur faiblesse d'un moment ; elles leur rendaient ainsi dignité et courage, en les tirant de la déréliction du mépris de soi et en les conduisant du remords au repentir mobilisateur.

Simultanément, un certain nombre de N.C., au lit de mort, repoussèrent le ministère du prêtre et l'Extrême Onction et proclamèrent leur fidélité ultime à la religion de leur enfance.

Devant tous ces signes inquiétants, Versailles opta pour la

manière forte, ce qui était (enfin !) faire bon marché de cette fiction de « douceur », si soigneusement cultivée jusque-là dans les textes officiels. Le 24/4/1686, une Déclaration ordonna que si un mourant avait refusé les derniers sacrements romains, il fût condamné à perpétuité, s'il recouvrait la santé, les hommes, aux galères et les femmes, à la prison, et ses biens confisqués. Si le malade décédait, procès serait intenté à son cadavre, qui serait traîné sur la claie et jeté à la voirie, au pied du gibet, avec confiscation de l'héritage qu'il pouvait laisser.

Ces mesures rigoureuses furent appliquées quelque temps, sans pourtant faire cesser les refus d'Extrême Onction. Si elles ne déplaisaient pas à la populace, qui raffolait des exécutions en tout genre et qui, à Paris, au lendemain de la Révocation, s'était obscènement déchaînée sur les corps qu'elle avait déterrés dans le cimetière protestant de la ville, sans que le lieutenant de police, La Reynie, ait osé intervenir tout de suite, elles finirent par horrifier la bourgeoisie catholique, qui répugnait à une sanction aussi archaïque. D'autre part, les autorités s'aperçurent qu'elles valaient à la résistance huguenote une bien fâcheuse publicité. Peu à peu, on laissa la Déclaration tomber en désuétude...

Le 1/7/1686, une autre Déclaration sanctionna les Assemblées du Désert, ce qui était de la part des autorités, non seulement reconnaître leur réalité, mais avouer qu'on les jugeait dangereuses. Ici encore une condamnation perpétuelle, aux galères pour les hommes et à la prison, pour les femmes, attendait les assistants, mais nouveauté très significative, c'était la peine de mort qui frapperait le prédicant ou le pasteur qui aurait présidé le culte. La Cour renonçait donc à s'en tenir aux règles posées par saint Augustin, qui avait expressément écarté la peine capitale des moyens à employer pour réduire le schisme donatiste.

Mais bien pire encore, en plusieurs endroits du Midi on procéda à des communions forcées, *manu militari*, le N.C. étant encadré par deux dragons qui lui tenaient les bras. On demeure atterré de penser qu'on ne manqua pas de prêtres pour collaborer à de pareils sacrilèges ! La confusion entre loi civile et loi religieuse était complète.

Au bout de quelque temps, alertés, des évêques du Nord

de la Loire, bons théologiens — dont Bossuet — obtinrent que cessât, fin 1686, une pratique aussi singulière, qui avait achevé de persuader les N.C. que leurs persécuteurs étaient d'abominables impies, purs suppôts de Satan qui n'avaient même pas l'excuse de croire eux-mêmes les dogmes « idolâtres » qu'ils prétendaient faire professer à leurs victimes. S'ils avaient cru Dieu présent dans l'hostie consacrée, l'auraient-ils fait ingurgiter de force à des gens rétifs ? Le recours, même passager, à de pareils procédés illustre éloquemment le désarroi rageur d'autorités civiles et religieuses étroitement complices, obligées de constater qu'elles n'en auraient donc jamais fini avec un problème qui les obsédait depuis un quart de siècle. Elles s'enfonçaient dans l'absurdité exaspérée face à une « indocilité » dont, parce qu'elles en méconnaissaient les sources, elles n'arrivaient pas à s'expliquer la ténacité.

En moins d'un an, donc, l'échec de l'Édit de Fontainebleau transparaissait dans les Déclarations royales et l'incroyable violence des communions forcées. Il était clair que les N.C. persistaient à se sentir et, pire encore, à se vouloir huguenots...

A la Cour, les moins obtus placèrent tous leurs espoirs dans la formation religieuse à donner aux enfants des N.C. L'on commençait à désespérer de rallier les adultes, mais la seule chance qu'à la longue la Révocation porte les fruits qu'on en avait attendus, c'était de prendre en main et d'influencer les générations montantes. Toutefois, si les autorités en avaient la ferme intention, elles n'en avaient pas les moyens. Certes, de multiples textes enjoignirent qu'on veillât à l'assiduité des enfants N.C. dans les écoles paroissiales et au catéchisme. Mais les premières étaient souvent inexistantes et au reste, de toutes façons, la scolarisation de la population enfantine rurale, à cette date, n'était ni assez générale, ni assez prolongée pour avoir une portée religieuse tant soit peu formatrice. Quant au catéchisme, lui aussi inégalement et souvent mal dispensé par les curés, les parents N.C. s'ingéniaient de mille manières à y soustraire leur progéniture ou, à défaut, et en général, avec plein succès, à en contrecarrer à la maison avec véhémence le contenu romain... Que l'influence du milieu familial soit demeurée souveraine, c'est ce qu'atteste la présence de centaine de milliers de huguenots dans le royaume, un siècle plus tard, quand l'Édit de tolérance qui leur rendit un état-civil, en 1787, leur permit de s'afficher comme tels devant un juge.

Cependant, il faut éviter le mirage d'un triomphalisme protestant d'images d'Épinal : la Révocation et toutes les mesures qui l'ont précédée et suivie ont durement laminé la R.P.R. et considérablement réduit le nombre de ses fidèles — même, sans doute, abstraction faite de ces départs au Refuge dont nous parlerons plus bas. L'extinction totale du protestantisme là où son implantation était très minoritaire, et son affaiblissement appréciable partout ailleurs, sont des faits significatifs : il est patent que toute une frange réformée a fini par être catholicisée après quelques générations. Ce fut le cas dans le diocèse de Saint-Pons où l'évêque, en 1685, Percin de Montgaillard, un ami de Port-Royal, s'opposa à la venue des dragons et les dédommages de sa poche pour les écarter de son petit territoire. Pour ramener les brebis égarées, ce prélat original prétendait s'en remettre à des efforts patients de persuasion, qui furent peu à peu couronnés d'un appréciable succès. Cet épisode tout à fait exceptionnel laisse deviner tout ce que l'échec de la Révocation a dû aux moyens brutaux mis en œuvre dans le reste du royaume.

Dans bien des cas, la persécution a réveillé ou stimulé le zèle de ses victimes, mais il est patent qu'elle en a aussi conduit beaucoup, au-delà des compromis casuistiques jusqu'à des compromissions spirituellement mortelles — par exemple, des communions dictées par un pur opportunisme. Ceux qui s'y résignaient se trouvaient souvent incités par là à une indifférence religieuse cynique ou narquoise. Sans être devenus catholiques, beaucoup de N.C. n'étaient plus guère protestants : chrétiens douteux, déistes vagues, mais aussi, dans bien des cas, parfaits incrédules, tous, au reste, fervents anticléricaux. Leur haine et leur mépris pour l'Église romaine allaient contaminer une frange appréciable de leurs nouveaux coreligionnaires et contribuer puissamment à la vigueur du courant anticlérical dans la culture française depuis le XVIIIᵉ siècle. Le mot d'ordre voltairien « écrasons l'infâme » est une réponse à la Révocation.

206

Si les premières Assemblées du Désert préoccupaient les autorités, déconcertées par cet insolent défi, elles n'étaient pas leur pire souci. En effet, une Déclaration du 7/5/1686 fit état de ces départs clandestins — de ce vote avec les pieds — qui conduisaient des dizaines de milliers de N.C. dans les pays protestants étrangers, au mépris des interdictions royales, plusieurs fois réitérées. Les biens des fugitifs seraient confisqués, mais pour leur être rendus s'ils revenaient ; ceux qui seraient surpris en train de s'enfuir subiraient une peine perpétuelle, de galère pour les hommes et de prison pour les femmes. La même peine serait infligée à ceux qui les auraient aidés à quitter la France (châtiment aggravé en peine capitale le 12/10/1687). Toutefois, les passeurs professionnels tiraient tant d'argent de leur activité illicite que les dangers qu'elle offrait ne les en détournaient guère.

Dès avant la Révocation, des protestants avaient commencé à quitter la France en dépit de l'interdiction qui leur était faite, mais le nombre des fugitifs ne représenta une sérieuse hémorragie qu'après l'Édit de Fontainebleau. On établit alors une surveillance étroite des frontières, mais ces efforts demeurèrent largement inefficaces et un flot de N.C. continua à gagner les pays de Refuge.

Ce mouvement de populations ne laissait pas indifférentes les puissances protestantes : dès le 29 octobre 1685, par le fameux Édit de Potsdam, le Grand Électeur narguait Louis XIV en offrant des conditions très avantageuses aux huguenots qui viendraient s'établir en Brandebourg : exemption d'impôts pendant plusieurs années, aides diverses de toute nature et surtout promesse d'une autonomie administrative appréciable. Comme d'autres régions d'Allemagne, le Brandebourg n'était pas encore complètement remis des ravages démographiques occasionnés par la Guerre de Trente Ans et, par ailleurs, les réfugiés huguenots constituaient une immigration de qualité aux yeux d'un souverain, lui-même calviniste.

D'une manière un peu moins claironnée, dans les Provinces-Unies et en Angleterre, on institua aussi diverses mesures pour aider à l'établissement des fugitifs, tandis que les collectes en faveur des réfugiés recueillaient des sommes considérables — ainsi la communauté juive d'Amsterdam offrit un don fort généreux pour secourir les arrivants les plus démunis.

Tous les réfugiés au reste n'étaient pas sans ressources : ceux des classes privilégiés avaient assez souvent réussi à faire passer quelques capitaux à l'étranger, en général déposés à la Banque d'Amsterdam et dans plus d'un cas, acheminés par l'entreprise de l'Ambassadeur des Provinces-Unies en France[11].

Toutefois les réfugiés étaient dans l'ensemble sensiblement appauvris par rapport à leur état de fortune antérieur : ceux qui avaient été richissimes n'étaient plus que dans l'aisance et beaucoup de ceux qui jusque-là avaient vécu de leurs rentes se mirent à travailler — donnant des leçons, corrigeant des épreuves d'imprimerie, prenant des pensionnaires, rédigeant des périodiques — tandis qu'artisans et paysans repartaient souvent de zéro et que les officiers entraient dans les armées des souverains protestants. Mais il est significatif que les corsaires barbaresques aient fait alors des incursions jusque dans la Manche et même la Mer du Nord, tant était fructueuse la prise d'un navire chargé de réfugiés, dont la plupart avaient réussi à emporter de quoi subsister, au moins quelques jours ou quelques semaines. Dans l'optique mercantiliste, la perte de métaux précieux que la Révocation entraîna pour le royaume de France en fut une conséquence des plus fâcheuses.

On n'est guère encore en mesure d'évaluer avec quelque exactitude le nombre des huguenots qui quittèrent la France entre 1679 et 1700. Il pourrait bien atteindre 200 000, mais il faudra qu'aboutissent des recherches collectives approfondies, actuellement en cours dans toute l'Europe, pour savoir si cette évaluation approximative pèche par défaut, ce qu'on ne saurait en rien exclure.

Certes, par rapport à la population totale du royaume, la proportion des fugitifs reste infime — de l'ordre de 1 % —, mais il faut souligner les caractères qualitatifs d'une émigration qui fut, semble-t-il, majoritairement le fait de personnes

---

[11] Cf. Solange DEYON, « Les relations de famille et d'affaires de Jean Claude d'après sa correspondance à la veille de la Révocation (1683-1685) » in *B.S.H.P.F.* CXVI (1970), p. 152-177.

jeunes, de sexe masculin et qui priva le roi de France de sujets entreprenants, énergiques et d'un exceptionnel aloi moral.

Un chercheur nord-américain, Scoville[12] a montré qu'on a autrefois abusivement majoré les conséquences économiques de ces départs et que la ruine de la France à la fin du règne de Louis XIV s'explique avant tout par les guerre longues et coûteuses qui l'ont ponctué. Cependant il reste vrai que certaines manufactures (rubans, chapeaux, etc.), jusque-là spécialités purement françaises et sources d'exportation, ont pu alors s'implanter à l'étranger grâce aux techniques introduites par des réfugiés parmi lesquels les artisans se comptaient en grand nombre. Plus grave peut-être, la modernisation de l'armée prussienne fut l'œuvre des officiers huguenots que le Grand Électeur s'ingénia à attirer à son service, tandis que ses premières fonderies de canons étaient confiées à des métallurgistes réfugiés.

On sait par ailleurs tout ce que la victoire de la Boyne, le 11 juillet 1690, a dû à la *furia francese* des contingents huguenots de l'armée de Guillaume III, combattants d'autant plus acharnés qu'à cette date encore, s'ils étaient faits prisonniers par l'armée française, ils étaient passés par les armes comme traîtres. Ultérieurement, Louis XIV allait se raviser à cet égard, ayant compris que cette menace valait à ses propres troupes des adversaires par trop déterminés.

De toute façon, les efforts persistants de Versailles pour empêcher les départs, inciter au retour ou neutraliser l'apport militaire fourni à ses ennemis (par exemple, en favorisant fortement l'entrée d'officiers réfugiés au service du roi du Danemark, puisqu'en pareil cas, ils toucheraient la moitié des revenus qu'ils pouvaient avoir en France, au lieu qu'ils soient confisqués)[13] montrent à l'évidence que la Cour constatait cer-

---

[12] Cf. Warren SCOVILLE, *The persecution of Huguenots and French economic development, 1680-1720,* Berkeley, 1960 — qui nuance sérieusement certains des aspects de l'étude de van Deursen, citée *supra* VII, note 11, p. 142.

[13] Ordonnance du 12/3/1689 « portant que les religionnaires sortis du royaume à l'occasion de la Révocation, lesquels iront servir dans les troupes du roi de Danemark ou se retireront à Hambourg jouiront de la moitié des revenus des biens qu'ils ont en France ». La Guerre avait été formellement déclarée le 26/11/1688, mais à cette époque, il n'y avait pas d'opérations militaires en hiver ; c'est donc au printemps que débuta réellement la Guerre de la Ligue d'Augsbourg.

taines des conséquences fâcheuses pour elle de sa politique religieuse : l'émigration ne représentait pas seulement une perte pour le royaume — en elle-même supportable —, elle bénéficiait en outre appréciablement à ses ennemis.

La ponction démographique infligée à la France par les départs au Refuge allait être irréversible ; le nombre de réfugiés qui finirent par revenir au pays natal — par exemple, sous la Régence — est infime comparé aux masses qui moururent à l'étranger et dont la postérité s'assimila peu à peu au pays d'accueil où elle était arrivée en bas âge quand elle n'y était pas née. Initialement la venue soudaine de tant de réfugiés avait accru considérablement le nombre des églises wallonnes (réformées de langue française), d'autant qu'il y avait pléthore de ministres parmi les émigrés ; toutefois, les nouvelles générations étaient bilingues ce qui facilitait les mariages exogames, de sorte qu'à des rythmes différents (ainsi, très vite dans les îles britanniques, assez lentement au Brandebourg) elles s'assimilèrent progressivement à la population dans laquelle elles étaient immergées, jusqu'à se rattacher aux communautés protestantes locales en perdant ainsi leur particularisme confessionnel. Les unes après les autres, le plus grand nombre des églises wallonnes finiront par disparaître.

D'autre part, le zèle pieux ne marqua pas uniformément ni toujours le comportement des réfugiés : pour beaucoup d'entre eux, les soucis de l'ici-bas furent vite lancinants, tandis que, par ailleurs, ayant retrouvé une pratique facile de leur religion, leur exaltation et leur ferveur initiales s'assoupissaient.

Il y a en outre une différences de mentalité saisissante entre ceux qui ont quitté la France à l'âge d'homme, et de leur propre initiative, et ceux qui partirent comme enfants. Cette nouvelle génération apparaît souvent apatride et cosmopolite : subissant un destin d'expatrié décidé pour eux par leurs parents, ces jeunes hommes restent Français par la langue — qui fait bien souvent leur gagne-pain — et ils considèrent parfois avec quelque condescendance la culture de leur pays d'accueil ; mais leur ferveur monarchique brille par son absence et leur ardeur religieuse semble souvent faite avant tout d'une haine implacable pour le catholicisme romain et d'un anticléricalisme fielleux.

210

Déracinés, coupés de tous ces milieux qui enserraient l'homme d'Ancien Régime de tant de cocons protecteurs — famille, province — et coudoyant au contraire au sein du Refuge des exilés originaires de tous les coins de France, issus de toutes les couches sociales, dont beaucoup sont en migrations perpétuelles d'un bout à l'autre de l'Europe protestante, comment conserveraient-ils intacts les jugements de valeur naïfs de leurs pères ? Paris n'est plus pour eux le centre du monde, le « roi » n'est pas nécessairement Louis XIV : ils sont voués à être en marge à la fois de la France et de leur pays d'adoption, aventuriers internationaux par destin et non par vocation. Critiques, relativistes, narquois, les yeux dessillés, ils incarnent un type humain nouveau, l'individu moderne. En contrepartie de leur personnage souvent peu reluisant de salariés, de quémandeurs, de "personnes déplacées", nombre d'entre eux, dans cette seconde génération, se délectent des saveurs capiteuses de l'irrespect universel et de l'espoir terrestre éblouissant qu'alimente l'idée neuve du progrès des Lumières.

N.C. ET RÉFUGIÉS

Alors que les pays d'accueil et, en particulier, le Brandebourg, considéraient d'emblée les réfugiés comme des immigrants, il est important de souligner que la plupart de ceux qui quittèrent la France le faisaient avec un état d'esprit d'*émigrés*, l'espoir chevillé au cœur de revoir un jour le pays natal.

Il faut éviter ici les pièges sournois de l'anachronisme : nous qui connaissons la suite des événements, nous savons que l'Édit de Fontainebleau n'inaugurait pas une tourmente passagère pour le protestantisme français mais il est patent que l'ensemble des huguenots, en 1685, envisagèrent la Révocation comme une épreuve effroyable, mais temporaire : confiants en la Providence divine, ils se persuadaient que la couronne serait assez vite amenée à revenir sur sa décision et donc à rétablir certaines des clauses les plus essentielles de l'Édit de Nantes, ce qui permettrait aux exilés de revenir en France la tête haute.

Ce ne fut qu'après une bonne dizaine d'années, une fois

que les traités signés à Ryswick en septembre 1697 n'eurent rien changé à la situation des huguenots de France, que ceux-ci et les réfugiés, commencèrent à prévoir que leur épreuve serait de longue durée, constatation tout à fait acquise après la Paix d'Utrecht (1713), d'autant plus qu'à côté des réfugiés venus de France comme adultes comptaient de plus en plus leurs enfants, ou venus très jeunes, ou nés à l'étranger, chez qui était fort atténué ce besoin viscéral de se sentir simultanément réformés et français[14], si caractéristique de la première génération.

Si l'on fait sa part — énorme — à l'illusion optimiste qui a amorti pendant une bonne dizaine d'années le choc de la Révocation pour ses victimes, on s'aperçoit que le choix de demeurer en France ou de partir au Refuge n'a eu que fort peu ou rien à voir avec la ferveur religieuse de qui le faisait, point souvent trop négligé. Il est patent que demeurèrent en France une foule de réformés très convaincus (le prophétisme et, plus tard, la Guerre des Camisards le montrent assez). Inversement des gens assez peu militants sont partis : les réfugiés n'ont pas tous été édifiants aux yeux de leurs hôtes ; par exemple, quand à leur arrivées, ils devaient témoigner de leur repentance d'avoir abjuré pour être réincorporés aux églises wallonnes, nombre d'entre eux considéraient comme une formalité ce qui aurait dû être une expiation déchirante, pensaient des spectateurs malveillants...

Les théologiens, au moins dans les débuts, ne poussaient pas sans nuances les huguenots à fuir la France ; le devoir était de rester et de résister à la catholicisation forcée ; l'on ne pouvait s'échapper, en conscience, que si l'on redoutait de n'être pas assez fort pour affronter les persécuteurs sans rien leur concéder.

Au surplus, politiquement, un rétablissement quelconque de l'Édit de Nantes ne pouvait être espéré que si les réformés demeuraient nombreux dans le royaume. L'appel lancinant « Sortez de Babylone... » ne signifiait pas tant « quittez la France » que « n'allez plus à la Messe ». Le départ au Refuge n'était qu'une des manières possibles d'obéir à cette injonc-

---

14 Cf. [Pierre JURIEU] *La politique du clergé de France*, 1681, p. 126 (dans l'édition de 1682, p. 97).

tion, et la moins valable ! S'en aller, c'était limiter l'effort et le danger à la période relativement courte du voyage clandestin, tandis que rester en France, et résister, étendait le péril et l'épreuve sur toute une existence — avec les sommets de risque représentés par l'assistance à des Assemblées du Désert, pour les plus engagés.

Le pinacle est atteint avec ces « galériens pour la foi », qui rament interminablement sur les flottes françaises de la Méditerranée et qui, refusant d'ôter leur bonnet quand la Messe était célébrée sur le pont auquel ils étaient enchaînés, reçoivent chaque fois pour leur insolence des coups de garcette... Ténacité qui a entraîné le passage au protestantisme d'un des aumôniers des galères : persuadé que tant de courage ne pouvait avoir pour source que la « vraie » foi, il s'enfuit à Genève[15]...

On en est réduit à des conjectures fragiles quand on cherche à s'expliquer le choix fait par les individus ; par exemple, au sein d'une communauté d'origine commune, pourquoi tel réformé est-il resté et tel autre, apparemment très semblable, parti au Refuge ? La vigueur physique, l'esprit d'aventure, l'âge, le sexe, la situation de famille, le degré d'instruction, la profession ont assurément joué, mais comment savoir quels ont été les facteurs déterminants ? Un soldat célibataire, par exemple, s'il désertait des troupes françaises, après le début de la Guerre de la Ligue d'Augsbourg, pour rejoindre celles de Guillaume d'Orange, n'affrontait pas, ce faisant, des dangers tellement plus grands que ceux que comportait sa profession militaire et cette solution a été choisie plus d'une fois. Inversement un vieillard, une femme seule ou un enfant, physiquement fragiles, étaient les candidats les moins indiqués pour ces odyssées éprouvantes que représentait un départ clandestin, avec ses longues marches de nuit ou ses voyages en barques...

Ce qui ne fait pas de doute, c'est qu'un facteur décisif pour incliner à la fuite ait été la facilité relative qu'entraînait

---

[15] Jean-François BION, né en 1668, après avoir été curé de campagne, devint aumônier des galères, sur la *Superbe*. En 1707, il gagna Genève et y embrassa la Réforme. Il passa de là en Angleterre où il fut pasteur. Il publia à Londres en 1708 une *Relation des tourments qu'on fait souffrir aux protestants qui sont sur les galères de France...*

l'habitat géographique, non loin des frontières, terrestres ou maritimes. Les huguenots ont été proportionnellement bien plus nombreux à quitter le Dauphiné ou la Saintonge que le Languedoc ou les Cévennes. Au surplus, on s'explique bien que la nécessité de partir ait été beaucoup moins vive là où la communauté réformée était majoritaire, comme en Cévennes, de sorte qu'en dépit des persécuteurs, on se sentait entre soi, dans une communion fraternelle sécurisante et une complicité de tous les instants.

Les isolés, en revanche, immergés dans un milieu hostile ou indifférent, étaient plus que d'autres enclins à s'enfuir. Par ailleurs, les patoisants, au français incertain et à l'accent révélateur, et d'une manière générale les simples, ne pouvaient s'en aller avec quelque chance de succès que sous la direction ou dans la compagnie d'un notable ou du moins d'un homme capable de prévoir un itinéraire et de concevoir des ruses diverses pour dissimuler l'objet véritable du voyage : les frontières n'étaient pas seules à être gardées, les ponts du Rhône aussi étaient surveillés.

Un facteur difficile à cerner, mais qui paraît avoir compté, c'est l'existence d'un contact du réformé français avec l'étranger, antérieur à la Révocation. Dans bien des cas, il s'explique par une activité commerciale. On se décide à partir vers un pays d'accueil où l'on connaît un compatriote déjà établi, où l'on possède un correspondant, dont on a rencontré des nationaux...

Mais on s'en va aussi vers une contrée sur sa réputation, ce qui a été au premier chef le cas de Genève ; en fait les fugitifs ne pouvaient guère y rester que pour la nuit, à cause des pressions exercées par le Résident de France, mais ils ont traversé la ville de Calvin par milliers avant de poursuivre leur route plus loin, vers les Cantons suisses et, surtout, vers l'Allemagne.

Les départs semblent avoir été aussi bien des coups de tête individuels que des résolutions longuement mûries par toute une famille. Tel reste, qui cultivera les terres, prendra soin des vieux parents, voire, s'occupera de la marmaille, dont le frère et la belle-sœur s'en vont... Tel autre part seul, en éclaireur, escomptant faire venir les siens quand il aura trouvé un établissement. Le pasteur Brassard fut rejoint, au Refuge, par quatre de ses fils, laissant derrière eux, à Montauban, la grande maisonnée des femmes et des enfants, — N.C. d'apparence — réunis sous la houlette de la grand'mère. Ces malheureux ne se revirent jamais, qui avaient prévu une tempête de courte durée.

Les situations varient à l'infini et si le mobile religieux est assurément le plus décisif, il n'est certainement pas le seul qui a déterminé les départs ; certains ont fui une situation économique ou familiale qui les étouffait et les espions soudoyés par la Cour de France ne manquaient pas dans le flot des réfugiés. Ce qui nous paraît clair, c'est que le zèle religieux n'a pas représenté un facteur différentiel perceptible entre réfugiés et huguenots de France. Ils sont pratiquement tous N.C. et tous abominent la catholicisation forcée, qu'ils éludent de leur mieux, avec des solutions différentes commandées par des contingences variées.

Les pasteurs bannis à la Révocation ont constitué le premier bataillon de la grande armée des réfugiés, suscitée par l'Édit de Fontainebleau, dont ils ont été les chefs naturels d'autant qu'ils n'avaient jamais été N.C. Comme la littérature composée au Refuge provient très souvent de plumes pastorales, on s'explique que les sources imprimées privilégient l'optique de ceux qui ont quitté la France, d'une manière plutôt flatteuse qui tend, sournoisement, à les comparer favorablement aux huguenots restés au pays. Et cela d'autant plus que l'écrasante majorité des pasteurs réfugiés ne répondit pas aux appels venus de France, au bout de quelques mois, qui les adjuraient de revenir à quelques-uns pour y exercer un ministère clandestin.

Ces hommes de cabinet étaient mal préparés à une aventure aussi périlleuse[16] : les rares héros qui la tentèrent furent vite arrêtés et emprisonnés au secret (si on les avait pris à la frontière ou à Paris avant qu'ils aient pu commencer leur ministère) ou exécutés, quand on les saisit en activité, en Dauphiné ou en Languedoc. Il est significatif que les prédicants qui ont pu exercer un ministère de quelque durée avant de mourir en martyrs aient tous été des hommes de terrain plutôt que de savants théologiens...

---

[16] Cf. article cité *supra* note 3.

Tout cela incitait, on le conçoit, le gros des pasteurs réfugiés à valoriser la solution du séjour hors de France qui était la leur. Mais nous venons de dire pourquoi nous croyons qu'on doit prendre des distances avec leur optique et se garder de postuler plus d'ardeur religieuse chez ceux qui sont partis que chez ceux qui ont tenu bon sur place.

Inévitablement, l'écart entre l'expérience vécue des N.C. de France et celle des réfugiés se fit peu à peu sensible, entraînant entre les deux groupes nombre d'incompréhensions, voire, des traces de ressentiments réciproques. Chacun d'eux méconnaissait quelque peu les difficultés et les épreuves rencontrées par l'autre.

Il a pu paraître déplacé à tel N.C., qui risquait les galères quand il trouvait le courage d'assister à une Assemblée, de lire les reproches et les exhortations à une résistance sans concession que, depuis la sécurité du Refuge, lui prodiguaient complaisamment plus d'un ministre. D'autre part, l'écho étouffé des dissensions théologiques qui partageaient le Refuge arrivait en France, bien fait pour déconcerter les N.C. qui au surplus n'ignorèrent pas que certains pasteurs récusaient sévèrement cet illuminisme et ce prophétisme dans lequel les protestants de France puisaient tant de force.

Mais, inversement, l'image idyllique et riante que les N.C. se faisaient naïvement de l'accueil fraternel rencontré par les réfugiés et des abondants secours qu'ils recevaient de leurs hôtes a pu inspirer un ricanement amer à tel réfugié victime d'une xénophobie populaire dont les exemples ne manquent pas (surtout en Angleterre) ou qui, simplement, assurait à grand'peine une subsistance précaire à sa famille, alors qu'en France il avait connu l'aisance.

De toutes façons, les N.C. de France, qui n'étaient jamais sortis de chez eux, ne pouvaient guère soupçonner la nostalgie et le mal du pays rongeur qui dévoraient si souvent les déracinés, soumis aux climats et aux mœurs de l'Europe septentrionale.

Toutefois, ce déphasage progressif entre réformés de France et réfugiés ne réussit pas à entamer une solidarité foncière qui n'allait pas faiblir au XVIIIᵉ siècle : sur le plan financier, les réfugiés et leur postérité, grâce à de perpétuelles collectes, secoururent constamment leurs « frères de France » ;

non seulement ils aidèrent de leur mieux les « galériens pour la foi » mais ils permirent le fonctionnement du séminaire de Lausanne, dans lequel se formèrent les prédicants sous Louis XV et Louis XVI.

LE BOUILLONNEMENT DES IDÉES AU REFUGE ET LA RENAISSANCE DES E.R.F. EN FRANCE

Une des conséquences de la Révocation fut la plénière liberté d'expression qu'elle se trouva apporter aux réformés français réfugiés. Le bannissement des pasteurs et l'émigration de beaucoup de laïcs lettrés fournissaient tout un bataillon d'auteurs, chevronnés ou débutants, tandis que la prospère activité des imprimeurs, dans ce « paradis de la librairie » qu'était la Hollande, rendait aisée et peu coûteuse une considérable production de feuilles volantes, pamphlets, livres et périodiques en langue française à qui la masse des réfugiés dans toute l'Europe septentrionale fournissait, presque à elle seule, un public suffisant pour que leur impression fût rentable. Certains de ces textes, d'ailleurs, provenaient de folliculaires catholiques, — tel Courtilz de Sandras — soit que leurs rédacteurs aient fui la France, soit qu'ils aient fait parvenir dans les Provinces-Unies des manuscrits dont ils avaient prévu qu'ils n'obtiendraient pas de privilège — de permis d'imprimer — en France. Aussi, et d'ailleurs selon un usage courant à l'époque, beaucoup de ces publications étaient-elles couvertes par un anonymat qui, dans quelques cas, nous est demeuré impénétrable.

Toute une partie de ces textes stigmatisait ou raillait la politique de Louis XIV en général et dénonçait l'iniquité du sort fait aux huguenots dans son royaume, en particulier. Certes ces imprimés n'entraient en contrebande en France qu'au compte-goutte et n'étaient donc guère en mesure de « pervertir » les N.C. quand ils étaient composés ouvertement à l'intention de ces derniers ; pourtant, entre 1686 et 1689, les *Lettres Pastorales* de Pierre Jurieu, qui bénéficièrent d'un effort systématique de diffusion clandestine en France, y pénétrèrent en nombre suffisant pour avoir préoccupé Versailles. Mais c'est avant tout l'Europe protestante qui dévorait ces réquisitoires, si capables d'alimenter aversion et crainte à l'égard du Roi Soleil et des ambitions despotiques que lui attribuaient les pamphlétaires.

L'opinion publique commençait à avoir un certain poids, du moins dans les Provinces-Unies et en Angleterre. Le détrônement du catholique Jacques II, fin 1688, devra quelque chose à cette littérature polémique réfugiée, qui contribuera aussi au sensible fléchissement de la francophilie traditionnelle des régents néerlandais (fléchissement si utile à la cause de Guillaume d'Orange), à la défiance, désormais irrémédiable, des Cantons helvétiques protestants à l'égard de la France et aux changements d'alliance de quelques princes allemands.

Mais la liberté d'expression retrouvée allait avoir aussi des conséquences de plus de portée doctrinale et moins étroitement liées aux péripéties de la conjoncture. Les auteurs réfugiés ne se limitèrent plus à souligner le caractère « perpétuel » accordé par Henri IV à l'Édit de Nantes, ni les mille manières sournoises dont la Cour de France en avait trahi l'esprit et la lettre avant de l'abolir.

Quelques écrivains se dégagèrent des récriminations rétrospectives et cherchèrent à opposer à la « déraison » d'État un langage de raison. Ils s'attachèrent donc à dégager les principes implicites qui avaient inspiré la tolérance religieuse, limitée mais incontestable, dont la R.P.R. avait bénéficié pendant près d'un siècle en France, à savoir, le Droit Naturel.

L'attention qu'il avait prêtée à ces « articles fondamentaux », évidents pour tout être rationnel (de Dieu aux hommes, en passant par les anges) avait permis naguère à Grotius de déterminer les règles intangibles qui établissaient le Droit international public. Elles devaient présider à tous les rapports entre États, aussi bien à un traité qu'un monarque européen pouvait passer avec l'empereur de Chine ou le Grand Turc qu'aux traités de Westphalie — les premiers des traités occidentaux que le Saint-Siège n'avait pas contresignés, car ils engageaient des princes de confessions chrétiennes diverses.

D'une manière analogue, il apparaissait rétrospectivement que l'Édit de Nantes avait postulé implicitement une sociabilité plus fondamentale que les affiliations religieuses qui distinguaient les Français les uns des autres, sociabilité qui permettait entre eux une coexistence pacifique. La Révocation était

218

désastreusement revenue en arrière en prétendant annuler cette plage neutre, et, en quelque sorte laïque, dans laquelle n'avait compté que le fait d'être sujet du roi de France. L'Édit de Fontainebleau avait prétendu faire totalement coïncider la citoyenneté et la confession religieuse...

Dès avant la Révocation, au reste, le pasteur Claude en était venu à se demander si la conversion de Constantin avait bien été l'événement providentiel que célébrait une longue tradition : n'avait-elle pas en effet canonisé un monopole religieux incompatible avec cette tolérance civile que requéraient les principes du Droit Naturel ?

L'argumentation des controversistes catholiques insistait lourdement sur la vertu cardinale de docilité requise du chrétien face aux enseignements dispensés par un Magistère ecclésiastique revêtu du privilège surhumain de l'infaillibilité, promise par le Christ à son Église. L'argument d'autorité ne pouvait guère être plus écrasant.

Les réponses réformées traditionnelles avaient bien entendu contesté que les « notes » de la « vraie » Église aient concerné exclusivement l'institution romaine. Mais, vers l'époque de la Révocation, du côté réformé, on se mit à court-circuiter, en quelque sorte, ces discussions techniques en érigeant une autre autorité suprême que le magistère pontifical, à savoir, celle de la conscience qui est, pour chacun, la voix de Dieu, à l'écoute de qui se recueille « la pointe de l'âme »[17]. Voilà pourquoi la force avait bien pu supprimer en France la *religion* prétendue réformée — ses institutions, sa visibilité sociale —, mais elle ne pouvait rien contre la *foi* protestante et ce dernier bastion imprenable qu'elle conservait, le for intérieur des huguenots. La Révocation n'avait pas seulement été une mesure tyrannique, mais elle n'avait pas atteint son objectif, c'était un échec...

Une autre ligne de réflexion, de couleur plus théologique, aboutissait, elle aussi à préconiser la tolérance civile. De nouveau ici, en deçà des vérités « qu'une rivière borne », sur les-

---

[17] Chez les auteurs réformés, la conscience est une instance religieuse et morale. Les réfutations catholiques, en revanche, s'empressent de prendre le mot au sens purement psychologique (*consciousness* en anglais) de sorte qu'ils ont beau jeu à en dénoncer les illusions et les erreurs : c'est « la chair et le sang » qu'elle traduit et elle est sans autorité.

quelles se partagent les humains, on peut déceler une structure commune à tous : personne ne peut mettre en doute ce qui lui paraît évidemment vrai (ce que Malebranche appelle les rapports de grandeur), ni juger licite de s'écarter de ce qui lui apparaît comme le meilleur, comme ce que son devoir exige de lui (les rapports de perfection, selon l'Oratorien, ou, en langage moderne, les valeurs existentielles qui engagent activement qui les saisit). Une telle analyse cesse de s'obnubiler sur la considération de l'*erreur* et prête attention à l'*errant*, une personne, une conscience, qui appelle le respect tout autant que la personne et la conscience de qui serait, par hypothèse, dans le vrai. La seule manière licite d'éloigner un homme des erreurs qu'il professe, c'est de le persuader qu'il se trompait en les embrassant, ce n'est pas de porter atteinte à son intégrité morale en écartelant son comportement de ses conviction, en le forçant à démentir dans ses actes les injonctions que lui dicte sa conscience.

La contrainte introduit un déphasage monstrueux entre l'homme intérieur et le personnage social ; elle fait donc obstacle au devoir le plus essentiel de l'être humain, qui n'est pas l'orthodoxie d'un perroquet ou une gestuelle obtenue par dressage, mais l'orthopraxie de qui s'efforce de traduire authentiquement par ses actes son être intime. L'intention de servir Dieu est plus essentielle que le fait d'avoir plus ou moins correctement appréhendé ses exigences — l'erreur ici relève d'une ignorance moralement innocente.

La déréliction du reniement ravage les N.C. ; c'est le besoin désespéré de n'être plus un pantin disloqué, de se retrouver soi-même en retrouvant son Dieu, qui conduit les anciens huguenots dans les Assemblées du Désert, et non pas un penchant factieux à la rébellion.

Selon Bayle, la persécution n'est pas seulement inutile (car inefficace puisqu'elle ne peut susciter qu'un conformisme de façade), elle est criminelle, c'est un attentat de lèse-majesté divine, puisqu'elle cherche à désagréger ses victimes en les soumettant à la tentation, presque irrésistible, de trahir leur foi intime et de désobéir à ce qu'elles pensent que Dieu exige d'elles. La persécution de France n'est pas seulement, comme le pensait Jurieu l'application vicieuse d'un principe valable — qui autoriserait celle des catholiques en Angleterre — c'est le principe même de l'intolérance civile telle que le posait l'exégèse augustinienne du verset « Contrain-les d'entrer », qui est incompatible avec les enseignements évangéliques.

Cette thèse de Bayle[18] représentait une sorte de révolution copernicienne par rapport au calvinisme classique et présageait le néo-protestantisme ultérieur. Au reste, effrayé par le subjectivisme et par conséquent le relativisme qu'elle impliquait — elle supposait que l'Europe chrétienne laissât entrer chez elle des missionnaires musulmans ou chinois, s'il s'en présentait — le Refuge mettra quelque temps à se rallier avec quelques réserves au programme radical de tolérance religieuse qui en découlait.

Les auteurs réformés du XVIIe siècle s'étaient expressément écartés de la théorie contractuelle des monarchomaques, qui légitimait dans certains cas la rébellion et même le tyrannicide et qu'ils reprochaient à qui mieux mieux aux Jésuites. Mais le Droit Naturel pouvait aisément aussi — chez un Grotius par exemple — s'accorder avec une conception absolutiste du pouvoir royal, qui faisait du monarque tout autre chose qu'un despote oriental ou un tyran d'exercice, puisqu'il était moralement tenu par le Décalogue.

Un auteur réformé du milieu du XVIIe siècle, comme Amyraut, avait fait une large place en morale au Droit Naturel. Parce que ses règles sont édictées par la raison et ne découlent pas de données de fait — et donc, de rapports de force — il représente en effet une incomparable protection pour le faible et le minoritaire, car il récuse radicalement l'utilitarisme sans frein pour lequel la fin justifie les moyens.

La théorie contractuelle du pouvoir royal, sous une forme, au reste modérée et qui exclut le tyrannicide, fut reprise par Pierre Jurieu[19] afin de justifier la révolution qui avait placé

---

[18] L'ouvrage essentiel est ici le *Commentaire philosophique sur ces paroles de Jésus-Christ « contrain-les d'entrer ». Où l'on prouve par plusieurs raisons démonstratives qu'il n'y a rien de plus abominable que de faire des conversions par la contrainte, & l'on réfute tous les Sophismes des Convertisseurs à contrainte et l'Apologie que S. Augustin a faite des persécutions.* L'ouvrage était prétendument traduit de l'anglais et imprimé à Cantorbery ; il l'était en réalité à Amsterdam. Les tomes I et II parurent en octobre 1686 ; le tome III, en juin 1687, suivi d'un Supplément au début de 1688.

[19] *Lettres Pastorales,* IIIe année, 16-18, 15 avril-15 mai 1689.

Guillaume d'Orange sur le trône d'Angleterre. A en croire le théologien réfugié, en ne respectant pas les « lois fondamentales » de la monarchie britannique — qui associaient au roi un Parlement — Jacques II était devenu « tyran d'exercice » et il avait été licite au peuple anglais (en la personne de quelques notables) de faire appel à son héritière légitime, la princesse Mary, épouse de Guillaume d'Orange avec qui elle régna conjointement. Dans sa quasi-totalité, le Refuge applaudit à tout rompre la révolution anglaise (qui lui semblait présager l'abrogation de l'Édit de Fontainebleau) et considéra volontiers Guillaume III comme un personnage providentiel — un nouveau David en quelque sorte[20].

L'enthousiasme que leur inspirait la Révolution d'Angleterre éloignait significativement les Réfugiés de l'idéologie huguenote absolutiste du XVIIᵉ siècle — à laquelle, en revanche, les N.C. de France demeurèrent le plus souvent fidèles — et plus généralement, donc, de l'état d'esprit qui régnait sans conteste en France (où Guillaume d'Orange, détrônant son beau-père tel un « nouvel Absalon »[21], était stigmatisé comme un « parricide »).

Anglophilie politique qui résultait de la présence hors de France des exilés et qui représenta un premier déphasage idéologique sensible par rapport à leur mentalité d'antan. Très tôt célébré dans la presse littéraire française de Hollande et vite traduit en français par le réfugié Pierre Coste, John Locke ne tarda pas à exercer sur l'intelligentsia émigrée une influence qui précéda et inaugura son prestige dans l'Europe des Lumières.

Jurieu avait par ailleurs défini des limites significatives à cette obéissance passive au monarque si perpétuellement prêchée par la théorie absolutiste. Le théologien légitima en conscience la désobéissance au Prince qu'impliquaient les Assemblées du Désert, la fuite à l'étranger et aussi le transfert d'allé-

---

[20] Cf. Walter Rex, *Essays on Pierre Bayle and religious controversy*, La Haye, 1965 chap. VI « Bayle's article on David » — précédemment paru dans *Bibliothèque d'Humanisme et Renaissance*, XXIV (1962), p. 168-189 et XXV (1963), p. 366-403.

[21] Cf. Antoine Arnauld, *Le véritable portrait de Guillaume Henry de Nassau, nouvel Absalon, nouvel Hérode, nouveau Cromwell, nouveau Néron*, s.l. 1689 — pamphlet inspiré par la récente révolution en Angleterre.

geance que représentait, pour les officiers nobles, l'entrée dans les armées d'un prince adversaire de Louis XIV. Le Roi Soleil a été le premier à rompre le contrat tacite qui le liait à ses sujets huguenots quand il a révoqué l'Édit de Nantes ; il a ainsi rendu à la noblesse réformée la liberté de servir un prince de son choix et, plus généralement, au Refuge le droit de reporter sur un autre monarque ce dévouement empressé qu'un chrétien doit à son roi.

Délivrés de l'auto-censure débilitante et des difficultés à être imprimés qui les avaient entravés, stimulés par les épreuves de la transplantation et par l'élargissement de leur expérience au contact de sociétés sensiblement différentes de celle qu'ils avaient connue au pays natal, les auteurs réfugiés français sortent du ghetto de la R.P.R. — et simultanément se trouvent délivrer la culture française, pendant les trente années de la fin du règne de Louis XIV, du baillon d'une censure quasi inquisitoriale : les œuvres de Richard Simon, le *Télémaque* de Fénélon — pour ne citer que ces livres parmi quantité d'autres — ne purent être imprimés qu'en Hollande, où les éditions en langue française avaient fait un prodigieux bond en avant avec l'arrivée des huguenots.

Les périodiques littéraires et politiques ont fait du Refuge hollandais une plaque tournante essentielle de la culture européenne de l'époque ; la langue française a véhiculé les informations qui ont répandu dans toute l'Europe occidentale la connaissance des cultures britannique, néerlandaise et germanique à côté de la place privilégiée que les journalistes conservaient à la civilisation de leur pays d'origine. En France, les lettrés se procuraient à prix d'or ces périodiques qui y pénétraient assez facilement tout en n'y étant pas en vente ouverte. En dépit de son naufrage apparent, dans le domaine de la culture, le protestantisme français entrait le vent en poupe dans le XVIIIe siècle...

Quant aux huguenots de France, ils n'étaient pas voués à l'oubli : les prières d'intercession les concernant s'élevaient dans trois continents — de Dantzig à Boston et de Copenhague à la colonie du Cap, partout où existaient des communautés réfugiées. Cette sollicitude entretenait une attention anxieuse pour les formes diverses que revêtit la résistance des N.C. : prophétisme, Guerre des Camisards, Assemblées du

Désert. Les phénomènes illuministes et les soulèvements ont souvent déconcerté et parfois horrifié les Réfugiés et l'opinion protestante européenne, tandis qu'ils créaient des difficultés, par moments, très sérieuses, pour les autorités françaises. Ils montraient combien le peuple huguenot, désorienté par la persécution, pouvait se trouver engagé dans des voies étrangères au calvinisme. Ses traditions propres, toutefois, allaient reprendre laborieusement le dessus avec la réorganisation clandestine d'un premier noyau d'E.R.F., marquée par le premier Synode du Désert, réuni à l'initiative du pasteur Antoine Court dans l'été 1715. Par un hasard richement symbolique et à l'insu de l'opinion du temps, dès avant qu'expirât le Roi Soleil, le fiasco de la Révocation était acquis.

CONCLUSION

En conclusion, donnons-nous la licence de proposer conjecturalement quelques vues panoramiques, téméraires et schématiques... La Révocation de l'Édit de Nantes n'a été qu'un épisode, parmi beaucoup d'autres, inscrit dans un mouvement général qui couvre plusieurs siècles ; à la Réforme protestante succéda la Contre-Réforme, ou, pour mieux dire, la Réforme catholique (qui simultanément contredit la première en apparence, mais lui ressemble en profondeur) ; à la fin du XVIIIe siècle, ce mouvement s'ensable et devient marginal par suite d'une sécularisation qui rejette progressivement les options religieuses dans le domaine privé et personnel.

La situation du protestantisme français, resté minoritaire, n'a jamais cessé d'être précaire ; il a toujours été en quelque sorte en sursis. Léonard a tendu à expliquer partiellement le naufrage de la R.P.R. par ses faiblesses *internes* au XVIIe siècle ; mais on peut se demander si le grand historien n'a pas, de ce fait, sous-estimé le rôle absolument majeur et décisif joué par sa faiblesse *ad extra* et s'il n'a pas été quelque peu victime d'une vision idéalisante des huguenots du XVIe siècle — ces grands ancêtres auxquels il compare péjorativement leur postérité. Pourtant, les Églises du Désert seront filles de ce protestantisme français du XVIIe siècle, trop décrié, en dépit de l'affadissement, de l'affalement inévitables qu'avait entraînés son « établissement »[1] — cette vitesse de croisière qui a succédé à son âge héroïque.

Rien ne manifeste mieux le hiatus brutal créé par la Révo-

---

[1] C'est le titre expressif du second volume de l'*Histoire générale du protestantisme* d'Émile G. LÉONARD, Paris, 1961.

cation que le destin de ces pasteurs réfugiés, hommes de cabinet et notables embourgeoisés à qui il était soudainement demandé, quand leurs anciens fidèles les supplièrent de revenir exercer un ministère clandestin en France, de se métamorphoser en hommes d'action, en out-laws et en martyrs potentiels ! Ils n'étaient ni physiquement, ni psychologiquement, ni moralement préparés à tenir ce rôle hors du commun, comme le montre l'arrestation rapide des quelques héros qui retournèrent dans le royaume. Toutefois, sur le terrain, surgissaient des prédicants qui, avec un arrière-plan personnel tout autre, allaient maintenir la vie souffreteuse du protestantisme français ; or ces prédicants avaient été formés, médiatement, par ces mêmes pasteurs réfugiés, qui avaient donc su transmettre l'essentiel du message.

Enfin, la politique de la Cour de France à l'égard des huguenots doit être replacée dans une entreprise plus générale de mise au pas du « peuple ». Réforme et Contre-Réforme (la Compagnie du Saint-Sacrement, sous cet angle, est homologue des consistoires) ont lancé une campagne de « moralisation » à corps perdu. Les élites du XVIIe siècle se sont senti une mission « civilisatrice », un devoir majeur de faire adopter, ou à tout le moins, révérer, par le « peuple » des valeurs d'ordre, de règle, de bon sens, de decorum, de discipline — des valeurs classiques et bourgeoises en un mot. Les excès et les déviances en tout genre — danses, superstitions, indécences, schisme —, les comportements « gothiques » venus de la nuit des temps sont systématiquement et, à l'occasion, férocement réprimés, en vertu d'un paternalisme déchaîné, arrogant (et finalement, naïf), qui s'évertue à plier le populaire aux « bienséances ». Civilité et civilisation procèdent d'en haut, irradient du sommet, et l'on n'accorde aux simples qu'une seule vertu, la docilité et la déférence.

Toutefois cette entreprise d'oblitération des particularismes — et d'humiliation dévalorisante de ceux qui en restaient englués —, tout en affaiblissant gravement la R.P.R. ne réussira pas à en venir à bout. L'identité huguenote fut protégée contre la « normalisation » et le conformisme par la nature même de la source — la foi religieuse — qui alimentait sa résistance à l'oppression.

BIBLIOGRAPHIE

La bibliographie du sujet est immense, nous nous en tiendrons à quelques publications récentes :

Jean Orcibal : *Louis XIV et les protestants,* Paris, Vrin, 1951.

Émile-G. Léonard : *Histoire générale du protestantisme,* tome II, chap. VII, Paris, P.U.F. 1961.

Daniel Robert : « Louis XIV et les protestants », in *XVIIe siècle,* nos 76-77, 1967, pp. 39-52.

Samuel Mours : *Le protestantisme en France au XVIIe siècle,* Paris, Librairie protestante, 1967.

Histoire des protestants en France, ouvrage collectif, Toulouse, Privat, 1977, dans lequel, au chapitre III, Daniel Ligou traite du XVIIe siècle.

Janine Garrisson : *L'Édit de Nantes et sa Révocation, Histoire d'une intolérance,* Paris, Seuil, 1985.

N° spécial de *Réforme,* 23 mars 1985 : « L'Édit de Nantes est révoqué ».

Le *Bulletin de la société de l'histoire du protestantisme français,* publication plus que centenaire qui comporte des Tables abondantes, est une mine inépuisable de documentation.

Parmi l'énorme littérature contemporaine des événements, nous citerons les quelques rééditions modernes ou récentes :

Jean Claude : *Les plaintes des protestants cruellement opprimés dans le royaume de France* (le éd. 1686), éd. critique de Frank Puaux, Paris, Fischbacher, 1885.

Henri Basnage de Beauval : *Tolérance des religions* (le éd. 1684), rééd. photostatique avec une Introduction d'E. Labrousse, New York, Johnson Reprint, 1970.

Pierre Bayle : *Ce que c'est que la France toute catholique sous le règne de Louis Le Grand,* éd. critique d'E. Labrousse, Paris, Vrin, 1973.

Jean Tirel : *Lettres fraternelles d'un prisonnier à ses frères fugitifs,* éd. par E. Avigdor d'après un Ms inédit (composé peu après la Révocation par un pasteur incarcéré à Rouen), Paris, Nizet, 1984.

Avertissement aux Protestants des Provinces qui ont fait prêcher sur les Masures de leurs temples... rééd. du texte de 1684 à paraître aux P.U.F.

MÉMENTO CHRONOLOGIQUE

1598 (13 avril) : Promulgation de l'Édit de Nantes.

1605 : Londres : Conspiration des Poudres.

1607 : Achèvement, sans conclusion, des Congrégations *De Auxiliis* à Rome : la papauté laisse ouvert le problème de l'opération de la grâce, le molinisme n'est pas condamné.

1609 : Kepler publie l'*Astronomia nova*.

1610 (14 mai) : Assassinat d'Henri IV par Ravaillac.

1618-1619 : Synode de Dordrecht : condamnation de l'Arminianisme.

1618 : Débuts de la Guerre de Trente Ans.

1621 (novembre) : Les armées royales doivent lever le siège de Montauban.

1624 (29 avril) : Richelieu entre au Conseil.

1628 (octobre) : Capitulation de La Rochelle, après un an de siège.

1628 : Harvey publie le *De motu cordis*.

1629 (28 juin) : Édit de grâce d'Alès.

1633 (22 juin) : Condamnation de Galilée et de l'héliocentrisme par le Saint-Office.

1635 (19 mai) : La France entre dans la Guerre de Trente Ans.

1637 : Descartes publie le *Discours de la méthode*.

1638 (5 septembre) : Naissance de Louis-Dieudonné, futur Louis XIV.

1640 : Publication posthume de l'*Augustinus* de Jansenius.

1642 : Débuts de la guerre civile en Angleterre.

1642 (4 décembre) : Mort de Richelieu.

1643 (14 mai) : Mort de Louis XIII.

1644 (décembre) : Synode National de Charenton.

1648 : Traités de Westphalie.

1648 (mai) : Début des Frondes, qui dureront, avec des répits, pendant quatre ans.

1649 (9 février) : Exécution de Charles Ier d'Angleterre.

1651 : Hobbes publie le *Leviathan*.

1653 (31 mai) : Condamnation à Rome de Cinq propositions tirées prétenduement de l'*Augustinus* de Jansenius.

1659 (novembre) : Synode National de Loudun.

1660 : Restauration de Charles II d'Angleterre.

1661 (9 mars) : Mort de Mazarin.

1670 : Édition partielle des *Pensées* de Pascal par Port-Royal. Parution anonyme du *Tractatus theologico-politicus* de Spinoza.

1671 : Bossuet publie son *Exposition de la Doctrine de l'Église catholique*.

1672-1678 : Guerre de Hollande.

1678 : Le « Complot papiste » à Londres et la crise de succession.

1681 : Première Dragonnade au Poitou.

1682 (22 mars) : Déclaration des Quatre articles gallicans.

1683 (juillet-septembre) : La tentative de résistance non violente inspirée par Brousson est durement réprimée en Dauphiné et en Vivarais.

1683 (12 septembre) : Victoire de Kahlenberg : les Turcs lèvent le siège de Vienne.

1685 (février) : Mort de Charles II. Son frère, Jacques II, qui lui succède, est ouvertement catholique.

1685 (été) : Dragonnades générales dans le Midi.

1685 (18 octobre) : Révocation de l'Édit de Nantes.

1688-1689 : Première flambée de prophétisme huguenot en Dauphiné.

1688 (novembre) : Guillaume d'Orange débarque en Angleterre.

1689 (février) : Guillaume et Mary souverains britanniques.

1689 : Guerre de la Ligue d'Augsbourg.

1697 (10 septembre) : Traités de Ryswick, qui ne font aucune place au problème des protestants français.

1698 (4 novembre) : Supplice de Claude Brousson à Montpellier.

1699 (12 mars) : Bref d'Innocent XII condamnant le Quiétisme, sollicité par la Cour de France.

1702 (19 mars) : Mort de Guillaume III ; sa belle-sœur Anne lui succède.

1702 : Débuts de la Guerre de Succession d'Espagne.

1702 (juillet)-1704 (mai) : Guerre des Camisards.

1709 : Suppression du monastère de Port-Royal ; dispersion des religieuses.

1713-1714 : Traités d'Utrecht et de Radstadt qui mettent fin à la Guerre de Succession d'Espagne.

1715 (21 août) : Premier Synode du Désert.

1715 (1er septembre) : Mort de Louis XIV.

HISTOIRE ET SOCIÉTÉ
Labor et Fides

Collection dirigée par Jean BAUBÉROT,
avec la collaboration de Roland CAMPICHE
Philippe JOUTARD, Élisabeth LABROUSSE, Marc LIENHARD,
Richard STAUFFER, Jean-Paul WILLAIME.

La collection *Histoire et société* publie des ouvrages consacrés à divers problèmes, événements, faits de société concernant la religion et en particulier le protestantisme. Elle comporte des ouvrages qui traitent un *dossier* précis, d'autres qui donnent un *point de vue* parfois engagé, toujours fondé sur des références qui le rendent communicable à des lecteurs d'opinions diverses.

Achevé d'imprimer par Corlet, Imprimeur, S.A., 14110 Condé-sur-Noireau
N° d'Imprimeur : 6624 - Précédent dépôt : avril 1985 - Dépôt légal : septembre 1985 - *Imprimé en France*